D1531550

UNE NUIT,
MARKOVITCH

Ayelet Gundar-Goshen

UNE NUIT, MARKOVITCH

Roman

Traduit de l'hébreu
par Ziva Avran, Arlette Pierrot
et Laurence Sendrowicz

PRESSES
DE LA CITÉ

Titre original : 'לילה אחד,מרקוביץ

Avec le soutien du

Ce livre, les personnages et les noms propres sont le fruit de l'imagination de l'auteur. Toute ressemblance entre l'intrigue du roman et des événements réels, des personnes vivantes ou mortes et des noms existants ne pourra être que totalement fortuite.

© 2012 Kinneret, Zmora-Bitan, Dvir — Publishing House Ltd
Publié avec l'accord de The Institute for the Translation
of Hebrew Literature.
© Ayelet Gundar-Goshen, 2012
Tous droits réservés
© Presses de la Cité, 2016 pour la traduction française
ISBN 978-2-258-13385-3

Presses
de   un département **place des éditeurs**
la Cité

place
des
éditeurs

À Yoav

« Même le poing serré fut un jour
une main ouverte. »

Yehouda AMIHAÏ

AVANT

1

Yaacov Markovitch n'était pas laid. Il ne faut cependant pas en déduire qu'il était beau. Et même si à sa vue les petites filles n'éclataient pas en sanglots, elles ne souriaient pas non plus. Disons qu'il était d'une extraordinaire banalité. Ou plutôt, il avait un visage tellement quelconque que les yeux, ne parvenant jamais à se fixer sur lui, s'échappaient vers d'autres horizons. Un arbre au bout de la rue. Un chat perdu. S'attarder sur une telle fadeur aurait exigé beaucoup d'efforts, en tout cas beaucoup trop pour le commun des mortels. Il était donc rare qu'on le regardât longtemps. Ce qui n'était pas sans quelques avantages, comme l'avait compris le chef local du réseau qui, lui, avait contemplé Yaacov Markovitch juste le temps nécessaire pour décréter avant de se détourner :

— Toi, tu passeras des armes. Avec cette tête-là, personne ne te remarquera.

Grand bien lui en prit. Markovitch passa des armes, il en passa davantage sans doute que n'importe quel autre membre de l'organisation clandestine. Et ne courut jamais aucun risque. Le regard des soldats britanniques glissait sur lui en moins de temps qu'il ne faut pour l'écrire. Ses compagnons de lutte appréciaient-ils son audace, il l'ignorait. De fait, on lui adressait fort peu la parole.

Quand il ne passait pas clandestinement des armes, Markovitch occupait ses journées à cultiver son champ dans le village agricole où il habitait, et le soir il nourrissait avec des restes de pain le cercle de pigeons familiers regroupés dans sa cour, les uns picorant dans le creux de sa main, les autres perchés sur son épaule (si les gamins l'avaient vu ainsi, ils en auraient ri, mais personne ne franchissait le muret de pierres). La nuit, il lisait Jabotinsky. Une fois par mois, il se rendait à Haïfa et couchait avec une femme moyennant finance. Pas toujours avec la même. Il ne regardait pas son visage et inversement.

Yaacov Markovitch n'avait qu'un seul ami : Zeev Feinberg, un sacré personnage, qui se définissait d'abord et avant tout par sa moustache. En effet, bien plus que ses yeux bleus, ses épais sourcils et ses dents acérées, c'était cet attribut qui lui valait d'être célèbre dans la région, voire, au dire de certains, dans tout le pays. Pour preuve les propos rapportés par un membre de l'Organisation, qui revenait d'une mission dans le Sud : une jeune fille toute rougissante lui avait demandé si le sultan moustachu était encore parmi eux. Tout le monde s'était esclaffé, Zeev Feinberg plus que les autres, tandis que, au-dessus de sa lèvre supérieure, la fameuse moustache était prise de tremblements successifs qui n'étaient pas sans rappeler la joyeuse gesticulation de son propriétaire entre les cuisses de ladite demoiselle. Avec d'aussi belles bacchantes qui lui barraient la face comme autant de points d'exclamation au garde-à-vous, un tel homme n'était à l'évidence pas destiné à passer clandestinement quoi que ce fût. Il fallait être aveugle et stupide pour ne pas remarquer sa présence dans les parages. Certes, les Britanniques étaient stupides, mais aveugles, c'eût été trop leur demander.

Que Feinberg ne puisse s'occuper d'armes ne voulait pas dire qu'il ne s'occupait pas d'Arabes. Loin s'en faut. La nuit, il patrouillait volontiers autour du village, d'autant que ces heures-là, il les passait rarement seul. Dès qu'on apprenait qu'il serait de garde, on s'empressait de le rejoindre, certains bien sûr pour entendre les exploits de sa moustache entre les cuisses féminines, mais d'autres pour discuter avec lui de la situation et des Allemands-maudits-soient-ils, ou pour lui demander son avis concernant l'élevage des bovins, le désherbage des champs, l'arrachage des dents de sagesse... autant de domaines dans lesquels notre homme s'estimait spécialiste. Et il y avait aussi des filles. Car s'il va sans dire que Zeev Feinberg était une sentinelle hors pair, le doigt toujours sur la détente, n'oublions pas que Dieu nous en a donné dix, des doigts. Exhalaison de la terre après la pluie, frisson de danger, léger bruissement – ennemi ou sanglier ? –, soupirs et gémissements parvenaient parfois jusqu'aux premières habitations. Yaacov Markovitch se joignait souvent au groupe des noctambules, non sans avoir pris sous le bras son livre de chevet, un exemplaire défraîchi des écrits de Jabotinsky, tout imprégné de sa transpiration. Il était accueilli avec autant de chaleur que les autres. Habitué à être entouré, Feinberg aurait été incapable de se montrer antipathique envers quiconque. Jusqu'aux Britanniques, qu'il ne haïssait pas réellement. S'il devait tuer un homme, il le faisait sans enthousiasme, bien qu'avec une grande efficacité.

La première fois qu'ils avaient échangé quelques mots seul à seul, ce fut lorsque Markovitch, revenant en pleine nuit d'une de ses escapades à Haïfa, fut soudain arrêté par une grosse voix qui tonna dans l'obscurité :

— Halte-là ! Qui es-tu et d'où viens-tu ?

— Je suis Yaacov Markovitch et je reviens de chez une femme, répondit l'interpellé qui, s'il sentait ses jambes flageoler, parvint toutefois à conserver un ton ferme.

Feinberg éclata d'un tel rire qu'il réveilla tout le poulailler, ce qui ne l'empêcha pas d'exiger des détails que l'autre donna avec plaisir : il décrivit les tétons, adorables, de la dame, ses fesses puis ses jambes, tout cela sans se faire prier et sans rien réclamer en échange, pas même une lire, alors que ces informations lui avaient coûté la moitié de ses revenus hebdomadaires.

— Dis-moi, était-ce bien humide ? demanda Feinberg en conclusion.

Il se pencha en avant à tel point que sa moustache chatouilla la joue de son interlocuteur… qui n'osa pas bouger. Personne ne l'avait jamais regardé aussi longuement. Comprenant qu'il ne pourrait éluder davantage, il finit par lâcher :

— Qu'est-ce que tu veux dire exactement ?

— Ce que je veux dire ?

Là, les belles bacchantes giflèrent littéralement

Markovitch, qui fut obligé de reculer et découvrit alors, à quelques centimètres de son visage, des yeux bleus écarquillés et tellement surpris qu'ils le happèrent aussitôt, lui et les écrits de Jabotinsky qu'il tenait sous le bras.

— Je parle de son vagin, l'ami. Était-ce bien humide là-dedans ?

Le terme, si explicite, donna le vertige à Markovitch, qui dut s'asseoir sur un rocher.

— J'espère que tu as conscience qu'il existe différents degrés d'humidité chez les femmes, poursuivit Feinberg, prenant place à côté de lui. Il y en a qui suintent à peine, il y en a qui mouillent et il y en a – aïe, aïe, aïe – dans lesquelles tu te noies comme dans un océan. Ça dépend évidemment de l'alimentation de la donzelle et de la température ambiante, mais le facteur principal, c'est le désir réciproque.

Et il réitéra sa question. Markovitch fut contraint d'avouer qu'il n'avait pas senti la moindre goutte d'humidité.

— Rien.

— Rien ?

— Rien. Aussi sec qu'un champ à la fin du mois d'août.

— Dans ce cas, mon gars, déclara le grand connaisseur après un long moment de réflexion, je te conseille de vérifier si elle ne s'amuse pas ailleurs. Tu connais sûrement la loi de conservation de la matière. Le corps humain ayant une quantité limitée de liquides, je crains, l'ami, que ta beauté de Haïfa n'épuise ses réserves naturelles avec un autre.

À ces mots, Markovitch soupira de soulagement,

maintenant tout était clair, s'exclama-t-il, elle lui avait effectivement précisé qu'il était le quatrième de la soirée. Donc, en vertu de la fameuse loi ci-dessus citée, il était parfaitement logique qu'il n'ait rien trouvé de mouillé. Ses mots déclenchèrent chez Feinberg une hilarité tellement communicative qu'il fut – bien que ne sachant pas pourquoi et ne cherchant pas à le savoir – contraint de s'y associer. Ah, quel plaisir de partager un moment de grâce avec celui dont la moustache remplissait la Vallée et dont la joie retentissait à travers tout le pays. Et même si au début il y avait eu dans ce rire une pointe de raillerie, elle s'était rapidement dissipée, laissant la bonne humeur s'installer un long moment entre les deux hommes. Markovitch rit tant et si bien qu'une petite tache apparut soudain sur sa braguette. Lorsqu'il s'en aperçut, il rit de plus belle.

C'est ainsi que fut scellée leur amitié.

Quelque temps plus tard, Yaacov Markovitch sauva Zeev Feinberg. À deux reprises et dans la même soirée. Revenant de Haïfa, il s'était précipité vers le poste de garde parce que, pour la première fois de sa vie, il avait vu des seins de grosseur inégale. Il en était encore à se demander ce qu'en dirait son nouvel ami lorsqu'il aperçut un jeune Arabe tapi dans les buissons, un fusil braqué sur une masse qui s'agitait – assurément le célèbre moustachu chevauchant une conquête. Sans craindre une erreur trop grossière, nous pouvons affirmer que Markovitch n'hésita pas (même si avant ce jour mémorable il s'était contenté de passer clandestinement des armes et n'avait jamais tué de créature vivante, hormis les rats qui ravageaient les champs et dont il fracassait le crâne). Oui, on peut imaginer qu'il réussit tant bien que mal à surmonter le tremblement de ses jambes, qu'il leva tout doucement une pierre blanche et lisse et que, d'un coup violent, il fit exploser la tête de l'intrus. Une balle de pistolet déchira aussitôt l'obscurité et ses tympans, il se palpa de haut en bas à la recherche d'une blessure et constata que, pour une fois, Feinberg avait raté sa cible.

— C'est moi, cria-t-il, ne tire pas !

Les remerciements chuchotés par le séducteur impénitent furent couverts par un jet de vomi, car un seul regard au jeune Arabe qui gisait à terre et Markovitch s'était trouvé le cœur au bord des lèvres. Le sang répandu brillait sous la clarté lunaire, le spectacle de la matière grise ainsi mise à nu était terrifiant. Les grillons continuaient à striduler, mais lui, fermant les yeux et les portes de sa conscience aux images de l'homme à la cervelle écrasée, se cramponna désespérément au souvenir de la femme aux seins inégaux. Lorsqu'il releva les paupières, il se trouva face à deux autres seins, merveilleusement symétriques ceux-là. Tremblante, Rachel Mandelbaum se tenait à moitié dévêtue à côté de Feinberg. À ce point choquée qu'elle en avait oublié de se couvrir, elle s'offrait, immobile devant lui, dans toute sa splendeur, et se lamentait en contemplant le cadavre. Yaacov Markovitch sentit son membre durcir. Et plus il durcissait, plus son esprit ramollissait, au point qu'il se désintéressa rapidement de sa victime. Jusqu'au moment où il se rendit compte qu'il fixait la poitrine de Rachel Mandelbaum, lui qui n'était pas son mari. Il se tourna vers Feinberg.

— Abraham va te tuer.

Bien informés ou non, les gens n'arrivaient pas à se mettre d'accord sur le nombre d'hommes qu'Abraham Mandelbaum avait occis. Certains parlaient de dix, d'autres allaient jusqu'à quinze. Toutefois, pour tenir compte de ceux qui, sous prétexte de ne pas tomber dans l'exagération, refusaient d'aller au-delà de quatre, on avait finalement adopté le chiffre de sept cadavres, très certainement des Arabes, avec peut-être un Britannique (mais personne n'en aurait mis sa main à couper). Les mouches y regardaient à deux fois avant de s'approcher du bonhomme, les chats évitaient de se frotter à ses mollets. Si le village avait possédé une guillotine, c'est lui qui en aurait eu la charge mais, comme il n'y en avait pas, Mandelbaum devait se contenter de l'abattage rituel. Peu d'entre eux savaient que, la nuit, ce colosse pleurait dans son sommeil et qu'il balbutiait, en polonais teinté de nostalgie, des propos obscurs où il était question d'agneau blanc, de pomme sucrée, de cruauté enfantine. Rachel Mandelbaum l'entendait, compatissait et en profitait pour se faufiler discrètement hors du lit.

Cinq ans auparavant, c'était tout aussi discrètement qu'elle avait débarqué en Palestine. Une fois à terre, elle était restée sur le quai, sans rien dire ni faire, à attendre qu'il se produise quelque chose. Ayant usé tout son courage pour atteindre ce pays, elle n'avait plus, à son arrivée, que sa force d'inertie. Elle n'avait pas attendu longtemps. Au bout d'une demi-heure, Abraham Mandelbaum l'avait abordée, s'était présenté, lui avait offert un verre d'eau gazeuse au kiosque et l'avait invitée à le suivre. Ce qu'elle avait fait, comme le caneton tout juste sorti de l'œuf s'attache aux pas de la première personne croisée.

Ce n'est qu'ultérieurement qu'elle se demanda pourquoi il se trouvait sur le port ce jour-là. Il n'avait rien à vendre et, tout le temps où il était resté avec elle, il n'avait rien acheté non plus ; comme il n'avait pas de famille, elle supposait qu'il n'était pas davantage venu accueillir un proche. Mais là, elle se trompait. À peu près une fois par mois, il venait accueillir les bateaux. Lorsque la faim vous tenaille trop, il suffit des yeux pour se remplir le ventre, ne fût-ce qu'un peu. Abraham scrutait les passagers qui débarquaient, silhouettes blafardes et visages verdâtres, il essayait d'y reconnaître quelque trait familier puis, après dispersion de la foule, il s'en retournait chez lui. Le jour où il vit Rachel, il sut instantanément, mais attendit encore trente minutes, dévoré d'angoisse, avant d'acquérir la certitude qu'il ne se trompait pas. Elle ne fut approchée par personne et n'approcha personne. Il avait compris, en la voyant dans sa robe verte, qu'elle était une bouteille jetée à la mer, et qu'il allait, lui dont toute la famille avait été exterminée, la ramasser sur la grève et la déchiffrer. Il l'emmena chez lui, l'épousa, mais jamais il ne réussit à déchiffrer les mots qu'elle étouffait au plus profond de son être.

La première chose que fit Rachel Mandelbaum, née Kantselfold, en arrivant au village, fut d'ôter sa robe verte et d'en coudre des rideaux. De sa parure de bal rouge, elle tira deux nappes et une taie d'oreiller. Cinq mois après avoir posé le pied sur la terre ferme, elle avait presque tout liquidé de la jeune citadine qu'elle avait été autrefois. Son intérieur, en revanche, s'était paré de souvenirs étoffés de sa vie d'avant. Puis les tissus se ternirent, s'effilochèrent petit à petit, et à la fin tout ce qu'elle avait confectionné sembla avoir été là, en Palestine, depuis toujours. Les autres femmes la considéraient avec un respect teinté de perplexité : elles se félicitaient de la voir si bien s'acclimater (contrairement aux coquettes qui débarquaient et se croyaient en villégiature près de Zurich), mais comment pouvait-elle, Dieu nous en préserve, transformer avec autant de détachement une garde-robe dernier cri en rideaux ? Prendre de si précieuses draperies viennoises et en tailler des torchons pour la boucherie de son mari ? Rachel Kantselfold avait aussi renoncé à parler allemand. Dès l'instant où elle avait foulé le sol de Haïfa, elle s'était engagée à ne s'exprimer qu'en hébreu. Lorsqu'elle ignorait un mot, elle préférait se taire, même face à un germanophone. Un jour, un membre d'une délégation de la direction sioniste en déplacement dans le village avait appris que la belle femme qui se tenait devant la boucherie était comme lui originaire d'Autriche. Il se lança aussitôt dans une tirade émue… qui fut accueillie par une placidité muette. Retranchée dans son silence, Rachel se contenta de le fixer d'un regard vide, et le groupe, confus, s'éclipsa rapidement. Ses voisines, ravies de voir une jeunette aussi déterminée, se hâtèrent de louer son engagement en faveur de la langue hébraïque et se chargèrent de répandre l'histoire de l'immigrante qui avait, avec un aplomb indéniable, donné à un fonctionnaire une belle leçon de patriotisme. On l'en félicitait encore souvent dans la rue. Elle remerciait dans son hébreu au léger accent étranger. Quelles étaient ses réelles motivations, cela demeurait un mystère, pour elle aussi bien que pour les autres. À moins qu'elle n'ait senti en son for intérieur que, si elle laissait ouverte la moindre brèche, le chagrin qu'éveillait en elle son passé perdu à jamais s'y engouffrerait et inonderait le pays tout entier. Les robes, les bals, la lumière que renvoyaient les pavés en pierre taillée des trottoirs, les flocons de neige – elle gardait tout cela enfermé à double tour. Un seul regard en arrière et, telle Eurydice, elle serait happée, incapable de résister, par le doux, le trop doux enfer européen.

Pendant la journée, Rachel Mandelbaum aidait son mari à la boucherie, enveloppée d'effluves de sang. La nuit, assise dans son lit, elle tricotait au point le plus serré possible pour ne pas laisser la moindre pensée nostalgique s'infiltrer dans son présent. Mais une fois par mois, elle posait ses aiguilles et quittait discrètement sa couche. Abraham continuait à gémir en polonais dans son sommeil, elle lui caressait la tête d'une main experte puis sortait. Dehors, la Palestine dormait, la terre respirait lourdement, exhalant une haleine gorgée de glèbe, de vergers, de foin. Et dans le foin l'attendait Zeev Feinberg. Elle fermait les yeux, il lui embrassait le cou, sa moustache la griffait tant elle avait la peau délicate et diaphane. Mais elle ne s'écartait pas. Au contraire : elle se frottait et se refrottait aux poils drus. Alors, par-delà les arbres fruitiers, les champs de blé, le port, la mer, remontait le souvenir d'une autre moustache, celle d'un soldat autrichien nommé Johann, de l'odeur de vin qu'elle recueillait sur ses lèvres à chaque baiser échangé, du sang qui lui montait à la tête à chaque valse qu'elle exécutait entre ses bras, tournoyant dans une danse qui semblait ne jamais devoir finir. Alors, les yeux de Rachel Mandelbaum se mouillaient, tout comme son entrejambe.

2

Le soir où Yaacov Markovitch fracassa la tête du jeune Arabe, les yeux de Rachel Mandelbaum ne s'étaient pas encore embués. Quelques minutes auparavant, Zeev Feinberg, après lui avoir enlevé son corsage, avait directement enfoui le visage entre ses seins, au fond d'une dépression que son Autrichien de Johann n'avait pas eu le temps de visiter. De ce fait, le contact de la moustache n'avait suscité en elle aucun émoi, hormis, peut-être, une sensation de léger picotement. Elle en était encore à se demander s'il convenait de ramener cette intrusion masculine vers son cou lorsqu'elle avait entendu – et reconnu sans nul doute possible – l'horrible bruit d'un crâne qui explose.

Certes, ce genre de bruit est rare, mais il suffit de l'entendre une seule fois pour qu'il s'incruste dans vos tympans. Or, un soir, à Vienne, alors qu'elle se dirigeait vers un des cafés de la place, Rachel Kantselfold avait vu trois jeunes gens qui, après avoir jeté leur dévolu sur un vieux Juif, s'amusaient à se le renvoyer comme un ballon. La chose qui l'étonna le plus, ce fut de lire sur leurs traits l'exultation innocente d'enfants en train de jouer. Soudain, l'un d'eux poussa le vieillard d'un geste mal calculé, l'homme chancela et sa tête heurta le bord du trottoir. Après un instant à le contempler avec frayeur – voilà que leur pantin n'était plus qu'un jouet cassé, une baudruche dégonflée –, le responsable de cet acte terrible ravala sa salive et lâcha : « Partons, on en trouvera un autre. » Ils avaient repris leur chemin et elle le sien.

Une semaine plus tard elle embarquait pour la Palestine et, pendant la traversée, afin de lutter contre le mal de mer et la nostalgie qui lui retournaient les entrailles, elle ne cessait de penser au bruit de ce crâne fracassé.

Cette fameuse nuit, en entendant l'avertissement : « Abraham va te tuer », Rachel Mandelbaum se rendit compte qu'elle se tenait seins nus devant Yaacov Markovitch. Un bref coup d'œil au visage de ce dernier lui suffit pour constater qu'il ne portait pas l'ombre d'une moustache et que donc une telle situation n'avait pas lieu d'être. Elle se couvrit immédiatement, contrariée à la pensée qu'à présent trois hommes du village savaient qu'elle avait un grain de beauté sur le sein droit. Si elle avait pu sonder le cœur de ce troisième larron, elle aurait sans doute été rassurée. Comparés à ceux dissymétriques de la femme de Haïfa, ses seins étaient d'une beauté céleste et justifiaient amplement qu'on leur sacrifiât un jeune Arabe, songeait notre justicier. Cela dit, un cadavre était largement suffisant, inutile d'y ajouter celui de Zeev Feinberg – lequel avait enfin cessé de le remercier et s'était mis à jurer dans la langue fleurie des matelots russes.

— Idiot, triple abruti, maudite soit la chienne qui t'a enfanté !

Markovitch crut d'abord que son ami s'adressait à l'Arabe, mais, en le voyant s'arracher la moustache avec sa grosse main d'ours, il comprit qu'il s'en prenait à lui-même.

— Tu rassemblerais trente hommes en trois minutes que cela ne suffirait pas à te tirer des griffes d'Abraham Mandelbaum. Aaaah, espèce de cochon dévoyé, l'heure de ta mise à mort vient de sonner !

Et de s'arracher la moustache de plus belle, ce qui, aux yeux de Markovitch, était aussi sacrilège que de détruire une des merveilles du monde ou d'incendier la grande bibliothèque d'Alexandrie.

— Laisse ta moustache tranquille ! rugit-il si fort qu'il en sursauta lui-même. Nous allons l'attendre, toi et moi.

Zeev Feinberg obtempéra, au soulagement général. Mais l'expression de peur qui avait envahi son visage se mua en quelque chose qui ressembla, sous un certain angle, à du mépris. C'est qu'il dépassait Markovitch d'une bonne tête et avait les épaules presque deux fois plus larges : comment les soixante-dix-huit kilos de ce qu'il considérait comme un freluquet triompheraient-ils dans un combat perdu avant même qu'il ait commencé ? (Ce jugement n'échappa pas au freluquet, qui en eut un pincement au cœur.) Au loin, on entendait déjà les voix des hommes tirés de leur sommeil par le coup de feu et qui approchaient, menés sans aucun doute par Abraham Mandelbaum.

— Va-t'en, cours ! s'écria Yaacov Markovitch.

Comme l'autre ne bougeait pas, il continua :

— Je dirai qu'en revenant de Haïfa j'ai surpris cet Arabe en train d'agresser Rachel. Toi, tu patrouillais dans les champs, au nord du village. Et maintenant, file !

Sous la moustache, les lèvres s'ouvrirent de stupeur. Cela ne dura qu'un instant. Leur propriétaire enfourcha son cheval et s'enfuit au galop, tandis que Rachel regardait son sauveur comme si elle le voyait pour la première fois. Des mots sublimes se bousculèrent en allemand dans son esprit mais, comme elle ne connaissait pas leur équivalent en hébreu, elle resta muette – chose peut-être préférable, vu qu'elle n'était pas la cause de l'élan courageux de Markovitch. Certes, la dame avait des seins ronds et charmants, mais ils n'égalaient pas la moustache de Zeev Feinberg, unique en son genre : c'était la seule qui, à son approche, se soulevait au-dessus d'un sourire bienveillant.

Les hommes s'arrêtèrent autour de lui en demi-cercle. Jamais il ne s'était trouvé sous les feux croisés d'autant de regards. Il déroula son récit une seconde fois, cherchant confirmation auprès de Rachel à intervalles réguliers, mais celle-ci opinait avec tellement de conviction qu'il craignit un effet contraire. Personne ne crie sur tous les toits que deux et deux font quatre, il suffit de l'énoncer tranquillement, alors que là, la jeune volage secouait la tête de haut en bas avec une ferveur quasi religieuse – ce qu'Abraham Mandelbaum ne manqua pas de noter, lui aussi. Les joues de sa femme lui parurent trop rouges et, bien qu'il soit difficile de différencier la teinte provoquée par une juste colère de celle provoquée par un plaisir coupable, le fort gonflement des lèvres, lui, ne pouvait qu'être le résultat d'ébats amoureux. Et lorsque Feinberg apparut enfin sur son cheval, les sourcils du boucher se contractèrent comme deux chèvres noires qui se blottissent l'une contre l'autre dans le froid de la nuit.

— Tu as été bien long, lança le responsable du village.

— J'ai fait le tour de tous nos champs pour voir s'il y en avait d'autres.

Des murmures d'approbation parcoururent le groupe d'agriculteurs. Yaacov Markovitch put enfin respirer normalement.

— Et toi, quelle mouche t'a piquée, d'aller traîner dehors à une heure pareille ?

— Je n'arrivais pas à dormir, se défendit Rachel Mandelbaum, les yeux braqués sur le sol.

La lune, qui réapparut entre les nuages et l'éclaira aussi violemment qu'un projecteur de théâtre, la fit paraître si fragile, paupières baissées et chemise déchirée, que chacun des hommes présents l'aurait volontiers prise dans ses bras et consolée au creux de son lit. Certains auraient sans doute joint le geste à la pensée si le mari ne s'était pas trouvé dans les parages, lui qui était le seul à ne pas contempler Rachel. Et pour cause : il fixait la braguette de Feinberg, qui bâillait – témoignage criant d'une autre vérité. Zeev Feinberg essuya une larme de compassion, intercepta le regard soupçonneux du boucher et se hâta de refermer son pantalon.

— Je suis bien gêné de le dire mais, quand j'ai

entendu le coup de feu, j'étais en train de pisser pour la sixième fois de la nuit. Voilà ce qui se passe quand on n'a personne à qui parler, on occupe sa langue en buvant. C'est chaque fois pareil, je bois et je pisse, je bois et je pisse.

Tous éclatèrent de rire, Rachel sourit poliment, le mari garda le silence.

Le lendemain, vers sept heures et demie, Markovitch fut réveillé par des coups énergiques frappés à sa porte.

— Fais ta valise, il a tout découvert, lui annonça Feinberg, debout sur le seuil.

Ce ne fut qu'une fois tous les deux dans le train, en route pour Tel-Aviv, qu'il lui exposa les faits (le cliquetis des roues assourdissait les gargouillis de l'estomac du malheureux Markovitch, que l'urgence de la situation avait rudement tiré du sommeil et privé de petit déjeuner).

— Ce matin, Mandelbaum a eu envie de coucher avec sa femme. En lui enlevant sa chemise de nuit, il a découvert qu'elle avait une terrible éruption sur la poitrine. Réaction allergique au frottement de ma moustache sur sa peau délicate. Aïe, aïe, aïe, quelle peau ! Belle et blanche comme du lait, je te jure, à part le grain de beauté. Tu l'as remarqué, le grain de beauté ?

— Non, non, assura Markovitch. Mais j'aimerais bien savoir comment tu as échappé au couteau du boucher.

— Tu ne crois pas si bien dire ! Il n'arrivait pas à décider avec quelle lame il m'égorgerait. Il a mis cinq bonnes minutes à la choisir, assez pour que Rachel se précipite chez ma Sonia et lui demande de nous prévenir. Sauf que ma Sonia est beaucoup moins pointilleuse que Mandelbaum.

Il souleva sa chemise et exhiba cinq longues estafilades sanguinolentes avant de s'exclamer :

— Sur ma vie, elle a la force de dix bonshommes !

Markovitch approuva d'un hochement de tête impressionné, le laissa comparer sa bien-aimée à toute une galerie de mammifères, du loup à l'hyène, et resta à fixer avec envie les sillons rouges qui lui barraient le torse.

— Jamais je n'aurais cru qu'une femme puisse éprouver de tels sentiments, marmonna-t-il enfin.

En entendant ces mots, Zeev Feinberg cessa de maudire la chienne enragée qui avait mis bas Sonia et concéda :

— Elle a un cœur gros comme une colombe, une source intarissable entre les jambes et...

Et de se lancer dans la description détaillée de ladite source, dont il évoqua la douceur, la roseur, la moiteur et, cela va sans dire, la joie toute chaude avec laquelle il y était accueilli.

— Sache qu'elle n'a peut-être pas les seins aussi parfaits que ceux de Rachel, mais elle a tellement d'humour que tes couilles jouent des castagnettes rien qu'en l'écoutant.

L'éclat de rire qui ponctua son propos fut si tonitruant qu'il donna au train un coup d'accélérateur.

— Quand nous reviendrons, je l'épouserai, aussi vrai que je m'appelle Zeev, conclut-il avec un soupir.

Il avait dans le regard une flamme qui réussit

31

presque à convaincre Yaacov Markovitch. Cependant, lorsque ce dernier posa les yeux sur la célèbre moustache, il se souvint qu'elle frisait à l'approche de toute jolie créature souriante, frémissant comme celle d'un chat qui renifle une souris. Cette image le renvoya au gros matou repu qui attendait les largesses de Rachel Mandelbaum sur le seuil de la boucherie, et il se souvint aussi de l'oiseau blessé que l'animal avait un jour trouvé sur son chemin et martyrisé non par besoin, mais par désœuvrement.

Feinberg avait toujours prôné l'égalitarisme, surtout en matière de femmes. En vertu de quoi il répartissait équitablement son amour entre toutes et mettait un point d'honneur à n'en privilégier aucune.

— Je l'épouse, répéta-t-il en se tapant sur la cuisse, comme pour assurer par là un engagement définitif. Cette fois je l'épouse.

Lorsque le train entra en gare de Tel-Aviv, il en était à décrire son repas de noces avec moult détails. Si les harengs et la brioche ainsi que le ragoût de bœuf avaient été depuis longtemps posés sur les tables, Markovitch eut beau dévorer des oreilles tous ces mets délicieux, ils atterrirent apparemment dans l'estomac d'un autre, à en juger par la faim qui tenaillait le sien depuis des heures. Il osa enfin interrompre son compagnon pour s'enquérir de leur destination et surtout pour savoir s'il y aurait là-bas quelque chose à se mettre sous la dent.

— Nous allons chez Froïke. Et tel que je le connais, tu ne partiras pas de chez lui le ventre vide.

Markovitch se figea.

— Froïke ? Le numéro deux de l'Organisation ?

— Lui-même.

— Tu le connais ?

Le chef local du réseau vénérait ce Froïke à tel point que jamais Yaacov Markovitch n'aurait osé rêver le rencontrer un jour. On disait de lui qu'il serait capable d'avaler une grenade dégoupillée et de la faire ressortir par son trou de balle si cela pouvait contribuer à servir la cause du peuple juif en Eretz-Israël[1].

— Nous sommes arrivés par le même bateau, lâcha Feinberg, qui commença à marcher.

Bien sûr, là n'était pas la seule explication. Ils étaient quatre cents à bord de ce rafiot et personne n'avait noué de relation rappelant de près ou de loin celle qui unissait Zeev Feinberg à l'homme qui deviendrait le bras droit du commandant suprême de l'Organisa-tion. C'est que ces deux-là partageaient l'amour des femmes, des bonnes blagues et des échecs – certes, rien d'original là-dedans, sauf que chez eux cet amour atteignait des sommets rarement égalés. Compte tenu du peu d'espace sur le bateau, de la cinquantaine de filles célibataires, de la trentaine de blagues savou-reuses et de l'unique échiquier, les deux hommes avaient décidé de faire fi du capitalisme européen et de miser sur une juste répartition de ces maigres res-sources. Ils restèrent intransigeants sur un seul point : la victoire. Or ils étaient justement plongés dans une partie des plus intenses lorsque le rivage fut en vue. À l'appel du capitaine, Zeev Feinberg déplaça son fou et se leva, mais Froïke le mitrailla du regard. Le rasoir

---

1. Littéralement, « pays ou terre d'Israël », terme employé avant la créa-tion de l'État d'Israël en 1948. (*N.d.T.*)

n'ayant pas effleuré son menton depuis son départ d'Europe, il avait retrouvé son ancienne allure de juif orthodoxe (abstraction faite de ses yeux, qui indiquaient clairement qu'il avait déjà goûté au péché et en redemandait).

— « Qui commence une bonne action se doit de l'achever », assena-t-il à son adversaire en citant le Talmud. Nous avons attendu deux mille ans, nous attendrons bien un quart d'heure de plus.

Ils continuèrent donc à jouer malgré l'agitation ambiante et les barques qu'on mettait à l'eau. Ni l'un ni l'autre ne consultèrent leur montre, ni l'un ni l'autre n'avaient particulièrement hâte, après avoir embrassé tant de lèvres charmantes, d'embrasser le sol du pays de leurs ancêtres. Au bout de vingt minutes, le capitaine déboula :

— Si les Britanniques vous attrapent, vous pourrez jouer aux échecs pendant tout le trajet du retour !

Un instant, le futur numéro deux de l'Organisation sembla envisager cette possibilité, mais finit par la repousser.

— J'espère que tu es capable de nager d'une main, Feinberg, parce que de l'autre je veux que tu tiennes tes pièces !

Sac à dos gonflé à bloc, nos deux joueurs se précipitèrent sur le pont, chacun serrant ses figurines dans le poing en se répétant leur emplacement sur l'échiquier. Ce fut alors que le capitaine leur ordonna de porter secours à une femme enceinte et à ses deux petites filles. Il s'en fallut de peu qu'ils ne refusent… Entre leur barda, les malheureuses et les échecs, ils choisirent de sacrifier le barda. Zeev s'occupa de la femme enceinte et des pièces noires, Froïke se chargea courageusement du sauvetage des fillettes en larmes et des pièces blanches, qu'il réussit à ne pas perdre dans les vagues. Une fois sur le rivage, ils se débarrassèrent de la mère et de son infinie gratitude, effleurèrent du bout des lèvres la joue ridée de la Terre promise et s'aperçurent avec horreur qu'ils avaient oublié la configuration de la partie interrompue. Ils restèrent toute la nuit sur la plage, torse nu et caleçon trempé, à se quereller sur le juste positionnement des tours, des fous et des pions... Au matin, la patrouille britannique qui les aperçut ne douta pas un seul instant que ces deux gaillards avaient passé leur vie là. Lorsqu'ils finirent par se lever, ce fut en caleçon qu'ils partirent à la découverte de leur nouveau pays : le futur moustachu s'en alla vers le nord, et le futur lieutenant-commandant se dirigea vers Tel-Aviv, où il allait devenir le lieutenant du commandant de l'Organisation. Au cours d'une rencontre ultérieure, Feinberg s'étonna de ce qu'un homme qui avait failli abandonner une femme enceinte au profit d'une reine en bois s'occupât de coordonner l'immigration clandestine en Palestine, mais Froïke lui expliqua que, en somme, il avait remplacé une obsession par une autre :

« Là aussi, il ne s'agit que des noirs contre les blancs. Et là aussi je déteste perdre. »

Voici donc Zeev Feinberg et Yaacov Markovitch assis, face à Froïke. Le premier, radieux et décontracté, jambes allongées devant lui, le second, crispé et pitoyable, recroquevillé sur lui-même, terriblement conscient de la différence abyssale entre leurs deux attitudes. Certaines personnes, songea-t-il, se sont comme immiscées par effraction dans le monde et attendent à chaque instant qu'on leur tape sur l'épaule et qu'on leur crie : « Qu'est-ce que tu fais là ? Qui t'a permis d'entrer ? Allez, ouste, dehors ! », tandis que d'autres se posent et s'imposent où qu'ils passent, tel un fier navire fendant les flots. Oh, ce n'était pas de la jalousie que lui inspirait cette constatation, mais un sentiment beaucoup plus complexe. Dans le bureau du lieutenant-commandant, embarrassé par sa propre raideur que soulignait encore la nonchalance avec laquelle Zeev Feinberg avait étendu ses jambes, Markovitch se demandait derrière combien de tables il devrait encore se tenir ainsi coincé, désespérant de jamais parvenir à être à l'aise en présence d'un tiers. Ces réflexions le poussèrent à se lever d'un bond, à tendre la main vers le haut responsable qui, jusqu'alors, ne lui avait pas adressé la parole et à lancer :

— Yaacov Markovitch, pour vous servir !

Au silence qui accueillit son exclamation, il comprit qu'il avait fait une bourde. Les deux hommes discutaient certainement de sujets de la plus haute importance : plan audacieux pour libérer la Palestine du mandat britannique, position érotique particulièrement sophistiquée, coup brillant aux échecs à n'oublier sous aucun prétexte. Bref, son intervention tomba comme un cheveu sur la soupe. Le lieutenant-commandant le toisa d'un regard identique à celui du médecin de campagne qui examine un prélèvement de selles, puis reprit le fil de sa conversation :

— Alors, de quelle grosseur, le grain de beauté ?

Il était de notoriété publique que Froïke avait un

goût immodéré pour les grains de beauté. Il les pré-férait même, selon ses détracteurs, à la globalité du corps féminin. Si bien que, lorsqu'il entendit le récit de la mésaventure qui avait commencé par la poitrine de Rachel Mandelbaum et s'était terminée par le couteau d'Abraham Mandelbaum, il ignora ce dernier rebon-dissement – détail de peu d'importance à ses yeux – et resta concentré sur les seins. Ce qui ne perturba aucunement Feinberg, bien au contraire, ravi qu'il était de constater une fois de plus à quel point son cher ami savait séparer le bon grain de l'ivraie. Il s'attarda donc sur ce point crucial, mais voilà que se produisit une chose étrange : plus il évoquait les seins pulpeux de Rachel, plus il voyait se dessiner ceux de Sonia. Certes, les seins de Rachel étaient plus beaux – ronds, tendres et très fermes en même temps –, mais imagi-ner ceux de Sonia lui faisait tellement plaisir qu'il ne voulait pas y renoncer. Décrivant les seins de l'une, il voyait les seins de l'autre, et tout à coup il eut peur de les confondre et de décrire les seins de l'autre au lieu des seins de l'une, ce qui était hors de question. Il se tut net.

Pour la première fois depuis leur rencontre sur le pont du bateau, il comprit qu'il possédait une chose qu'il n'avait pas l'intention de partager.

Se maudissant toujours pour son intervention intem-pestive, Yaacov Markovitch gardait lui aussi le silence. Malgré son extrême embarras, il remarqua le change-ment qui s'opérait chez Feinberg : celui-ci avait tou-jours évoqué ses conquêtes avec appétit, comme on aime à retrouver le goût du dîner de la veille. Or, à présent, une véritable tristesse lui voilait le regard. Il n'était plus l'homme rassasié qui se délecte au souvenir de son excellent repas, mais un homme dont les sens étaient troublés par le manque. L'éblouissement qu'il ressentait en décrivant la poitrine de Rachel dépassait ce qu'il avait réellement éprouvé.

Après l'échec cuisant de sa précédente remarque, Markovitch eut besoin de réunir toute son audace pour rouvrir la bouche.

— Tu finiras par revenir à Sonia.

Feinberg le dévisagea avec stupéfaction. Puis il sourit. À l'affolement provoqué par la clarté avec laquelle ses pensées les plus secrètes se trouvaient brusquement mises au jour succéda le soulagement – enfin, quelqu'un était capable de pénétrer les mystères de son âme, de lire ce qu'il était le seul, se désespérait-il, à savoir déchiffrer.

Tout d'abord, Froïke crut à une colique. Puis il comprit qu'il se trompait. La terrible lame qui venait de lui transpercer l'abdomen était en fait une pique de jalousie : il avait senti que les deux hommes assis face à lui partageaient soudain quelque chose dont il était exclu. Ce Markovitch n'était qu'une larve – impossible que Feinberg ne s'en soit pas rendu compte –, mais cette larve avait pris son meilleur ami dans un filet de soie tissé très fin et le laissait, lui, le bras droit du commandant suprême, à l'extérieur !

Cela dit, et bien qu'il ne fût pas de ceux qui aiment avoir mal, a fortiori au niveau de l'abdomen, sentir qu'il était tenaillé par la jalousie le transporta de joie, comme lorsque l'on retrouve un objet perdu. Depuis des années, en effet, il n'avait pu jouir d'un tel tourment. De par sa fonction, il était expert en sévices corporels – compression du diaphragme, éclatement du nez, arrachage d'ongles et entaille franchement désagréable à quelques millimètres du pénis –, mais il avait oublié l'existence des autres douleurs. Les douleurs de la perte. Seul celui qui un jour a été comblé par autre chose que par lui-même connaît l'horreur d'en être privé. En Pologne, quitter l'école talmudique pour la grande ville l'avait tellement éprouvé qu'il avait cru en mourir. Il marchait dans la rue principale et Dieu n'y était pas, Dieu n'y était plus. Ne restait qu'une réalité souillée par le profane. Le pain n'était que le pain. Dans un verre de vin, pas la moindre goutte de divin. Le monde grelottait dans une totale nudité, dépouillé de la promesse d'un au-delà et de l'habillage des anges dont il aurait pu se couvrir. Tout au long de sa première nuit dans la grande ville, le futur lieutenant-commandant n'avait cessé de se languir de Dieu, la tête près d'exploser sous les coups qui frappaient ses tempes tel le tam-tam des cérémonies païennes. Dans sa chambre à l'auberge, il se rasa la barbe. Comme il n'y voyait rien, il se coupa beaucoup, et ses longs poils tombèrent sur le sol par touffes mêlées de sang. Il aurait dû s'arrêter mais il savait que, s'il attendait la lumière du jour, les regrets le pousseraient à revenir sur ses pas et le ramèneraient directement à la prière du matin. C'est pourquoi il persévéra. Une fois ses joues glabres, il s'attaqua à ses cheveux, ses mains tremblaient autant que celles de Dalila, mais il continua, se rasa les sourcils et finalement tout le corps. À l'aube, il se retrouva entièrement nu face à un vide sidéral.

Puis les années passèrent. Ses cheveux repoussèrent et son cœur s'endurcit.

Il regardait à présent ses deux invités tout en roulant machinalement entre ses doigts une mèche de cheveux drus et raides, geste qu'il interrompit dès qu'il en prit conscience – s'oublier de manière aussi mièvre, voire sentimentale, ne seyait aucunement à un des plus hauts responsables de l'Organisation. Pour remédier à ce fâcheux relâchement, il fit quelque chose d'une virilité incontestée, quelque chose de digne d'un chef : du plat de la main, il assena un grand coup sur la table. Zeev Feinberg et Yaacov Markovitch levèrent vers lui des yeux interrogatifs pour le premier, admiratifs pour le second. Après avoir maltraité son bureau sans aucune raison valable, Froïke dut vite trouver quelque chose à dire :

— Eh bien, vous voilà dans de beaux draps ! lâcha-t-il.

Les autres approuvèrent. Cet homme avait la faculté exceptionnelle de transformer des évidences rebattues en affirmations novatrices.

— Ce Mandelbaum viendra-t-il jusqu'à Tel-Aviv ?

— Jusqu'à Tel-Aviv ? tonna Zeev Feinberg. Il nous poursuivra jusqu'à la mer Rouge s'il le faut !

Et il partit d'un grand éclat de rire, aussitôt imité par Froïke. Markovitch, quant à lui, se contenta d'un léger soupir.

— Tire-moi de là, ce que j'ai entre les jambes m'est beaucoup trop précieux pour que je l'offre en pâture à un boucher.

— Bien entendu que je vais te tirer de là ! À quoi servent les amis sinon à se protéger mutuellement la paire de couilles ? Bien que, en ce qui concerne ton camarade ici présent, je ne suis pas sûr qu'il en fasse beaucoup usage !

Cette fois, ce fut Froïke qui éclata de rire en premier et Feinberg qui l'imita, confirmant ainsi la justesse du propos (le concerné, pour sa part, préféra considérer que son ami riait par pure politesse). Une fois clos le chapitre de l'utilisation parcimonieuse que faisait sans doute Markovitch de ses coucougnettes, le haut responsable se pencha en avant et déclara :

— Zeev, je t'envoie en Europe.

Cette proposition fut accueillie par une expression qui, chez tout autre que Feinberg, aurait été qualifiée de déconcertée, sauf que ce dernier, avec ses cent vingt kilos d'audace et de muscles, n'était pas du genre à se laisser déconcerter. La perplexité se détacha donc des épais sourcils, des yeux bleus et de la bouche qui continuait à sourire comme si de rien n'était, et, ne trouvant de brèche que sur la moustache, elle s'y lova, à l'extrême droite, là où les poils s'étaient bizarrement redressés en entendant le mot « Europe ».

— Je te jure, Froïke, que si c'est encore une de tes plaisanteries de fond de tonneau, je t'arrache la langue !

Une fois de plus, les deux hommes éclatèrent de rire, et Markovitch tenta de compléter tout seul ce qui lui échappait (l'on peut supposer qu'il imagina une histoire bien plus salée que ce qui s'était réellement passé).

— Non, l'ami, je te jure qu'on est sortis du tonneau, répondit le lieutenant-commandant.

Il essuya la larme hilare qui perlait au coin de son œil,

anéantissant par ce petit geste le mythe selon lequel les chefs d'organisations clandestines ne pleurent jamais.

— Je t'explique, reprit-il. Comme tu le sais, l'Europe a fermé ses frontières, et ici, chez nous, on ne peut pas dire que la porte soit grande ouverte. Mais nous avons trouvé la brèche : le mariage. Une Juive polonaise ou allemande qui épouse un gars de Palestine peut quitter le vieux continent sans problème, et aucune loi n'interdit à un Juif de Palestine de ramener sa fraîche épouse dans son pays. Au cours de ces derniers mois, nous avons recruté des hommes célibataires que nous allons envoyer en Europe pour mariage. Dès leur retour, ils divorceront et *finita la commedia* – bonjour nouvelle immigrante, au revoir jeune homme, bravo et merci. Ou plus si affinités, qui sait ? Pour ma part, je suis prêt à parier qu'au moins deux couples resteront ensemble. Y a-t-il endroit plus approprié qu'un bateau pour faire chavirer les cœurs ? C'est que tout le monde ne trompe pas l'ennui d'une longue traversée en jouant aux échecs. Alors, félicitations, tu vas te marier !

Tandis qu'il continuait à exposer l'affaire, le désarroi lança une nouvelle offensive sur la moustache de l'époux en devenir. À la dernière phrase, le champ de bataille s'était étendu à tout le monument et des milliers de poils hérissés donnaient au visage de Feinberg une allure de balai ébouriffé.

— Me marier ? Il n'y a pas d'autre moyen ?

Yaacov Markovitch aurait pu jurer que la question avait été posée d'une voix tremblante.

— Ce n'est que sur le papier, un mariage blanc ! Même si, à ta place, et sans vouloir pousser à la consommation, je ne m'empresserais pas d'ôter ma signature en bas de l'acte.

Feinberg ignora le clin d'œil suggestif. Lui qui venait enfin de décider de ne plus honorer que Sonia – il voulait sincèrement se ranger –, voilà que le diable, sous les traits de son meilleur ami, lui susurrait le contraire à l'oreille. Pour gagner l'Europe en bateau, il fallait compter onze jours. Quel homme résisterait à la tentation ? Il avait beau savoir que l'entrejambe des Européennes n'avait rien à envier à l'aridité des steppes sibériennes et que, même si on parvenait à s'y introduire, ça restait glacé comme les berges du Rhin, aucun doute qu'il plongerait dans cette neige fondue et en serait réduit à se présenter devant Sonia, transi de froid et de repentir. Ô Sonia, déesse d'ambre de Palestine ! Autrefois, elle aussi avait été un glacier européen, mais le soleil de la Méditerranée avait réchauffé sa moelle et donné à sa peau un parfum d'orange (la vérité historique veut que nous précisions que Sonia était loin d'avoir une peau d'ambre, elle qui ne parvenait jamais à bronzer et passait directement d'une blancheur laiteuse à un rouge pathologique, mais Feinberg ne l'avait jamais remarqué).

— Trouve-toi quelqu'un d'autre pour cette mission, Froïke, je ne partirai pas, déclara-t-il.

Et il se hâta de poursuivre, non pas à cause de la stupéfaction qui envahit le regard de son interlocuteur, mais de peur de changer d'avis :

— Tu viens de me faire une proposition à la fois séduisante et qui m'assurera le salut, je n'en doute pas. Cependant, je préfère rester ici. Tu as certainement une cache d'armes bien dissimulée, le ventre de quelque chameau qui te sert à convoyer des explosifs, un village de fellahs à vider de ses habitants et dans les ruines duquel il faudra monter la garde quelque part autour de Jérusalem. C'est là que j'irai. Mandelbaum ne viendra pas m'y chercher.

— Si, intervint Yaacov Markovitch, les yeux baissés.

Une nuit où il n'arrivait pas à dormir, n'avait plus assez d'argent pour aller voir une demoiselle à Haïfa et échouait à tromper sa solitude en relisant Jabotinsky, il était allé se promener autour du village et, au retour, il était passé devant la maison du boucher. À travers les fins rideaux, il avait vu Rachel Mandelbaum debout dans son salon, le regard vague, vaquant à toutes sortes de menues occupations : une chemise à ravauder, un coussin brodé à dépoussiérer, un verre de thé à préparer. Elle s'affairait à l'intérieur tandis que son ombre s'agitait à l'extérieur. Elle avait traversé le salon et son ombre s'était déplacée sur les fleurs plantées devant sa porte, elle avait frappé sur le coussin et son ombre avait cogné la façade ; lorsqu'elle avait pris son thé, l'ombre s'était étirée puis arrêtée à mi-course. Il avait fallu à Markovitch un certain temps pour s'apercevoir qu'il n'était pas seul. Assis sur le muret de pierres qui cernait sa cour, Abraham Mandelbaum surveillait sa maison et bougeait comme s'il essayait de retenir cette ombre, à croire qu'il craignait que celle-ci n'accomplisse ce que Rachel elle-même n'osait faire : prendre ses jambes à son cou, retourner au port de Haïfa et embarquer sur un bateau en partance pour l'Europe.

Se remémorant l'expression du boucher au moment où le vent caressait le reflet évanescent de sa femme

44

projeté sur les plates-bandes, il avait compris que le mari trompé les retrouverait, où qu'ils aillent.

— Pas de cache d'armes dissimulée, ni de ventre de chameau, ni d'escalade dans les hauteurs de Jérusalem. Partons ensemble pour l'Europe. Quant aux femmes, ne te tourmente pas : je te protégerai de toi-même.

3

Ils embarquèrent quatre jours plus tard. Par une mer calme et sous un coucher de soleil des plus quelconque, ce qui déçut un peu Yaacov Markovitch. Non qu'il fût de ces sentimentaux ridicules, c'était au contraire un grand pragmatique, mais il avait tout de même nourri l'espoir que, au premier jour de leur voyage, les forces de la nature se seraient mobilisées pour leur offrir un tableau d'ouverture à la hauteur de l'événement, qu'un groupe de cigognes aurait pris son envol, qu'un dauphin aurait émergé près du rivage, que l'astre se serait paré de nuances exceptionnelles avant de s'éclipser. Car, dans son cas, il ne s'agissait pas d'un simple départ pour l'Europe, mais bien du début de l'aventure de sa vie. Depuis sa naissance, il avait eu l'impression de ne jouer qu'un rôle secondaire dans les histoires des autres, de n'être qu'une digression, une lune isolée qui recevait sa lumière d'ailleurs, enfant de ses parents, adjoint du chef local, ami de Zeev Feinberg. Pour la première fois, Yaacov Markovitch trouvait la vie de Yaacov Markovitch digne d'intérêt. Tout ce qui avait précédé n'était qu'une vague esquisse, le griffonnage insignifiant de l'artiste avant qu'il s'attaque réellement à la toile posée sur son chevalet. C'est pourquoi il n'éprouvait de nostalgie ni envers sa maison ni envers les habitants de son village, la seule chose qu'il regrettait était d'avoir laissé derrière lui le livre de Jabotinsky. Et il s'inquiétait aussi un peu pour les pigeons.

Il vomit ses tripes une demi-heure à peine après l'appareillage, ce qui lui permit de contempler son reflet dans l'eau. Entre les restes de repas mal digérés qui flottaient à la surface, il distingua ses yeux ordinaires, son nez ordinaire, l'angle ordinaire de sa mâchoire. Mais il vit aussi sur son front un détail nouveau : une ride déterminée qui n'y était pas auparavant. Quand était-elle apparue, il l'ignorait. Était-ce au moment où il avait fracassé le crâne de l'Arabe ? Lorsqu'il avait effrontément menti à Abraham Mandelbaum ? À moins qu'elle ne se soit creusée pendant sa discussion, ou plutôt carrément sa dispute, avec le numéro deux de l'Organisation, qui avait, dans un premier temps, refusé de l'envoyer, lui aussi, en Europe avec le groupe des célibataires. Quoi qu'il en soit, le signe ne trompait pas. Il examina cette nouvelle marque qui lui barrait le front, décida que de ce sillon germerait la graine de l'homme nouveau qu'il allait devenir, essuya les traces de liquide poisseux aux commissures de sa bouche et se retourna, fin prêt.

Très vite il se rendit compte de son erreur. Tout sur le bateau différait de la vie au village, tout, sauf la manière dont on le considérait. Les regards des passagers glissaient sur son visage et poursuivaient leur course exactement comme les gouttes jaunâtres que

47

les pisseurs, debout à la proue du bateau, distillaient la nuit dans la mer. On ne le détestait pas, on ne se moquait pas de lui, mais on ne venait pas non plus se réfugier sous son aile, alors qu'il était le sauveur de Zeev Feinberg, le tueur d'Arabes, l'arnaqueur de bouchers ! Lui qui se croyait enfin débarrassé de la timidité maladroite qui avait emprisonné sa jeunesse découvrait à présent que ce carcan n'était autre que sa propre peau. Lorsqu'il voulut en discuter avec son ami, il vit tout de suite que c'était peine perdue : le mousta-chu avait été couronné roi du voyage avant même que le bateau ait levé l'ancre. Encore sur le quai il déambu-lait entouré d'une cour de jeunes hommes qui bavaient devant lui telle une portée de chiots, jamais rassasiés et jamais déçus par les histoires que leur contait celui qui, tout le monde le savait, était très lié au numéro deux de l'Organisation, et lui les abreuvait d'anecdotes à en perdre la voix, chantait des chansons grivoises à s'en faire enfler la langue. Il faisait rire ses auditeurs mais riait plus fort qu'eux, affolant les oiseaux migra-teurs, qui changeaient de trajectoire. On ne lui avait pas confié la direction de l'opération car, quelques mois auparavant, Froïke avait nommé un certain Katz à la tête de cette mission. Cependant, personne ne se trompait sur l'identité de celui qui était réellement aux commandes. Si Zeev Feinberg avait donné l'ordre de dérouter le bateau pour caboter pendant trois jours le long des côtes grecques afin de contempler les jolies autochtones qui avaient pour habitude de se bai-gner nues (ce qu'il aurait fait s'il ne s'était pas autant consumé de nostalgie pour sa Sonia), le capitaine lui aurait obéi. Mais, au lieu de cela, il parlait, chantait, riait comme un forcené, même si parfois il sentait les mots se détacher de lui, foncer droit devant et le laisser sur la touche. À ces moments-là, Zeev Feinberg était las d'être Zeev Feinberg. Évidemment, Markovitch ne s'en rendit jamais compte : comment aurait-on pu se lasser d'être Zeev Feinberg ?

Les deux amis se croisaient toujours sur le pont au petit matin et s'asseyaient côte à côte en silence. L'un était monté s'assurer que le soleil se levait, l'autre s'apprêtait à gagner sa couchette après une nuit à boire et à pérorer, l'un mobilisait son énergie pour affronter la journée à venir, l'autre rassemblait son courage pour surmonter ses démons. Une sorte de douce félicité (dont jamais ils n'auraient osé parler) les enveloppait.

Les jours avaient beau paraître identiques, ils s'écoulaient néanmoins. Plus le bateau approchait de sa destination, plus la tension des passagers devenait palpable et vibrante, au point que le bâtiment tout entier tressautait de fébrilité sur les flots. Les hommes parlaient de l'Europe au petit déjeuner et au dîner, sur le pont et en se mettant au lit. Ils en avaient d'ailleurs tellement parlé que, en voyant enfin approcher la côte, ils restèrent cois, comme si, à force de répéter les mêmes mots, ils avaient oublié que ceux-ci correspondaient à une réalité concrète. Debout sur le pont, Yaacov Markovitch observait lui aussi le vieux continent avec l'impression que le bateau avançait de plus en plus vite, attiré vers le port par quelque force magnétique. L'Europe, pôle vers lequel tous les rêves convergeaient, se matérialisait sous ses yeux. Zeev Feinberg était près de lui, mais il serrait les paupières, refusant d'accorder le moindre regard à ce berceau de tous les plaisirs, dont la seule pensée ramollissait le cœur et durcissait le membre. Pour conjurer tentations et sorcières en tous genres, il ne cessait de se chuchoter le prénom de sa bien-aimée. Mais apparemment sa langue sentit de loin le goût du beurre et du chocolat chaud, de la tendre chair des chevreuils et des mamelons de femmes prêts à se dresser, alors il lâcha dans un soupir un dernier « Sonia » et se tut.

Au même moment, Sonia, plantée sur le rivage eretz-israélien, scrutait la mer. Zeev Feinberg ouvrit enfin les yeux et vit le rivage européen. Sonia, les yeux grands ouverts, ne voyait que de l'eau. Onze jours auparavant, à l'instant précis où le bateau quittait le port de Haïfa, un élan venu du plus profond d'elle-même l'avait poussée jusqu'à la mer, ce que l'on aurait pu interpréter comme un clin d'œil du destin, une preuve du lien magique unissant deux amants. Cependant, comme la demoiselle avait ressenti la même pulsion les trois jours précédant le départ de Feinberg, on ne peut pas affirmer qu'elle obéissait à cette sublime intuition féminine qui réveille les mères au cœur de la nuit parce qu'elles savent que leur fils vient d'être blessé au combat, ou qui les envoie préparer vite vite un gâteau parce qu'elles savent son retour imminent. Non, dans le cas de Sonia, il ne s'agissait pas d'intuition mais de dévouement. Lorsque son amant se grattait le nez, elle n'avait pas les narines agacées, et, le jour où la diarrhée tordit les boyaux de tous les passagers du bateau à cause d'une intoxication alimentaire, elle dormit du sommeil du juste. Bref, de même que rien ne lui avait laissé deviner qu'il avait quitté Haïfa, rien ne lui laissa deviner qu'il avait accosté en Europe. Elle ne savait qu'une chose, qu'elle devait attendre son retour et que ce retour se ferait par la mer.

Les amies de Sonia ne se privaient pas de se gausser. Bien sûr, ce Zeev était un homme aimable, qui n'avait pas son pareil pour amuser son entourage, mais aucune moustache ne valait qu'on restât plantée à attendre sur la grève des jours et des jours en tirant une tête à la Anna Karénine. Sonia haussait les épaules et ne bougeait pas, tout occupée qu'elle était à maudire Feinberg dans une langue des plus imagée. Car, même si elle était condamnée à attendre (puisqu'elle souffrait de cette désolante propension qu'ont les femmes, partout dans le monde, à se poster sur une bande de sable et à scruter l'horizon dans l'expectative), elle, au moins, se rebellait contre son sort. C'est pourquoi elle maudissait son homme de toute son âme et de tout son cœur, à pleins poumons et à gorge déployée. Elle traitait la célèbre moustache d'« enchevêtrement de vers de terre crasseux », se moquait du fameux pénis dont toute la Vallée vantait les mérites, le qualifiant tantôt de poireau racorni, tantôt de courgette ratatinée, parfois aussi de nid à morpions, allant jusqu'à décréter qu'une saucisse à ce point avariée était impropre à la consommation. Rapidement, les badauds s'arrêtèrent pour l'écouter réduire son homme en bouillie. Elle le faisait avec une ferveur qui n'avait d'égale que la constance de son attente.

Les jeunes villageois lui vouaient une admiration sans bornes. Non qu'elle fût belle. Un millimètre de trop entre les yeux la séparait des critères reconnus de la beauté. Le soleil avait semé sur son visage des taches de rousseur et son nez busqué aurait pu illustrer en Allemagne n'importe quel tract de propagande antisémite. Elle était de taille moyenne, avec des seins corrects et des fesses qui avaient pour toute qualité d'être des fesses. Et pourtant, chaque jour, ils venaient la retrouver à son poste. Les timides avec des yeux éperdus, les audacieux avec des propos coquins qui lui enjoignaient d'oublier Feinberg pour céder à l'un ou l'autre d'entre eux : certes, ils n'avaient pas de belles bacchantes, leur rire ne décoiffait pas les arbres fruitiers, mais ils avaient l'avantage non négligeable d'être là. Sonia les remerciait avec bienveillance et continuait à maudire son amant. Jusqu'au jour où les femmes commencèrent à la maudire, elle. Des questions du genre « Mais qu'est-ce qu'ils lui trouvent tous ? » se mirent à bourdonner dans les airs comme un essaim de guêpes. Certaines suggérèrent que sa fidélité exerçait un pouvoir envoûtant sur la gent masculine. Chaque homme, en son for intérieur et même s'il n'est pas marin, ne rêve-t-il pas d'une femme qui attendrait son retour sur le rivage ? Du romantisme bon marché, rien de plus. Et puis, la fidélité en elle-même n'a rien d'envoûtant, tout dépend de qui est fidèle : une vilaine citrouille plantée sur la plage finira par être recouverte de mousse ou se transformera en sémaphore. On évoqua aussi le parfum d'orange que dégageait Sonia. En effet, de sa peau montait une odeur lourde et sucrée, reconnaissable entre mille. Si, par exemple, on se tenait à côté d'elle au travail et qu'on prît une grande inspiration, on était aussitôt transporté dans le port de Jaffa, au milieu de cageots d'agrumes. Mais, là encore, il n'y a pas que l'odeur d'orange qui enivre les sens, il y a celle du jasmin ou celle de la figue. Le pays foisonnait de femmes dont la peau exhalait une odeur particulière : tout le monde connaissait la camarade du kibboutz Degania qui devait porter des gants pour éviter les insectes attirés par le miel de ses mains, ou la gamine de Rishon-le-Zion qui, d'après la rumeur, répandait un parfum de myrte si fort que les allergiques éternuaient sur son passage. D'accord, l'odeur d'orange était bien agréable, mais il n'y avait pas là de quoi rendre les hommes fous d'amour, tout de même !

Ce que ni la fidélité ni l'orange ne pouvaient expliquer, la ferveur le fera peut-être. Sonia était animée d'une flamme intérieure capable de dégeler les plantes de pied, de réchauffer les entrailles, de faire crépiter le bout des doigts de n'importe qui. L'hiver, les jours où la pluie ruisselait sur les visages et remplissait les chaussures de boue et de désespoir, un simple regard vers elle suffisait pour assouplir les carcasses roides. L'été, lorsque tout le village se couvrait de poussière sablonneuse et que les maisons suffoquaient sous un glacis de mousseline poudreuse, seule Sonia gardait le teint frais. Elle n'était pas belle, c'était une évidence, pourtant tous les visages se tournaient vers elle tels les tournesols vers le soleil.

Un jour qu'elle attendait sur le rivage, arriva Abraham Mandelbaum. Elle ne le remarqua pas tout de suite tant elle se concentrait sur la manière dont elle arracherait un à un les ongles de Zeev dès qu'il serait rentré. Lorsqu'elle reconnut le boucher, Sonia craignit que certaines des horreurs qu'elle avait proférées ne lui donnent des idées, mais elle se rassura rapidement en se convainquant qu'un égorgeur de bétail aussi expérimenté n'avait pas besoin de ses conseils pour savoir comment s'occuper de chairs fraîches. Elle s'enquit de la raison de sa venue : depuis la fuite de Markovitch et de Feinberg, ils avaient soigneusement évité de se croiser.

Planté devant elle, le colosse tordait ses gros doigts avec embarras et elle songea que, s'il n'avait pas mesuré plus de deux mètres et pesé plus de cent soixante kilos, on aurait pu lui trouver une allure de gamin. Yeux baissés et voix hésitante, il répondit qu'il était venu se faire contaminer par sa colère.

— Tu sais que ce n'est pas une grippe.

— Oui, mais quand même...

Et d'avouer que depuis des jours il n'éprouvait plus la moindre colère à l'encontre de Feinberg et que, quoi qu'il fît pour ranimer sa fureur, raviver les braises en s'imaginant avec précision la fameuse moustache caressant sa femme, il ne parvenait pas à trouver dans son cœur ne serait-ce qu'une once de sentiments négatifs.

— Alors, tu as quoi dans le cœur ?

— Parfois, à la boucherie, quand j'ai fini de découper une bête, il m'arrive de m'asseoir, de regarder les morceaux de viande épars et d'essayer, en imagination, de les remettre ensemble. Quand ça marche, je vois alors, en une vision apocalyptique où tout se ressoude, comment tout converge et redevient entier, les gigots et autres pièces de viande posés sur la table, les abats jetés dans la poubelle et la peau par terre, la tête que j'enveloppe toujours dans un torchon pour que Rachel ne la voie pas – ça lui donne la nausée. Mais ça ne marche pas toujours, et alors je reste sur mon tabouret au milieu de ce démembrement à me demander où a disparu l'agneau.

Sonia se fit la réflexion que c'était sans aucun doute la conversation la plus longue qu'elle ait jamais eue avec le boucher. Peut-être aussi devina-t-elle que c'était la conversation la plus longue qu'il ait jamais eue de sa vie.

— J'ai l'impression de ne pas avoir compris, Abraham. Quel est le rapport entre un agneau et mon vieux loup de Zeevik ?

— Je ne la trouve pas, Sonia. Je ne trouve pas la colère. Le matin où je me suis précipité chez lui, j'étais prêt à l'écorcher vif. Mais déjà sur le chemin du retour je n'avais plus envie de tuer qui que ce soit. J'étais simplement fatigué.

Pour la première fois depuis qu'elle s'était plantée sur la grève, Sonia se détourna de la mer qu'elle n'avait cessé de scruter et dévisagea Abraham Mandelbaum. Elle lui prit les mains, incontestablement des mains d'égorgeur. Elle le regarda avec des yeux qu'elle avait suffisamment écartés pour qu'ils puissent se forger chacun sa propre expression. Et à eux deux, ils traduisirent ce qu'elle ressentait : l'œil droit dégoulinait de chagrin, l'œil gauche de compassion.

— Ce n'est pas de ma colère que tu as besoin, Abraham, mais de celle que tu te seras fabriquée. Oui, fabrique-toi quelque chose qui viendra de toi.

Quelques nuits plus tard, pour tenir l'engagement pris envers son meilleur ami, qui, avant d'embarquer pour l'Europe, lui avait fait jurer de monter au nord jusqu'au village pour prévenir sa bien-aimée qu'il partait et surtout (là était le plus important) qu'il reviendrait – il devait bien insister sur ce fait –, le lieutenant-commandant de l'Organisation se rendit chez Sonia.

Il s'acquitta de son devoir, sans toutefois lui révéler le but de la mission de Feinberg.

— C'était le seul moyen de lui sauver peut-être pas la face, mais les fesses, ce à quoi, si j'ai bien compris, tu tiens, lâcha-t-il avant de se taire, pour permettre à son interlocutrice de le gratifier des mots de reconnaissance bien mérités.

Il fixa la fenêtre, d'où il pouvait contempler la nuit dans laquelle il n'allait pas tarder à se fondre. Comme rien ne venait (où donc étaient passés les « merci, merci, qu'aurions-nous fait sans toi ? » et les « il te doit la vie, et moi aussi ! »), il tourna discrètement les yeux vers Sonia et l'examina, lui qui, grâce à un long entraînement et à un strabisme dans l'enfance, était passé maître dans l'art du regard à la dérobée. Un observateur extérieur aurait facilement pu se méprendre et penser : l'homme assis dans ce salon fixe la fenêtre tandis que la femme fixe le mur. Pour la femme il aurait eu raison, mais pour l'homme il aurait été très loin du compte. Froïke détaillait Sonia comme il aurait détaillé la carte topographique de son prochain raid nocturne, avec la même concentration. Il s'efforçait de graver dans sa mémoire tous les traits du visage de la jeune femme : distance entre les yeux, nombre et répartition des taches de rousseur, largeur du menton. Il nota l'esquisse des deux rides d'expression qui encadreraient sa bouche au fil du temps et découvrit qu'elle soulevait légèrement plus le coin gauche, ce qui conférait peut-être un certain charme à son sourire. Mais le résultat était vraiment trop quelconque pour justifier qu'on se donnât la peine de faire le déplacement depuis Tel-Aviv. Quel dommage, songea le lieutenant-commandant en plaignant sincèrement Zeev Feinberg, quel gaspillage pour un étalon de cette trempe que d'avoir choisi de s'installer dans ce trou oublié des dieux, où non seulement la terre n'est pas généreuse, mais où les femmes laissent vraiment à désirer !

Se détournant de la fenêtre, il s'apprêta à prendre congé et à affronter une route qui promettait d'être sombre et froide. Il rassemblait ses forces pour repousser les visions ne se révélant qu'à celui qui va, solitaire, au cœur de la nuit, lorsqu'il entendit la voix de son hôtesse :

— Vous avez fait connaissance sur le bateau, tous les deux, n'est-ce pas ?

Il répondit que oui, que leur amitié datait de cette époque mais que maintenant, si elle voulait bien l'excuser, le temps pressait. Elle lui lança un coup d'œil amusé et déterminé, copie conforme du regard qu'il lançait à ses subordonnés.

— Étant donné que c'est toi qui l'as renvoyé sur les flots, la moindre des choses serait que tu me racontes votre première traversée.

— Pourquoi ?

— Puisque je ne peux pas le voir dans le présent, permets-moi de l'imaginer dans le passé.

C'est avec une grimace courroucée que le lieutenant-commandant se rassit. Il n'était pas du genre à ressasser ses anciennes aventures. Pourquoi ruminer quand on peut mordre dans les rondeurs pulpeuses de l'avenir ? À trop évoquer ses souvenirs, on les use, exactement comme les lessives répétées finissent par ternir le linge. Mais il eut tôt fait de se rendre compte que, en racontant à Sonia les anecdotes de sa traversée avec Feinberg, celles-ci se redessinaient en toute indépendance et lui apparaissaient dans des couleurs plus vives que jamais. Il crut d'abord que c'était dû à ses dons de conteur mais, rapidement, force lui fut de reconnaître qu'il n'y était pour rien et que cela venait de son auditrice : elle l'écoutait de tous les pores de sa peau. Il lui narra comment il avait quitté sa famille pour la grande ville d'où il s'était embarqué pour la Palestine, et elle en eut le regard submergé de pitié. Il lui décrivit comment ils avaient failli sombrer lors d'une tempête, et elle en eut les narines frémissantes de peur. Il se remémora les blagues qu'il avait apprises à Feinberg, et elle fut secouée d'un tel rire que quelque chose tressaillit aussi en lui. Le passé perdait son côté dépassé dès qu'il était raconté à Sonia. Elle se concentrait à tel point, s'identifiait si totalement à ce qu'elle entendait, que les reliefs de souvenirs froids et ternes se réchauffaient, retrouvaient leur saveur épicée d'antan et remplissaient le ventre de Froïke d'une joie renouvelée. Jusqu'au petit matin, il resta avec elle à parler, lui répéta les plaisanteries qui s'échangeaient sur le pont, même les plus salaces, surpris de constater que, au lieu de rougir de confusion, elle arborait un large sourire réjoui ; il lui détailla par le menu les brillants coups de Feinberg aux échecs ainsi que la sophistication de ses propres ripostes, et, bien qu'elle n'y entendît goutte, elle applaudit joyeusement aux moments décisifs. Pour ne pas la blesser, il s'était tout d'abord abstenu de mentionner leurs aventures féminines, mais le regard sagace qu'elle lui jeta vainquit ses réticences et il les lui révéla aussi ; par exemple la fois où ils avaient voulu faire croire à une demoiselle qu'ils étaient frères et, comme elle en doutait, ils avaient prétendu avoir tous deux la même tache de naissance sur la queue, libre à elle de vérifier ! Il lui parla aussi de celle qui avait commencé la traversée le corset bourré de chaussettes qu'elle enfilait la nuit à cause du froid, et du coup ses seins puaient les pieds. Ou de cette autre qui se refuserait à Feinberg tant qu'il ne se serait pas rasé la moustache, en vertu de quoi, lui, Froïke, avait annoncé à la belle qu'il ne l'approcherait pas tant qu'elle ne s'en serait pas laissé pousser une aussi fournie. Et il conclut par le récit de la nuit où ils avaient accosté en Eretz-Israël. De stupeur, les yeux trop écartés de Sonia se rapprochèrent l'un de l'autre, et il ne put finir la moindre phrase sans qu'elle l'interrompe par quelque exclamation incrédule comme « En tenant les immigrantes d'une main et les pions de l'autre ? », ou « Qu'ont dit les Britanniques en vous voyant ? ». Mais ce qui réjouit le plus le lieutenant-commandant fut sa dernière question :

— Bon, mais où en était vraiment la partie ?

L'aube pointait lorsqu'il prit congé. Il avait tellement évoqué Zeev Feinberg qu'il se sentit submergé de nostalgie envers son ami envoyé de l'autre côté de la mer. Il passa tout le chemin du retour à faire revivre en lui cette fameuse première traversée, et continua à cultiver leurs souvenirs communs à tel point qu'il lui

fallut bien deux jours pour comprendre : il se languissait aussi de Sonia.

Ensuite, il se rendit compte qu'un parfum d'agrumes
le suivait où qu'il aille, d'autant que ses pieds l'entraînaient sans cesse vers le port de Jaffa, au grand dam
des marchands de fruits et légumes qui s'effrayaient
de le voir humer leurs piles d'oranges avec un air si
langoureux. Il lui arrivait aussi de penser qu'il s'était
trompé, qu'un corps de femme ne pouvait exhaler une
telle fragrance et que peut-être elle avait posé dans son
salon une coupe remplie de clémentines. Mais en son
for intérieur il le savait : pas plus de clémentines que
de pamplemousses. Il finit par succomber et acheta un
cageot d'oranges qu'il installa dans son bureau, avec
interdiction absolue à quiconque d'en manger.

Et tandis que les oranges pourrissaient dans le
bureau du lieutenant-commandant, Sonia s'épanouissait sur le rivage. L'air marin l'embellissait. Le soleil
rayonnait sur ses seins. Le flot de malédictions dont
elle abreuvait son amoureux absent empourprait ses
joues en permanence. Et, surtout, l'absurdité de son
comportement, la déraison de son attente lui fouet-
tait le sang et donnait à son corps une extraordinaire
vitalité.

Au bout d'une semaine, lorsque Froïke revint frapper à sa porte, il eut l'impression de se perdre dans
une orangeraie. Il avait mobilisé toutes ses ressources
de mauvaise foi pour se convaincre qu'il ne trahissait
en rien son meilleur ami : ils avaient toujours partagé
ce qui s'offrait à eux – bonnes femmes, bonnes histoires, bonnes bouteilles –, pourquoi agir autrement

cette fois-ci ? Et pourtant il savait, à son corps défendant, qu'avec Sonia c'était différent. Luttant contre cette odeur d'orange qui menaçait de le rendre fou, il était parvenu à la conclusion qu'il accordait à cette affaire une importance démesurée ; que, pour Feinberg (qui, à l'évidence, passait présentement son voyage de retour vers la Palestine en testant les couchettes de chacune des fraîches épousées), Sonia n'était qu'une maîtresse parmi tant d'autres ; que donc celui-ci serait ravi de savoir que le numéro deux de l'Organisation s'était un peu occupé d'elle pendant son absence ; qu'il saurait certainement apprécier le dévouement dont son fidèle ami avait fait preuve en s'aventurant si loin dans le nord du pays uniquement pour rendre une courte visite à la femme qu'un millimètre de trop entre les yeux empêchait de répondre aux critères de la beauté.

Arrivé sur le seuil de la maison de Sonia, il faillit se raviser. Il resta près d'une heure à déambuler dans la cour, jetant des coups d'œil vers la lampe à huile allumée dans le salon, avant de se décider à passer de l'ombre à la lumière et à frapper à la porte.

— Qui est là ? demanda la voix à l'intérieur.

— Éfraïm, lança-t-il après un instant d'hésitation durant lequel il chercha comment se définir.

Lorsqu'elle ouvrit la porte, elle ne le reconnut pas. Plus rien ne restait de l'homme qu'elle avait vu la semaine précédente. L'assurance et l'arrogance qu'il affichait avaient complètement disparu pour laisser place à une maladresse balbutiante qu'elle trouva similaire aux premiers pas d'un agnelet. Elle se donna à lui sans la moindre réticence, à l'exception d'un léger agacement engendré par la gratitude qu'il lui manifesta : il était trop beau pour implorer les faveurs des femmes, quelles qu'elles fussent. Il se peut aussi qu'avoir été choisie entre toutes éveilla chez elle davantage d'inquiétude que de fierté. Mais on ne peut pas dire qu'elle ait eu le moindre problème de conscience. Elle ne ressentait ni la joie d'une vengeance ni la culpabilité d'une trahison. Rien que la plénitude de la chair assouvie. Plus de trois semaines s'étaient écoulées depuis que Zeev Feinberg avait échappé au couteau d'Abraham Mandelbaum et, si elle avait un corps qui ne retenait pas particulièrement l'attention, cela ne l'empêchait pas, elle, d'en tirer beaucoup de plaisir. Aucune raison de le laisser s'encroûter. Depuis le départ du flamboyant moustachu, elle occupait ses soirées, assise dans le fauteuil, à calmer sa gorge desséchée par les injures de la journée en sirotant du thé et en léchant son doigt rose qu'elle trempait dans un bocal de miel, ce même doigt qui était si souvent passé du bas-ventre de Feinberg à son propre entre-jambe. L'absence d'un homme à ses côtés laissait son corps orphelin et indolent. Certes, Feinberg l'avait plusieurs fois visitée dans son sommeil et elle-même, allongée dans son lit, n'avait pas dédaigné de lui rendre la politesse au petit matin. Mais les vues de l'esprit ressemblent-elles aux caresses charnelles ? Et, pour torrides qu'aient pu être ses fantasmes, ils ne lui laissaient aucune marque tangible. Or Sonia appréciait les traces d'amour presque autant que l'amour lui-même. En pleine journée, lorsqu'elle travaillait aux champs, elle lançait un regard discret à la griffure qu'avait laissée Feinberg sur son sein ou à la marque de morsure qui couronnait son ventre. Ces menues réminiscences nocturnes, tels des clins d'œil de la lune, la consolaient du soleil de plomb qui l'écrasait. Or, présentement, ses nuits étaient d'un calme plat et son corps, intact. C'est pourquoi la présence du meilleur ami de Zeev Feinberg dans son lit lui parut parfaitement justifiée : si l'un part en voyage, l'autre vient remplir ses devoirs conjugaux… jusqu'à l'étagère bancale que l'un avait promis de redresser et que l'autre répara avant d'aller dormir.

Tout comme Zeev Feinberg avant lui, Froïke découvrit cette nuit-là que le corps de Sonia était une source douce et sucrée. Plus il s'en abreuvait, plus il en demandait. À son réveil le lendemain matin, il trouva le lit vide. En vain, il la chercha dans la maison puis dans le village. C'est qu'elle avait depuis longtemps repris sa place sur le rivage, où elle injuriait Feinberg avec une force renouvelée, une voix raffermie, un cœur content et sans états d'âme.

4

Une fois descendus du bateau, Markovitch et Feinberg avancèrent sur le quai en luttant contre la désagréable sensation de tangage bien connue des marins. C'est pourquoi ils n'y accordèrent aucune importance. Mais le vertige persista le lendemain. Et le surlendemain. Feinberg en conclut que le phénomène ne résultait pas de leur voyage en mer, mais de la terre qu'ils foulaient.

La petite table autour de laquelle ils étaient en train de prendre un café grinça soudain sous le poids du colosse moustachu qui venait de s'écrouler dessus, torse en avant, tandis que sa tête bouclée trônait au centre telle une plante décorative qu'on aurait oublié de tailler. Markovitch eut juste le temps d'attraper leurs tasses, les deux petites fourchettes et le gâteau à la crème, en un numéro d'équilibriste qui lui aurait assurément valu quelques sous s'il s'était exhibé sur la place voisine. Là, quelques minutes auparavant, son ami avait glissé une dizaine de pièces dans le chapeau d'un artiste qui, transformé en statue vivante, était resté d'une immobilité totale pendant un bon quart d'heure, un spectacle qu'il avait, lui, regardé avec un malaise de plus en plus vif, combattant l'envie de secouer le mime par les épaules et de lui crier : « Eh, remue-toi, mon gars ! Ne reste pas planté là comme un piquet alors que tout évolue, allez, remue-toi ! » Feinberg, pour sa part, avait vu un grand espoir dans cette capacité à ne pas bouger, à résister à l'agitation ambiante, aux passants qui cherchaient sans cesse à partager rires et bonnes histoires et qui les défiaient par quelque repartie pimentée. Il avait même décrété que, après un tel exploit, la langue devait drôlement brûler là-dedans !

À peine s'étaient-ils détournés du bateleur que le moustachu, de nouveau victime de vertige, lui avait dit qu'il voulait s'asseoir quelque part.

Et c'est ainsi que, quelques instants plus tard, Markovitch se retrouva à maintenir en équilibre soucoupes de porcelaine, tasses de café et gâteau tandis que son compagnon, vautré sur la table, ne semblait avoir aucune intention de se redresser.

De la belle tignasse frisée s'éleva alors un marmonnement si bas qu'il dut se pencher pour mieux entendre… Patatras ! La pyramide qu'il avait réussi à sauver s'écroula et se brisa sur le sol reluisant du café. Le chahut fut tel qu'il le jaugea à peine moins assourdissant que celui de la Nuit de cristal. Une serveuse furieuse accourut, brandissant vers lui son balai comme une lance. Il lui adressa un sourire confus qui ne sembla pas la calmer, mais profita tout de même de ce qu'elle se penchait et ramassait les débris pour jeter un coup d'œil discret dans son décolleté. Alors, il se sentit redevenir un bébé, comme chaque fois qu'il se trouvait face à ce genre de femmes, incarnation de l'efficacité, de l'ordre et de la propreté, des femmes dont le tablier dégageait toujours une odeur aigrelette de lait et de biscuits. Les serveuses de café l'attiraient autant qu'elles lui inspiraient du dégoût, ce qui n'avait aucune importance vu qu'elles ne lui prêtaient jamais la moindre attention, sauf quand il cassait quelque chose (là, en l'occurrence, il eut droit au regard cinglant qui précède le ramassage des débris, tétons pointés, bouche rageuse). Encore déchiré entre le charme des seins et la honte cuisante, il remarqua que Feinberg continuait à marmonner, toujours affalé sur la table. En fait, il n'avait cessé de marmonner depuis le début.

— Qu'est-ce que tu dis ?

Se redressant enfin, le moustachu ignora complètement le gâteau écrasé dans sa crème et les débris de vaisselle, gratifia les seins de la serveuse d'un hochement de tête approbateur, puis se tourna vers son ami :

— Je disais que je ne me plaisais pas ici. Pas du tout.

Markovitch osa douter de cette affirmation. Depuis qu'ils avaient débarqué, cinq jours auparavant, Feinberg avait grossi de cinq kilos, couché avec cinq femmes et englouti cinquante litres d'alcool. Atteint comme les autres passagers du bateau d'une crise de boulimie aiguë, il s'était gavé d'un maximum de délices offerts aux sens par le vieux continent, sachant qu'il régurgiterait tout sur le chemin du retour vers la Palestine.

— Cela te semble bizarre, n'est-ce pas ? reprit-il tandis qu'il soupesait à nouveau la poitrine de la serveuse et suivait des yeux le délicat réseau de vaisseaux bleu clair qui se dessinait sous la peau blanche.

Après avoir contemplé ce bel ouvrage pendant un instant encore, il se tourna vers Markovitch :

— Mais comprends, revenir en Europe, c'est comme recoucher avec ta première maîtresse. Tu accours, explosant d'enthousiasme et de nostalgie, incapable de reconnaître que cette femme n'existe plus. Tu auras beau te repaître de sa chair, plonger ton regard au fond de ses yeux, tu n'y trouveras rien de plus qu'un vague reflet de celle que tu as aimée, et ce dans le meilleur des cas. Rien de plus. Depuis que nous avons quitté le bateau, les gars et moi revenons sur les lieux d'autrefois, avalons les boissons d'autrefois. Chuchotons les mêmes propos scabreux aux oreilles de jeunes filles pâmées. En vain. D'où les vertiges, l'ami, d'où notre démarche d'ivrogne depuis que nous avons débarqué. La pression causée par la différence atmosphérique entre le passé et le présent a un effet désastreux sur nos tympans, et c'est ça qui nous déséquilibre !

Yaacov Markovitch opina vaguement, tout concentré qu'il était, lui aussi, sur les fines nervures ornant le décolleté de la serveuse. D'ailleurs, comment pouvait-il, lui qui n'avait pas réussi à coucher avec la première femme dont il était tombé amoureux, comprendre en quoi « remettre ça » constituait un problème ? Mais soudain les petits vaisseaux bleutés se rassemblèrent et prirent l'aspect de la cime de l'arbre qui se dressait dans la cour de ses parents, et là il comprit enfin : il avait passé la majeure partie de son enfance à tenter de conquérir cet arbre qui lui semblait alors le plus remarquable de tous. Ses genoux en avaient gardé les cicatrices comme autant de preuves de leurs rapports conflictuels : là il avait dégringolé en essayant de grimper par la droite, là il s'était blessé en s'efforçant d'abaisser une de ses branches gauches, là en se jetant contre le tronc de toute sa colère de petit garçon qui enrage d'impuissance, ne renonce pas et ne cesse d'échouer. Et, si ses cauchemars de gamin ne différaient pas de ceux de ses petits camarades, ses rêves, eux, s'agrippaient à cet arbre dont il voyait chaque nuit la cime pointer sous ses paupières closes, avec ses milliers de feuilles qu'aucune main humaine n'avait touchées et qui frissonnaient au moment où sa tête surgissait de leur enchevêtrement touffu. Alors l'arbre lui parlait en dizaines de nuances de vert et il lui répondait par des mots affectueux. Juché sur sa plus haute branche, il dominait un paysage qui s'étendait jusqu'aux quatre coins du monde, il pouvait voir les ours du pôle Sud, l'océan, les montagnes, les châteaux dont les tours embrassaient le ciel. Tout en bas, sous les nids des oiseaux et les cachettes des lutins, sous les rameaux et le feuillage, tout contre le gros tronc, il voyait aussi ses parents. Dans son rêve, ils avaient un visage flou, mais leurs paroles lui parvenaient, nettes et très claires. Sa mère lui criait « Tiens-toi fort », son père « Sois prudent », mais en fait tous les deux disaient : « Yaacov, mon petit Yaacov, comme nous sommes contents de savoir que tu es arrivé si haut ! »

Il avait dix ans lorsqu'ils avaient quitté cette maison, et vingt ans lorsqu'il avait eu l'occasion d'y revenir. Ce jour-là, il avait rapidement contourné le bâtiment dont la peinture s'écaillait et, ignorant les roses qui poussaient dans la cour et les sous-vêtements inconnus qui fleurissaient sur la corde à linge, il s'était hâté d'aller retrouver son arbre. Au début, il avait cru que ce n'était plus le même, que les nouveaux occupants en avaient planté un autre, tout comme ils avaient changé les tableaux aux murs et les habits qui séchaient dehors. Cependant, après avoir examiné, horrifié, la texture du tronc et roulé une feuille entre ses doigts, il n'avait pu continuer à se leurrer. Et cette fois, il n'avait pas eu besoin de lutter : en moins d'une minute, il avait atteint la cime. Les branches gémissaient sous son poids, il balaya du regard les courettes contiguës, petits carrés remplis de linge multicolore, les maisons aux toits percés. Ne subsistait aucune trace d'ours polaires ni de lutins. Seul de l'autre côté du mur un chat famélique essayait vainement d'attraper un pigeon. Il avait sauté à terre et n'était jamais revenu.

Et voilà que sept ans plus tard, dans un élégant café dont il venait de perturber la tranquillité, la cime de son arbre avait jailli pour un instant entre les seins d'une fille de bar.

— Tu as raison, dit-il, on ne doit jamais revenir dans un lieu qu'on a aimé.

Il était sur le point de proposer à son ami de regagner leur chambre à l'auberge et de n'en ressortir qu'à la date prévue pour le rendez-vous avec les futures épouses, il allait lui enjoindre de tourner le dos au présent destructeur de passé, lorsqu'il vit Feinberg afficher le sourire d'un homme qui vient de prendre une décision, se lever et proposer son aide à la serveuse.

Elle s'appelait Ingrid, avait une vie spirituelle très complexe, dont le moustachu n'avait strictement rien à faire. Si bien qu'ils passeraient ensemble tout l'après-midi puis la nuit sans qu'elle lui parle des poèmes qu'elle écrivait en secret ni de son père qui l'avait abandonnée quand elle avait six ans et qui lui manquait terriblement. Un mois après leur rencontre elle aurait oublié son nom, quant à lui, il ne l'aurait pas reconnue s'il l'avait croisée dans la rue (évidemment, il aurait eu plus de chances de la reconnaître s'il l'avait vue penchée sous un angle identique à celui où il l'avait vue la première fois dans le café). Leur rencontre serait à ce point dépourvue d'intérêt qu'elle aurait pu ne pas avoir lieu. En fait, sans doute n'a-t-elle pas eu lieu.

Et pourtant, l'échange entre Feinberg et la fameuse Ingrid dont on ignore le nom de famille eut une profonde incidence sur quelqu'un : Yaacov Markovitch. Lui qui, alors qu'un nouveau gâteau à la crème atterrissait au milieu de la petite table, rentrait seul. Rien ne différait, à vrai dire, des nuits précédentes, sauf que cette fois ses pas étaient plus lourds. Si un des pensionnaires de l'auberge l'avait croisé dans l'escalier, il aurait sûrement pensé : en voilà un qui vient de s'enfiler un festin de roi. C'était ce que suggéraient sa démarche lente et la main posée sur son estomac. Mais il n'était plein que de solitude, notre homme, pas de nourriture. Une solitude qui alourdissait ses pas et l'envoya directement dans sa chambre. Chez lui, au village, il se serait installé dans la cour et aurait nourri les pigeons. Rien de mieux que de sentir une créature vivante te picorer la main, pour chasser la solitude. Mais nourrir les pigeons européens était hors de question. Trop coquets à son goût, carrément arrogants, et sous un certain angle ils ressemblaient à l'aigle nazie. Il décida donc de se mettre au lit. La nuit était froide, il se réchauffa sous son édredon, épaissi par une bonne couche d'auto-apitoiement, ce qui, on le sait, dégèle les pieds glacés avec plus d'efficacité que le duvet d'oie. Il ne cessait de revoir la serveuse penchée en avant et s'attarda sur les vaisseaux bleutés de son décolleté. Il pinça longtemps les cordes de cette lyre soyeuse, jusqu'à ce que l'image s'effiloche et que de la poitrine blanche naisse une partition géante, semblable à celles dont se servait son père et qu'il avait rarement le droit de toucher.

Après avoir étudié toutes les options qu'offraient ces seins-là, il décida d'en trouver d'autres dans lesquels il pourrait noyer sa méditation. Il convoqua d'abord ceux de Rachel Mandelbaum, puis ceux de la patronne de l'auberge, mais se lassa rapidement de leur réalité trop tangible. Mieux valait se tourner vers le merveilleux royaume des possibles. Ne devait-il pas, par exemple, rencontrer le lendemain les vingt jeunes filles juives que le groupe venait tirer des griffes du malheur ? Il y en aurait dix-neuf éperdues d'une reconnaissance collective et une, celle qu'il épouserait, qui lui voue-rait une reconnaissance personnelle. Pour éviter toute confusion, il plaça les dix-neuf premières en rang et les détailla une par une, s'arrêtant beaucoup moins sur leur visage que sur le reste. Cependant, lorsqu'il arriva à la vingtième jeune fille, la sienne, il n'osa pas loucher vers ses seins. Car elle serait tout de même (ne fût-ce que sur le papier, ne fût-ce que dans le cadre d'une mission de sauvetage, ne fût-ce que pour la durée de la traversée) sa femme et il était inconvenant qu'un fiancé plonge dans le décolleté de sa femme (ce n'était pas une serveuse de bar penchée en avant !) sans en avoir obtenu l'autorisation. Yaacov Markovitch se concentra donc sur ses traits : à la fois artiste peintre et admirateur enthousiaste, il traça sur la toile de son imagination des lignes qui lui parurent sublimes.

Autant son propre visage quelconque ne retenait jamais le regard, autant celui de la jeune fille qu'il modelait était exceptionnel. Et comme on ne peut se représenter que ce qu'on a déjà vu, la physionomie de son-épouse-pour-les-trois-semaines-à-venir fut le résultat d'une association parfaite d'éléments qu'il connaissait déjà. Il la dota des lèvres de Guila Schatzman, aussi charnues qu'une figue éclatée, du petit nez parfait de sa chère mère, des joues vermeilles de Yona, dont la nuance affolait même les taureaux tant elle était vive, des cheveux de Fanya, qui l'obligeaient, lui, à enfouir les mains bien profondément dans ses poches pour résister à son envie de les caresser. Ne restait plus que les yeux – qui le tracassèrent pendant au moins deux heures. Les bleus lui semblaient froids, les verts méchants et les bruns communs. Ceux de Guila étaient trop grands, ceux de Fanya trop petits, quant aux yeux de sa chère mère, il ne pouvait en ôter la déception qu'il y avait toujours lue. Ce ne fut qu'au lever du jour qu'il trouva, bouleversé, la solution la plus brillante qui soit : il lui donna les yeux de Sonia, après les avoir rapprochés l'un de l'autre d'un millimètre. Il contempla le portrait ainsi achevé. La chaleur qui le submergea ne devait rien au duvet d'oie ni à l'auto-apitoiement. C'était une bouffée d'espoir.

5

Le lendemain, à dix-neuf heures, Yaacov Markovitch et Zeev Feinberg prirent la direction de l'appartement où devait avoir lieu la rencontre avec les futures épousées. Leurs compagnons les devançaient de quelques pas, certains marchaient seuls, d'autres par petits groupes de deux, trois ou quatre. La forte odeur d'eau de Cologne et d'after-shave qui les enveloppait réduisait à néant tous leurs efforts pour afficher une mine désinvolte et parler sur un ton désabusé. Arrivées à l'adresse indiquée, les grappes se soudèrent soudain pour ne former qu'un bloc d'excitation contenue. Lorsqu'il examina leur visage, Michael Katz, le commandant officiel de la mission, ne put dissimuler sa contrariété. Il s'était imaginé qu'il mènerait au rendez-vous une troupe de combattants fiers et valeureux, l'élite de l'Organisation, avait espéré présenter à des jeunes filles blafardes vingt mâles stoïques, endurcis par les travaux des champs, à la peau tannée par le soleil méditerranéen. Mais leur hâle s'était estompé durant le voyage et leurs joues rougissaient de confusion. L'émoi anxieux qui marquait leurs traits était en telle contradiction avec leurs biceps – dont ils se rengorgeaient tous – que ces muscles proéminents passaient à présent pour des artifices de gamins déguisés. Bref, ils n'étaient que vingt jeunes hommes qui s'apprêtaient à rencontrer vingt jeunes femmes. Comble du comble, en franchissant le seuil, le responsable s'aperçut qu'il avait lui aussi les mains moites. Lorsqu'il commença à parler, il s'entendit, à son grand dam, s'exprimer comme un valet qui proclame l'ouverture du bal.

— Mesdames, je m'appelle Michael Katz et je suis le responsable de cette mission spéciale.

Adhésion générale du côté des femmes. Il se permit de lancer un coup d'œil furtif vers le harem réuni dans la pièce. Certaines se serraient sur les quatre divans râpés, celles qui n'y avaient pas trouvé de place étaient assises sur des chaises accolées, comme si elles ne voulaient surtout pas être dissociées les unes des autres. Une seule se tenait debout, de dos, et regardait par la fenêtre. Cinq sièges vides étaient alignés contre le mur mais, pour ne pas empêcher la femme debout de s'y asseoir au cas où elle en aurait eu envie, aucun des hommes n'osa s'y installer. Le représentant local du réseau serra la main de Katz et exposa les détails de l'opération : au cours des six jours qui s'étaient écoulés depuis l'arrivée du bateau, il avait réussi à soudoyer presque tout ce que la ville comptait de fonctionnaires. Le lendemain matin, avec un peu de chance, les combattants eretz-israéliens épouseraient les demoiselles européennes ; le surlendemain, avec beaucoup de chance, les couples embarqueraient pour la Palestine ; une fois à destination, ils auraient tôt fait d'aller annuler les mariages.

— Soyez assurés de notre infinie reconnaissance, vous, des héros qui aurez ainsi tiré vingt femmes juives des griffes de fer de l'ennemi !

Ces derniers mots furent prononcés avec une telle solennité que tous, sans distinction de sexe, applaudirent. Katz fit de même, les mains toujours aussi moites, non sans maudire intérieurement le représentant local d'avoir si bien parlé. Zeev Feinberg profita de l'agitation ambiante pour examiner la qualité de la marchandise posée sur les différents sièges. Plus ses yeux parcouraient la pièce, plus sa moustache frisait de plaisir. Yaacov Markovitch aussi commença par regarder les canapés, mais rapidement il s'intéressa à la femme qui leur tournait le dos. Michael Katz toussota, il avait là, au bord des lèvres, un discours (poétique à en faire pâlir les propos du responsable local), sauf que l'autre le devança une fois de plus et déclara :

— Prenant en compte qu'il ne reste pas beaucoup de temps avant les célébrations proprement dites, je me suis permis de décider que la soirée serait consacrée à une première prise de contact, rapide, entre les partenaires qui ont été accouplés de manière totalement fortuite. Qui sait, peut-être aurez-vous même le temps de vous disputer un peu, comme cela sied à tout couple marié !

Cette plaisanterie ayant déclenché l'hilarité générale, Michael Katz ravala son discours aussi sec. Exploitant son satané sens de la formule, voilà que le représentant local venait de laminer la gravité officielle qui aurait été de mise, d'anéantir le sublime de la situation, et ne lui avait laissé, à lui, le chef de cette mission, qu'une seule tâche, celle de sortir de sa poche, d'un

75

geste solennel (cela va sans dire), la liste des couples préparés à l'avance, et d'en donner lecture d'une voix qu'il espéra suffisamment emphatique.

— Gédéon Gotlieb – Rivka Rosenberg ; Yehouda Grinberg – Frouma Schulman.

Ce faisant, sa colère se dissipa et la joie le gagna peu à peu. Il voyait en chaque couple fictif l'épée et le bouclier, la balle et le fusil, la bombe et le mortier, bref, tout ce qui va de pair dans la tête de ceux qui veulent arracher par la force un avenir meilleur en Palestine. Il ne s'arrêtait pour l'instant à aucune considération d'ordre romantique et en avait presque oublié qu'il s'agissait d'hommes et de femmes. Les seules choses qu'il avait à l'esprit étaient la résistance armée et l'immigration illégale, qui, tel le phénix, renaîtraient toujours de leurs cendres.

En revanche, ses compagnons avaient, pour ce laps de temps si particulier, mis de côté l'avenir du peuple juif, occupés qu'ils étaient à jauger ce que le sort leur avait réservé. En entendant son nom, chaque futur avançait d'un pas et, à l'appel du nom qui correspondait, la future se levait de sa chaise ou du canapé. Les deux se serraient officiellement la main et se dirigeaient vers un coin de la pièce, laquelle se trouva rapidement envahie par des couples en train de papoter. Et même si les hommes tentaient de donner le change, personne ne put ignorer le sourire victorieux de Yehouda Grinberg au moment où Frouma Schulman lui tendit une main rattachée à un bras qui s'achevait par une épaule aussi blanche que le lait, avec, en dessous, des seins aussi onctueux que de la crème fouettée. La déception de Hanan Moskovitch fut pareillement remarquée, lui qui avait investi tous ses sous dans du parfum et se tenait maintenant debout près de la porte, caché par les bourrelets de Hava Blubestein. Quant à Zeev Feinberg, son sourire ne s'assombrit pas, même lorsqu'il découvrit la jeune fille courtaude et moustachue prénommée Yafa qui lui avait été attribuée. Il savait que, quoi qu'il arrivât, il les honorerait toutes. Après un baisemain chevaleresque, il conduisit sa promise près de la fenêtre, abandonnant à sa solitude Yaacov Markovitch, lequel regarda autour de lui et n'aperçut que des couples en grande conversation. Seule restait la femme debout et toujours de dos. La situation n'échappa pas à Michael Katz qui haussa la voix pour unir solennellement les deux derniers noms de sa liste :

— Yaacov Markovitch – Bella Zeigermann !

Par la suite, l'heureux élu se reprocherait toujours l'expression qui avait envahi son visage à l'instant où l'inconnue s'était retournée. Bouche bée, yeux exorbités... tous ces détails le poursuivraient où qu'il aille. En vain maudirait-il sa mâchoire qui s'était abaissée comme si elle avait pris son indépendance, ses sourcils qui s'étaient haussés au-delà du front. Mais personne n'aurait réagi différemment si, dans un appartement à l'est de la ville, il s'était soudain trouvé confronté au visage dont il avait mentalement terminé de dessiner les contours à l'aube.

Michael Katz fut obligé d'intervenir. Il attendit bien quelques minutes dans l'espoir que le fiancé refermerait enfin sa bouche et s'avancerait vers la fiancée, mais rien ne se passa. Quant à Bella Zeigermann, qui avait enfin daigné se retourner, elle ne semblait pas décidée à en faire davantage. Bref, comprit le chef, une ingérence extérieure s'imposait, une intervention rapide et précise, dans le but de dissiper l'étrange sortilège qui paralysait ce balourd, planté là au milieu de la pièce.

— Eh bien, mon gars, tu ne serres pas la main de mademoiselle ? lança-t-il d'un ton amical sous lequel pointait aussi un léger avertissement.

L'intéressé le toisa, choqué, comme si l'idée même constituait une sorte de profanation. L'intéressée sourit poliment. Michael Katz se demanda pourquoi ce rien-du-tout était justement tombé sur cette merveille, alors que lui devait se contenter de la squelettique Myriam Hochmann qui l'attendait à l'autre extrémité du salon.

C'est au prix d'un effort considérable que Yaacov Markovitch réussit à se secouer et à tendre la main à Bella Zeigermann, dont il saisit les doigts comme on recueille un oisillon tombé du nid. C'était la plus belle femme qu'il ait vue de sa vie. Elle le dévisagea puis détourna les yeux vers d'autres horizons.

Lorsqu'il constata que ces deux-là restaient debout dans un face-à-face silencieux, le chef comprit que la cause était perdue. Sans rien ajouter, il alla rejoindre sa promise, maudissant intérieurement tous les minables et toutes les Vénus. Et, tandis qu'il se résignait à enta-mer une conversation laborieuse et convenue avec sa future, Feinberg, lui, se dégageait de la sienne après l'avoir installée sur le canapé, les joues enflammées par ce qu'il venait de lui glisser à l'oreille. C'est qu'il voulait savoir ce que le destin avait réservé à son ami. En voyant le couple, il put conclure que la chance, une fois de plus, s'était conduite en aveugle et avait veillé à donner des noix à qui n'avait pas de dents : Bella Zeigermann était assurément la femme la plus belle de l'appartement, même si, à la différence de son ami, il ne pensait pas qu'elle fût la plus belle femme qu'il ait vue de sa vie. Mais bon, elle était incontestablement à classer parmi les demi-déesses de l'Olympe, là où un type comme Markovitch ne serait jamais admis, même en tant que larbin. Et il en fut encore plus chagriné lorsqu'il remarqua que le regard de ce pauvre bougre s'attachait au moindre geste de sa belle alors qu'elle s'attardait obstinément sur tout ce qui n'était pas lui. Ensuite, sans qu'elle l'ait vraiment voulu, arriva ce qui arrive nécessairement lorsque, dans une pièce, se tient une très jolie femme : les hommes, découvrant enfin le recto du dos tourné, se mirent à hausser la voix afin que les plaisanteries qu'ils adressaient à leur partenaire lui parviennent aussi. Certains se débrouillèrent pour trouver un bon prétexte (« Voulez-vous que je vous apporte un verre d'eau ? » ou bien « Que diriez-vous de prendre un peu l'air ? »), quittèrent leur exil aux confins du salon et l'approchèrent. Quant aux femmes, elles ne lâchaient pas leur promis et toisaient leur rivale avec une froideur que celle-ci accepta sans broncher : elle y était aussi accoutumée qu'au climat européen dans lequel elle était née.

Malgré lui, Zeev Feinberg se trouva aussi à tournicoter autour d'elle. On ne se refait pas. Et il choisit d'évoquer la façon dont il avait témérairement échappé au couteau du boucher, histoire qui lui avait déjà valu les honneurs de tout le groupe et déclenchait des exclamations admiratives même chez ceux qui l'entendaient pour la trentième fois. Les hommes applaudirent aux moments voulus et les demoiselles, pour qui c'était une première, se penchèrent en avant avec un intérêt si pressant qu'il put identifier lesquelles s'épilaient la moustache et lesquelles n'en avaient pas besoin. Les longues journées en mer lui avaient permis de transformer son récit en chef-d'œuvre où les détails sans importance avaient été autant raccourcis que la lame d'Abraham Mandelbaum rallongée. Il s'arrêtait intelligemment si des rires fusaient, opinait aux cris enthousiastes et cherchait vainement à chasser de son esprit l'image du mime qui était resté si longtemps silencieux sur la grand-place. Ce fut finalement Bella Zeigermann qui vint à sa rescousse.

— Dites-moi, est-ce bien vrai, tout cela ? demanda-t-elle en lui posant une main sur le bras.

Il la dévisagea, s'efforçant fébrilement de trouver la phrase qui la ferait sienne… mais soudain il découvrit qu'elle avait exactement les mêmes yeux que sa Sonia. Il comprit alors que jamais il ne la toucherait. Et, puisque telle était la situation, il décida aussitôt de mettre ses talents au service de son ami.

— Et comment, très chère ! D'ailleurs, Yaacov Markovitch ici présent en témoignera, c'est lui qui m'a sauvé du terrible boucher, répondit-il en cherchant des yeux celui dont il venait de vanter les mérites mais qui avait disparu pour cause de colique subite.

Bella Zeigermann fronça les sourcils.

— Yaacov Markovitch, ce nom me dit quelque chose.

— Évidemment, très chère, puisque c'est votre mari.

Depuis sa plus tendre enfance, Bella Zeigermann avait du mal à accepter le monde tel qu'il était et éprouvait une sourde révolte, qui, si elle s'était exprimée, aurait pu se résumer par : Vraiment ? Tout ça pour ça ? Elle regardait les pigeons sur la place et les lampadaires dans la rue, contemplait la couleur évanescente du coucher de soleil et songeait qu'il était impossible d'en rester là. Comment se contenter d'une serviette de coton amidonnée ? D'une bouteille de lait périmé ? Non, il fallait qu'il y ait quelque chose de plus. Il fallait absolument qu'il y ait quelque chose de plus. Une autre jeune fille se serait peut-être tournée vers la mystique. Bella Zeigermann, elle, avait choisi la poésie. Si le bon Dieu n'avait à proposer que le monde tel qu'il l'avait créé – avec des pigeons, des lampadaires, des torchons et des bouteilles de lait –, le poète, lui, ne se limitait pas aux six jours de la Genèse. Il se levait tous les matins pour détruire des univers et les reconstruire.

C'est pourquoi elle aimait la poésie. Et ceux qui l'écrivaient. Le jour où elle perdit sa virginité dans le lit d'un poète, celui-ci transforma le sang sur le drap en une rose éclose et, par là, adoucit aussitôt la douleur qui lui tenaillait l'entrejambe. À l'instar des faiseurs de miracles capables de changer un bâton en serpent ou l'eau en vin, eh bien, cet humble mortel avait changé quelques gouttes de sang en fleur. Puis la guerre éclata. L'amant qui tentait d'inventer avec ses mots un monde de justice disparut en pleine nuit, les autres poètes aussi – certains furent arrêtés comme lui, d'autres s'enfuirent. D'autres encore se soumirent aux diktats du pouvoir et tapissèrent de leurs métaphores des sentiers où elle ne voulait pas aller. Après avoir lu dans un journal sioniste quelques vers traduits de l'hébreu, elle décida d'immigrer en Palestine, au grand soulagement de ses parents. Une si belle jeune fille par des temps si difficiles, c'était aller au-devant des pires ennuis.

Le jour où Bella Zeigermann devint Bella Markovitch marqua la fin des tourments de ses parents et le début de ceux de Michael Katz. Du fond de son taudis de la rue Bar-Kokhba à Tel-Aviv, il s'était imaginé à la tête de cette mission, bernant les Allemands ou triomphant des soldats britanniques. Jamais il n'avait pensé que ce qui mettrait l'opération en péril serait une jeune fille juive d'environ cinquante kilos. Tant qu'elle se propageait en ville, la beauté de Bella Zeigermann n'avait aucun pouvoir néfaste, il y avait suffisamment d'espace pour que son venin se disperse dans les rues sans dommage. Mais, plaie béante au cœur d'une embarcation en bois, elle attirait les jeunes hommes comme des mouches et rongeait les jeunes femmes comme de la vermine. Le bateau navigua dans la mauvaise direction pendant près de deux jours parce que le pilote se focalisait sur elle plutôt que sur ses appareils. La mention de son nom était responsable d'au moins deux disputes par jour. Les sanglots de Hava Blubestein privèrent de sommeil tous les passagers parce que Hanan lui avait expliqué qu'elle était sa femme sur le papier, mais qu'il réservait ses sentiments à Bella.

Lorsque cette malheureuse s'endormait enfin et que tous les autres en profitaient pour faire de même, il y en avait un qui continuait à veiller : Yaacov Marko-vitch. Il n'avait presque pas fermé l'œil depuis cette fameuse seconde, deux semaines auparavant, où Bella Zeigermann s'était retournée vers lui dans l'apparte-ment situé à l'est de la ville. On aurait dit qu'il avait peur qu'elle ne lui échappe à tout jamais s'il baissait la garde. Couché sur le dos, il songeait au bateau qui faisait route vers Eretz-Israël, là où leurs chemins se sépareraient. Elle regagnerait l'Olympe et lui son vil-lage. Alors, il brûlait de se précipiter dans la salle des machines pour ordonner au mécanicien de couper les moteurs. Dans quelques jours, la plus grande aventure de sa vie s'achèverait, il se retrouverait le même, car, bien que son cœur débordât, il revenait de son périple, comme d'habitude, les mains vides.

Il aurait bien voulu demander conseil à Feinberg, mais nul besoin de vérifier pour savoir que ce dernier ne réintégrait jamais sa couchette. Depuis qu'ils avaient appareillé, le moustachu passait toutes ses nuits sur le pont, là où, aussi méthodique que d'habitude, pré-sumait Markovitch, il honorait les femmes par ordre alphabétique. Erreur. Ayant reconnu dans les yeux de la belle Zeigermann exactement ceux de Sonia (la seule différence étant l'écart, qui chez Bella avait un millimètre de moins et entrait donc parfaitement dans les critères de la beauté), Zeev Feinberg ne cherchait rien hormis sa compagnie. Il restait toutes les nuits auprès d'elle à déplorer ses infidélités passées et à égre-ner les mérites de celle qu'il avait laissée au village. Quant à Bella, qui n'avait pas l'habitude qu'un homme rêve à une autre en sa présence, elle trouvait cette nouveauté revigorante. Certes, l'homme n'avait aucun talent lyrique, mais il était sans conteste de ceux dont se nourrit la poésie. Avec ses yeux bleus et ses belles bacchantes, elle le voyait comme un Ulysse de pacotille qui s'en revenait vers sa Pénélope et qui, en dépit des frasques qui émaillaient son odyssée, dominait à présent ses instincts et résistait au chant des sirènes… des sirènes qui, en l'occurrence, ne se gênaient pas pour lui faire les yeux doux. Comme son épouse, cette Yafa moustachue qui, consciente de ce qu'elle le perdrait à jamais dès leur arrivée en Palestine, espérait jouir de ses faveurs sur le bateau, ou Frouma Schulman (présentement épouse Grinberg), qui le pourchassait en lui mettant sous le nez sa poitrine onctueuse et frémissante. Jusqu'à Myriam Katz, tout d'abord fière de s'être vu marier au responsable de la mission en personne et qui se mit, elle aussi, à courir après le vrai chef des opérations. Mais Feinberg ignorait les œillades, ne répondait que par un hochement de tête retenu aux propositions plus ou moins suggestives et, s'il passait toutes ses nuits sur le pont, ce n'était que pour retrouver les yeux de Bella Zeigermann dans lesquels il se plongeait jusqu'à avoir totalement purgé son esprit. Ensuite il descendait se mettre au lit et dormait du sommeil du juste.

Yaacov Markovitch ignorait tout cela. Il était tellement obnubilé par l'amour que lui inspirait son épouse fictive que, dès qu'il avait un moment avec son ami, il parlait d'elle, d'elle et encore d'elle, oubliant de lui demander ce qu'il faisait de ses nuits. L'autre n'en disait rien non plus puisqu'il n'avait rien à raconter : depuis sa rencontre avec celle qui ne cessait de lui rappeler Sonia, il s'était refait une virginité.

Et vint le moment où Markovitch ne supporta plus ses insomnies, d'autant qu'il savait qu'il aurait beau se tourner et se retourner sur sa couche, il ne pourrait faire dévier le bateau de sa route qui le menait inexorablement au tribunal rabbinique et au divorce. Alors, pour ne plus entendre les voix qui tambourinaient sous son crâne, il décida d'aller en chercher d'autres. Il se dit que, s'il montait sur le pont, il pourrait peut-être se distraire avec les bavardages des couples qui s'y trouvaient, à moins qu'il n'ait la chance de croiser Feinberg entre deux escapades nocturnes, ou encore (là, son cœur frémit rien que d'y penser) de tomber sur Bella. Depuis le départ, il n'avait passé que quelques instants auprès d'elle, et les mots qu'ils avaient échangés auraient pu, à son grand désespoir, se compter sur les doigts d'une seule main. Jusque-là, leur plus longue conversation s'était tenue quelques minutes avant le mariage, dans la salle d'attente comble, le lendemain de leur première rencontre. Pour l'occasion, les combattants de l'Organisation et leurs épouses s'étaient mis d'accord pour ne pas porter de vêtements de cérémonie afin de distinguer le sacré du profane, le mariage d'amour du mariage de raison. Seul Yaacov Markovitch rayonnait, d'une lumière que n'avaient assombrie ni les regards accusateurs de Michael Katz ni les ricanements de ses compagnons d'aventure. Bella Zeigermann rayonnait elle aussi, mais pas d'une émotion particulière, il s'agissait de son habituelle aura de déesse, celle qui brûlait le cœur des autres femmes et enflammait celui des hommes. En attendant le rabbin, Markovitch avait mobilisé tout son courage et s'était planté devant elle, mais elle avait continué à fixer l'horizon au lieu de baisser les yeux vers lui, attitude qu'il avait décidé, pour se consoler, d'attribuer à la différence de taille qui les séparait (Bella le dépassait d'une demi-tête).

— Mademoiselle est-elle émue par son départ pour la Palestine ? lui avait-il demandé.

Qu'elle soit émue par le mariage, il n'osait l'imaginer, mais il espérait qu'un peu de l'exaltation suscitée par le voyage vers la Terre promise retomberait sur les moyens de locomotion mis en œuvre pour y arriver – lui, en l'occurrence.

— Certainement. J'ai lu beaucoup de choses sur les oranges.

Elle n'en dit pas plus. Ravi, il en conclut que sa femme partageait son goût pour la littérature agricole, lui qui avait entassé sur son étroite étagère au village, à côté des écrits de Jabotinsky, toutes sortes de manuels : *Histoire et amélioration de diverses espèces de céréales*, *Guide des plantations*, *Guide des boutures* ou encore : *Comment élaguer sans blesser*. Mais, si Bella pouvait déclamer Goethe, elle aurait été incapable de réciter avec la même aisance la liste des nuisibles qui s'attaquent à la vigne. Et si elle avait mentionné les oranges, c'était parce qu'elle avait pensé à deux vers du fameux poème qu'elle avait lu dans le journal sioniste, puis découpé, plié soigneusement et glissé dans le médaillon qui pendait entre ses seins :

> *Et le soleil qui prend à l'orange ses nuances*
> *Emplit nos cœurs d'audace et de vaillance.*

Dans ce médaillon, elle avait d'abord conservé la photo de son premier amant mais, désespérée par la pensée que le cliché survivait à son modèle, elle avait décidé de le remplacer par le lyrisme de Palestine, qui était, lui, Dieu merci, un espoir de vie et non un monument aux morts. Or, s'ils sont directement en contact avec la peau, les mots ont tendance à déteindre dessus, et ceux du poète hébraïque (emphatiques, sublimes, gorgés de nectar d'agrume) comme les autres, si bien qu'une éruption cutanée était apparue sous le bijou. Bella s'était un peu grattée, avait regardé avec contrariété cette rougeur disgracieuse, mais ne s'était pas séparée du médaillon.

— Donc, si je comprends bien, mademoiselle aime les oranges ?

Elle hocha vigoureusement la tête, avec une amplitude dénuée de toute ambiguïté, qui s'acheva cependant sur un léger point d'interrogation. Aimait-elle vraiment les oranges ? Elle en avait mangé une pour la première fois l'été précédent et avait trouvé le fruit d'un prix exorbitant et dix fois moins savoureux qu'une pomme. Mais il avait suffi que ses yeux tombent sur le poème du journal pour qu'elle s'en entiche. Elle avait tellement insisté auprès de ses parents qu'elle avait obtenu de manger une orange par jour, ce qui les avait obligés à renoncer à d'autres denrées. Mais, présentement, ce fut en vain qu'elle essaya de s'en remémorer le goût : de fait, elle ne l'avait jamais réellement senti, masqué qu'il avait toujours été par la saveur de l'espoir. Chaque jour, lorsque, le regard éperdu, elle mordait dans la pulpe juteuse, elle ne voyait que des vignobles et des champs verdoyants, des collines tapissées de vergers. Et entre les arbres fruitiers se promenaient les faiseurs de miracles qui changent le bâton en serpent, l'eau en vin, le sang en rose. Parmi eux, le poète hébraïque tendait le bras pour cueillir une orange qui, dans sa main, devenait un soleil qu'il déposait à ses pieds.

— Oui, avait répondu Bella Zeigermann à Yaacov Markovitch, j'aime beaucoup les oranges. Beaucoup.

Il s'était aussitôt engagé à aller lui en acheter dès qu'ils toucheraient terre, elle avait palpé son médaillon et souri, à l'immense joie de son futur mari fictif.

Quatre jours s'étaient écoulés depuis. Il avait essayé de renouer la conversation à de multiples occasions, lui avait exposé les diverses variétés d'oranges de sa connaissance, avait discouru sur les cochenilles et les nouvelles méthodes d'optimisation de la récolte. Mais au lieu que le regard de Bella se pose sur lui, il errait imperturbablement sur les flots.

« Que voit-elle là-bas ? avait-il demandé à Zeev Feinberg une nuit qu'ils s'étaient croisés. À son expression, on pourrait croire qu'un banc de baleines va nous barrer la route ! »

Mais Bella ne s'intéressait pas aux baleines et encore moins aux cochenilles ou à l'optimisation des récoltes. Pas davantage aux vraies oranges. Elle fixait la mer, surface opaque propice à y laisser flotter les oranges de l'espoir en un sillage fauve qui s'étendait loin, loin, et reliait la proue du bateau à la Palestine rêvée.

Cette nuit-là donc, après s'être retourné cent trente fois sur sa couchette, Yaacov Markovitch comprit qu'il ne pouvait plus attendre. Ne restaient que quelques

jours avant la fin du voyage et, s'il voulait conquérir
Bella, la première chose à faire était de sortir du lit
et de partir à sa recherche. Il avançait sur le pont,
tout hésitant encore quant à la suite des opérations,
lorsqu'il distingua son profil. Assise sur une malle, elle
bavardait avec un homme dont il ne voyait que le dos.
La lumière de la lune tombait sur ses cheveux et y
imprimait des bandes argentées. L'homme dit soudain
quelque chose et elle éclata de rire. Yaacov Markovitch en eut le cœur serré, mais non brisé. En son for
intérieur, il savait dès le début que sa rencontre avec
Bella relevait du miracle, comment osait-il en demander davantage et espérer qu'un jour elle deviendrait
sienne ? L'homme bougea la tête et là, le cœur serré de
Markovitch fut brisé : ce profil à l'épaisse moustache,
somptueuse et frisottante, il l'aurait reconnu même
dans la nuit la plus noire.

6

À aucun moment, au cours de ces longues heures d'insomnie où il avait tenté d'arrêter le bateau par la seule force de sa pensée, Yaacov Markovitch ne s'était douté que quelqu'un d'autre œuvrait dans le même sens. Le jour, le numéro deux de l'Organisation se montrait à la hauteur de sa tâche : il orchestrait les livraisons clandestines d'armes en tous genres, intriguait au sein du haut commandement et continuait à nourrir l'admiration de tous les combattants. Mais la nuit, dans son lit, il priait pour que des courants contraires retardent un peu le retour de Zeev Feinberg. En homme rationnel, il savait que son salut ne viendrait pas des tréfonds de la mer et avait donc placé ses espoirs dans le facteur humain. Sur les vingt Européennes qui avaient embarqué, au diable s'il ne s'en trouvait pas une capable de mettre le grappin sur Feinberg ! Si celui-ci débarquait au bras de quelque charmante donzelle, ne serait-ce pas le meilleur moyen d'obliger Sonia à cesser enfin de maudire son homme du matin jusqu'au soir ? Car le contraire de l'amour n'est ni la haine ni l'invective, mais la sereine indifférence. Au fond de lui cependant, Froïke savait sa cause perdue d'avance. Même son ami ne remplacerait une telle femme pour rien au monde. N'avait-il pas, lui-même, cherché de toutes ses forces, cherché jour après jour, un substitut à son amour secret, avant de se résigner finalement à venir frapper à la porte de celle qui aurait dû lui être interdite ?

Trois jours avant la date prévue pour l'arrivée du bateau, alors que les cheveux de Sonia se déployaient en éventail sur son ventre, il lui demanda ce qu'elle ferait au retour de Feinberg.

— Je suppose que je le tabasserai comme il le mérite.

— Ce sera peut-être inutile...

Elle releva la tête. Il sentit, à l'endroit où son ventre avait été réchauffé par la soyeuse chevelure, un souffle d'air froid. Elle le dévisagea avec une perplexité amusée : assurément un bel homme, brave et généreux, exactement comme son Zeevik. Un jour viendrait où ces deux héros seraient transformés en rues perpendiculaires de quelque carrefour très fréquenté. Pourquoi en préférer l'un à l'autre ? Précisément parce qu'ils étaient interchangeables. Elle devait s'en tenir à son premier choix. Sinon, elle gâcherait sa vie à passer d'un bel homme brave et généreux à un autre bel homme brave et généreux, et elle errerait, à l'instar de ceux qui avalent les kilomètres et ne restent jamais assez longtemps dans le même lieu pour y faire pousser une fleur. Elle s'étendit à nouveau sur le matelas. Son corps, pourtant d'une désolante banalité, éveillait en Froïke des émotions d'une affolante singularité. Il aurait aimé écrire des vers à la gloire de sa peau, lui couvrir le visage de mots, mais, comme il était davantage militaire que poète, il se contenta de déclarer qu'il tuerait quiconque oserait porter la main sur elle. Il se perdit dans le corps de Sonia jusqu'au lever du soleil, et elle, après l'avoir laissé se repaître de sa chair et même en prendre une portion pour la route, ouvrit sa porte et lui dit :

— Maintenant, va-t'en. Va-t'en et ne reviens pas. Je compte sur toi pour ne jamais rien lui raconter.

Ultime baiser. Elle chuchota encore un « Éfraïm », et le lieutenant-commandant, l'espace d'un instant, cessa d'être lieutenant-commandant pour redevenir Éfraïm. Ce fut la dernière fois de sa vie.

Trois jours plus tard le bateau entrait dans le port de Jaffa sous les applaudissements d'une foule massée le long des quais. Sur le pont, les femmes épongeaient la sueur de leur front. Il faisait chaud. Très chaud. Les seins onctueux de Frouma Grinberg fondaient en grosses gouttes suintantes et la moustache de Yafa Feinberg luisait sous le soleil. La seule consolation fut, pour toutes les passagères, de découvrir qu'une déesse telle que Bella Zeigermann avait, elle aussi, des glandes sudoripares. Joie prématurée : les deux taches qui s'étendaient sous ses aisselles ne servirent qu'à révéler aux hommes qu'elle était bien de nature humaine et non fantasmatique. Ils se mirent donc à redoubler d'efforts pour essayer de tisser avec elle des liens qui ne se termineraient pas en même temps que la traversée. C'est ce qui explique qu'elle descendit du bateau entourée d'une dizaine de courtisans qui se disputaient l'honneur de porter ses bagages, alors que leurs épouses légitimes, abandonnées sans scrupule, ployaient sous le poids des leurs. Debout sur le quai, le numéro deux de l'Organisation, pâlot et voûté, était venu accueillir les nouvelles immigrantes et leurs compagnons. Sa poignée de main était toujours aussi ferme, mais son expression effraya ses soldats. La rumeur courut qu'il avait été blessé par balle au cours d'une mystérieuse opération quelques nuits auparavant. Cette histoire, pour invraisemblable qu'elle fût, était cependant beaucoup plus logique que toute tentative pour lier sa triste mine à une affaire de cœur. L'héroïsme du chef blessé venu tout de même accueillir ses hommes à leur retour de mission se transforma en vérité établie, ce qui augmenta encore son prestige et enfonça par là même le clou final dans le cercueil de celui qui avait été Éfraïm Hendel. Le dernier à descendre du bateau fut Yaacov Markovitch, qui avait passé la fin de la traversée enfermé dans sa cabine. Tous s'étaient accordés à dire qu'il souffrait d'une espèce rare, et particulièrement coriace, de mal de mer. Seul le lieutenant-commandant comprit, au moment où il lui serra la main, que le problème n'était pas le mal de mer, exactement comme Markovitch comprit qu'aucune balle n'avait atteint la poitrine du célèbre chef militaire. Ils se regardèrent l'un l'autre comme on regarde son reflet dans le miroir et n'eurent pas besoin d'échanger le moindre mot pour savoir à quoi s'en tenir.

Ce n'est que lorsque Michael Katz commença son discours enflammé que Froïke se rendit compte qu'il n'avait pas vu Feinberg. Il scruta ses troupes. Grinberg était bien là à côté de Moskovitch, Gotlieb échangeait des clins d'œil complices avec Braverman, et

Markovitch se tenait sur le quai avec une tête d'enterrement. Mais pas de trace du moustachu. Malgré sa volonté de ne pas saper des envolées lyriques qui avaient manifestement été peaufinées tout au long de la traversée, il ne put se retenir. L'orateur en était à parler de la patrie qui embrassait en son sein tous les immigrés lorsque la question fusa :

— Où est Feinberg ?

Tout d'abord agacé, Katz se ravisa prudemment lorsqu'il saisit qui l'avait posée.

— Il a sauté du bateau avant qu'on accoste. Il nous a obligés à nous dérouter jusqu'à un point qui lui convenait et a simplement rejoint la plage à la nage.

En réalité, les choses ne s'étaient pas passées si simplement. Zeev Feinberg était certes un homme vaillant, mais les journées de voyage avaient affaibli son organisme et beaucoup de temps avait passé depuis son mémorable plongeon, une immigrante sous un bras et les pièces d'échecs sous l'autre. Au moment où il avait sauté, les encouragements des hommes et la stupeur des femmes penchées par-dessus le bastingage lui avaient réchauffé le corps. Mais le bateau une fois perdu de vue, il s'était retrouvé en pleine mer et cinq bons kilomètres le séparaient encore de Sonia. Il ignorait qu'elle l'attendait les pieds dans l'eau, et c'est une force mystérieuse qui l'avait poussé à abandonner ses compagnons avant leur arrivée au port, en un point du littoral qui était (du moins l'espérait-il) exactement au bout du chemin menant au village. L'idée avait mûri quelques jours auparavant, sur le pont, à côté de Bella, alors que la nuit était déjà bien avancée. Elle l'avait poliment écouté lui dresser la liste exhaustive des mérites de Yaacov Markovitch, vaine tentative pour allumer en elle ne fût-ce qu'une étincelle d'intérêt envers son malheureux mari, certes charmant, mais d'une telle insignifiance ! Parler de lui l'ennuyait tant qu'elle avait bien vite changé de sujet et demandé plutôt à son interlocuteur ce qu'il avait l'intention de faire quand il retrouverait l'élue de son cœur, dont elle se sentait, à force d'en entendre chanter les louanges, très proche, un peu comme les enfants qui s'identifient aux héros dont on leur narre les exploits au coucher. C'est que, nuit après nuit, elle avait écouté Feinberg lui raconter les épisodes marquants de la vie de sa chérie, comme la fois où celle-ci avait aidé une femme à accoucher, ou encore quand elle avait mis en fuite des voleurs de chevaux en imitant les hurlements du loup, cachée dans les buissons.

Zeev Feinberg avait donc renoncé à ses ultimes velléités d'aider Yaacov Markovitch, pour émigrer plutôt vers des contrées autrement plus excitantes, comme les lobes d'oreilles de Sonia, qu'il mordrait dès son arrivée, l'odeur d'orange qu'il humerait dans son cou. Il avait ajouté qu'il devrait aussi se défendre, qu'elle chercherait assurément à le tabasser pour toutes ses infidélités. Parlant ainsi, il s'était senti de plus en plus contrarié par les heures mornes que lui prendrait le trajet de Jaffa jusqu'à son village, et c'est ce qui avait fini par le décider.

« Au moment où nous approcherons de la Palestine, je dirai au capitaine de longer la côte jusqu'à ce qu'on soit à la hauteur de mon village. Là, je sauterai et j'irai la rejoindre à la nage. »

Bella Zeigermann avait éclaté de rire. La lumière

de la lune qui tombait sur ses cheveux y imprimait des bandes argentées que Zeev Feinberg, concentré qu'il était sur ses plans de retrouvailles avec Sonia, n'avait absolument pas remarquées. En revanche, il avait ressenti un impérieux besoin de parler à Markovitch, justement. Qui, à part ce dernier, pourrait le comprendre ? Ce qui n'avait pas de sens reprendrait toute sa logique une fois raconté à celui qui avait percé les secrets de son âme. Même si la plupart des passagers du bateau lui avaient à peine accordé un regard, Yaacov Markovitch était et restait son meilleur ami. Il avait donc quitté Bella et s'était rué dans leur cabine commune… pour tomber sur une porte close et un billet difficilement lisible : « Suis très mal en point. Prière de ne pas déranger. » Au cours des jours suivants, il avait eu beau revenir frapper à cette porte, d'abord pour s'enquérir de l'état du malade, puis pour réclamer du linge de rechange, rien n'y avait fait. Il s'était résigné à ne le revoir qu'au moment où ils iraient tous divorcer et avait prié Bella, juste avant de plonger, de le saluer de sa part.

Il nagea vers le rivage à grandes brassées éperdues. Quand il se sentait fatigué, il faisait la planche pendant quelques instants, mais à chaque pause il avait l'impression qu'une odeur d'orange lui chatouillait les narines et il se hâtait de se remettre à avancer. Il nagea, nagea, nagea, nagea, nagea, nagea, puis ensuite nagea, nagea, nagea, nagea, puis ensuite nagea encore un peu, et finalement il arriva.

Au même moment, Sonia, debout sur la plage, scrutait la mer. Lors de sa dernière visite, le lieutenant-commandant lui avait pourtant dit que le bateau accosterait au port de Jaffa, mais, par habitude sans doute, elle continuait à fixer le même point à l'horizon et n'avait pas mis le cap vers le sud, c'est-à-dire vers la direction d'où Zeev Feinberg était censé apparaître. Et puis attendre sur la grand-route n'a rien à voir avec attendre sur la grève. Il y a tellement de gens qui passent sur la grand-route que, dans la poitrine, le cœur bondit souvent et retombe tout aussi souvent, tanguant entre joie et déconvenue comme un bateau ballotté par les flots. Mais aucun homme n'arrive par la mer, juste quelque petit crabe ou quelque mouette aux plumes graisseuses, obscurs émissaires parlant une langue inconnue et que chacun peut interpréter à sa guise. Ce matin-là Sonia suivait le ballet des crustacés et s'en inspirait pour injurier Zeev Feinberg.

— Si seulement ton attirail pouvait se retrouver écrabouillé entre des pinces comme celles-ci… Moi, je te les tordrai de telle sorte que tu marcheras de guingois comme celui-là jusqu'à la fin de ta vie !

Mais sa voix était plus faible que d'ordinaire et ses injures ressemblaient davantage à un courant d'air qu'à une tornade. À force d'attendre, sa colère s'était dissipée. Et même si tout le monde continuait à parler d'elle, ses élans, dont la renommée dépassait à présent la Vallée, avaient tant perdu de leur courroux qu'elle-même peinait à les reconnaître.

Zeev Feinberg aussi, elle eut du mal à le reconnaître. Lorsqu'il émergea – nu, ruisselant, les muscles tremblants à cause de l'effort fourni et les yeux aussi sombres que les abysses –, elle crut voir une sorte de Neptune. Au premier pied qu'il posa sur le sable, tous

97

les crabes disparurent et la laissèrent seule. Il tomba à genoux devant elle, à bout de forces, rongé par le remords, éperdu de reconnaissance. Les mouettes s'envolèrent en lançant des cris stridents. Elle fixa alors l'homme qui sortait des eaux et ses yeux retrouvèrent leur fureur éclatante, la verdeur de ses reproches lui revint avec une colère intacte, comme si de nombreux jours ne s'étaient pas écoulés depuis sa première sortie sur la plage. Sonia insulta son Zeev d'une voix qui s'entendit à des kilomètres à la ronde. Les crabes creusèrent davantage leur trou dans le sable, les mouettes montèrent plus haut dans le ciel, sans pour autant pouvoir échapper à sa langue effilée. Feinberg, lui, loin d'essayer de fuir ce déluge, resta agenouillé à ses pieds, visage levé vers elle afin de recueillir chaque goutte de cette pluie bénie d'invectives et de reproches. Lorsque, enfin, il se releva, ce fut pour l'embrasser. Il avait sur les lèvres le goût salé de la mer et elle le goût sucré de l'expectative. Mais à peine eut-il sorti sa langue de la bouche de sa Pénélope que celle-ci recommença à le couvrir d'insultes, on aurait dit une bouteille dont on venait de faire sauter le bouchon. Il éclata de rire, la souleva, elle l'injuria de plus belle, et c'est ainsi qu'ils parcoururent le chemin jusqu'au village, lui qui la portait dans ses bras et elle qui ajoutait un gros mot à chacun de ses pas.

7

Abraham Mandelbaum en terminait avec un veau tout blond lorsque, par la fenêtre, il vit Zeev Feinberg avancer dans la rue principale, serrant Sonia contre lui. Le moustache ne portait qu'un morceau de tissu arraché à la robe de sa belle, et elle, elle hurlait de nouveau tellement que ses cris ébranlaient jusqu'aux fondations des maisons. Le boucher se saisit de son couteau et le nettoya avec soin, comme toujours après l'abattage rituel. Ne pas mélanger le sang avec le sang, celui qui a été égorgé avec celui qui sera égorgé. Il sentait la tête du veau le fixer du coin de la pièce. Au début de sa carrière, bien des années auparavant, il lui semblait voir de la colère dans les yeux des animaux morts et il s'éloignait des cadavres dès la tombée de la nuit. Au fil du temps, il s'était dit que non, ce n'était pas de la colère mais de la résignation, voire de la pitié, qu'il captait. Aujourd'hui, il savait que les yeux du veau égorgé ne dégageraient que ce qu'il y mettrait et il décida que ce serait de la compassion. Alors, il baissa son rideau. Au moment où il se retourna, il vit Rachel Mandelbaum, une main sur le ventre. Malgré la faible lumière qui ne lui permettait que de distinguer son visage, il eut l'impression qu'elle souriait.

Lorsque Zeev Feinberg se réveilla le lendemain matin, il s'affola de voir Sonia déjà habillée.

— Où vas-tu ?

— Travailler. Sache qu'on ne gagne pas son pain quotidien à rester planté sur une plage !

— Pas aujourd'hui, dit-il en la prenant dans ses bras. Aujourd'hui tu viens avec moi à Tel-Aviv.

— Qu'est-ce que tu vas faire à Tel-Aviv ?

— Divorcer. Et me marier.

À leur arrivée, ils trouvèrent le quartier général de l'Organisation en proie à une profonde agitation. Outre les vingt couples fictifs qui s'y étaient donné rendez-vous, l'immeuble de la rue Bar-Kokhba était envahi par de nombreux membres du réseau, fonctionnaires, responsables, personnalités publiques, badauds et combattants qui n'avaient pas participé à l'opération mais s'intéressaient de près à celles qui seraient bientôt de fraîches divorcées. Le lieutenant-commandant passait d'un groupe à l'autre avec une solennité de circonstance quoique tout en retenue. En ce jour si particulier, il avait salué davantage de gens que durant toute sa vie, mais il veillait, comme toujours, à prolonger chaque poignée de main d'une fraction de seconde pour donner à son interlocuteur l'impression d'être réellement apprécié. Il sut que Sonia était entrée avant même de la voir : après les six semaines qu'il venait de vivre avec elle, il aurait pu reconnaître son odeur même au milieu de la foule la plus dense. Il put ainsi bénéficier d'un court laps de temps qui lui

100

permit, crut-il, de se ressaisir avant d'affronter celle qui avançait dans une robe d'une douceur bleue et quotidienne dont il était exclu. Mais rien n'y fit et, dès qu'il se trouva face à elle, il devint blanc comme un linge. Zeev Feinberg ne s'en rendit pas compte et se précipita vers lui.

— Ah, mon bon, mon si précieux Froïke, il n'y a pas à dire, je te dois une fière chandelle !

L'autre balbutia en retour quelques mots convenus, de ceux que l'on garde en tête pour ce genre de mauvaise passe où l'esprit chavire et laisse à la bouche le soin de prendre le relais.

— Qu'est-ce que tu dis ? On ne t'entend pas, l'ami ! Tu devrais prendre des leçons de ma Sonia : hier, tout le village entendait ce qu'elle me hurlait dessus.

Le haut responsable fit de son mieux pour sourire et, en homme plein de ressource, il réussit à donner le change. Feinberg lui assena une claque chaleureuse sur l'épaule, plaqua un baiser sur la joue de Sonia, et il ne lui resta plus, à lui, qu'à palper son pistolet au fond de sa poche pour en tirer un peu de réconfort. Il n'avait aucunement l'intention de tirer sur son ami, encore moins sur lui-même, mais le contact froid du métal calma le sang qui bouillait dans ses veines et lui rappela qu'il y avait encore de nombreux Arabes à tuer et que, peut-être, ce qu'il gagnerait sur le plan patriotique l'aiderait à supporter ce qu'il avait perdu sur le plan romantique. Zeev Feinberg alla rejoindre les autres couples, suivi par Sonia qui, lorsqu'elle passa devant lui, s'attarda un instant. Il emplit ses poumons de la délicieuse exhalaison de vergers. Il vit alors que ses lèvres à la parfaite simplicité murmuraient :

— Merci.

Les hommes furent ravis de retrouver le moustachu. Quant aux femmes, elles détaillèrent avec perplexité celle qu'il avait choisie :

— Quoi ? Se condamner à la chasteté à cause d'une femme comme ça ?

Yafa Feinberg alla jusqu'à éclater en sanglots, ce qui permit à Sonia de les conquérir toutes en se hâtant de tendre son propre mouchoir à l'épouse fictive de son propre amant. Elle réconfortait encore la malheureuse lorsque Zeev s'approcha et la tira par la main :

— Viens. Je veux te présenter quelqu'un.

Se frayer un passage à travers le cercle de jeunots qui s'était formé dans le coin éloigné ne fut pas chose facile. Lorsque le couple finit par y arriver et que Bella vit les deux amoureux avancer, elle s'exclama, radieuse :

— Donc, les requins ne t'ont pas dévoré !

— Parce que tu connais un requin qui voudrait mordre dans ce phacochère ? lâcha Sonia en soufflant avec mépris.

Ils éclatèrent tous les trois de rire et les deux femmes en profitèrent pour se jauger mutuellement. Elles n'avaient rien de commun à part les yeux, pourtant leur amitié fut immédiate. Ce qui n'empêcha pas Feinberg de faire les présentations officielles :

— Bella Markovitch, je te présente Sonia, ma fiancée.

— Markovitch ? s'étonna Sonia, sa curiosité piquée. C'est donc toi, la femme de notre Yaacov ?

— Plus pour longtemps, précisa Bella. Les rabbins ne vont pas tarder et bientôt il y aura ici vingt couples divorcés.

La phrase avait apparemment été prononcée d'une voix trop forte, car Yafa Feinberg se remit à pleurer et entraîna même Hava Blubestein dans son sillage – ce que remarqua, affligé, Michael Katz, lui qui attendait avec impatience le moment où il serait enfin débarrassé du tracas esthétique nommé Bella Zeigermann et pourrait retourner à des occupations plus efficaces, comme le trafic d'armes par exemple. Il s'écarta du groupe pour aller voir où diable étaient passés les responsables religieux et en profita pour relire le brouillon de son discours.

Après avoir calmé les pleureuses, Sonia demanda à sa nouvelle amie où se trouvait Yaacov Markovitch, et celle-ci répondit qu'elle n'en avait pas la moindre idée.

— Il me semble qu'il a été malade les derniers jours de la traversée. Je l'ai vu hier au port, j'ai eu le temps de lui transmettre le salut de notre nageur, mais tout de suite après on nous a conduites à la pension.

— Le pauvre, c'est qu'il a sacrément morflé ! Comment l'as-tu trouvé hier ? demanda Zeev Feinberg avec une expression inquiète.

Bella répondit qu'il lui avait paru en excellente forme, mais elle aurait mieux fait d'avouer qu'elle ne s'en souvenait pas. Depuis leur mariage, elle l'avait à peine regardé, aucune raison qu'elle ait changé d'attitude, a fortiori lors d'une journée aussi pleine de rebondissements que la veille. Dès sa descente du bateau, elle avait été entourée par des dizaines de jeunes Hébreux, et en chacun elle avait senti un poète

103

potentiel. On l'avait ensuite emmenée à la pension où logeaient toutes les femmes. La luminosité était si aveuglante qu'elle n'avait quasiment rien vu de la ville, et elle dégoulinait de sueur. Mais, à la différence de ses compagnes de route qui se plaignaient déjà de la chaleur, elle était ravie de transpirer, comme si elle se délestait des larmes européennes, comme si des couches de froidure et de putréfaction se liquéfiaient sur elle, s'écoulaient le long des trottoirs et se jetaient dans la mer. À la pension, elle s'endormit immédiatement, bercée par les voix de toutes celles qui murmuraient en se penchant sur elle :

— Une vraie princesse.

Elle avait dormi tout l'après-midi et toute la nuit et ne s'était réveillée que lorsque Frouma Grinberg l'avait secouée :

— Debout, Bella, on va divorcer.

Les rabbins firent leur entrée sous un tonnerre d'applaudissements. Une fois le calme revenu, Michael Katz commença son discours.

— En ce jour émouvant entre tous, ce jour de fête et...

Un rabbin l'interrompit pour s'exclamer d'un air courroucé sous une longue barbe :

— Je vous en prie, ce n'est certainement pas un jour de fête. Un divorce n'est jamais une raison de se réjouir. Nous comprenons qu'il s'agissait là de sauver des vies humaines, c'est pourquoi nous ne ferons pas obstacle à vos demandes, mais, s'il vous plaît, évitons la liesse.

Ahuri, le chef de la mission en était encore à chercher le meilleur moyen de protester lorsque le même rabbin tira une liste de sa poche, appela le premier couple, Frouma et Yehouda Grinberg, et lui enjoignit de les suivre dans la petite pièce mitoyenne. Les seins onctueux de la bientôt divorcée frémissaient d'excitation tandis que Yehouda les dévorait d'un regard déjà languissant.

Pendant les trente minutes suivantes, tout se déroula comme prévu. Les mariés entraient dans la petite salle et en ressortaient quelques instants plus tard divorcés, certains main dans la main. Avishaï Gotlieb et Tamar Eisenberg avaient même prévu de célébrer leur désunion par un déjeuner. Le groupe des mariés allait en diminuant. Ce fut enfin au tour de Zeev Feinberg et Yafa d'être appelés à l'intérieur, et il ne resta plus que Sonia et Bella à attendre.

— Où est Markovitch ? s'enquit alors la future divorcée tandis qu'une petite ride inquiète se creusait sur son front parfait.

— Peut-être dort-il encore, suggéra sa nouvelle amie. Tu es sûre qu'il allait bien, hier, quand tu l'as vu ?

Bella réfléchissait encore à une réponse lorsque, enfin, son mari fit irruption dans la salle. Blême, amaigri, il avança cependant d'un pas assuré, en bon petit soldat. Au moment où Sonia courait vers lui, la porte de la petite pièce s'ouvrit pour laisser passer Yafa en pleurs.

— Sonia, viens ! On se marie ! tonna Zeev Feinberg.

La jeune femme embrassa Markovitch à la hâte et obtempéra, rayonnante. Ne resta plus dans la pièce que le dernier couple. Le soleil de midi passait par la fenêtre et se brisait sur les grandes dalles du sol. Qu'elle était belle. Belle à en pleurer pour encore quelques instants comptés, dans l'attente que se rouvre la porte. Zeev Feinberg apparut, portant dans ses bras une Sonia Feinberg qui ne l'injuriait plus, non, elle riait à gorge déployée, et son rire résonna si fort entre les murs du bâtiment que les rabbins se mirent à remuer d'embarras sur leur siège.

Lorsque le moustachu aperçut son ami, son sourire s'élargit davantage.

— Ah, te voilà rétabli, l'ami ! Je t'aurais volontiers serré dans mes bras mais, comme tu vois, la place est prise !

Il lança sa femme dans les airs.

— Nous descendons chercher du vin pour célébrer l'événement, promets-moi juste de ne pas filer avant notre retour !

Il n'attendit pas la réponse. À quoi bon ? Il tenait entre ses bras la seule réponse qui vaudrait à présent pour lui en toutes circonstances : un grand oui.

Yaacov et Bella Markovitch se retrouvèrent à nouveau seuls dans la pièce. Elle ne le regardait pas et réciproquement, ce qui requérait un gros effort pour lui et pas le moindre pour elle. Attitude qui se révélerait ultérieurement une grave erreur pour eux deux. Pour lui, parce qu'il aurait dû profiter de cette dernière occasion de voir Bella sereine, détendue et charmante. Pire pour elle, parce que, si elle l'avait fait, elle aurait constaté la métamorphose qui s'était opérée chez son mari fictif. Bien que ce jour-là, comme tous les jours de sa vie, Markovitch fût arrivé en portant le même nom que d'habitude, il n'était plus le même

106

homme. Et elle s'en mordrait les doigts, Bella, de ne pas l'avoir regardé, exactement comme celui qui, voulant traverser un fleuve qui lui est familier, y plonge sans vérifier son débit et se noie, car c'est l'hiver et l'eau est tumultueuse. Bella ne remarqua donc pas que l'homme dont elle était l'épouse avait changé son fusil d'épaule.

— Yaacov Markovitch ! cria de la salle voisine la voix du rabbin.

Elle se dirigea vers la porte. Il ne bougea pas. Elle se retourna, lui lança un bref coup d'œil étonné et reçut en retour un bref mot déterminé :

— Non.

— Comment ça, non ?

— On ne divorce pas.

Alors, pour la première fois depuis leur rencontre, elle examina le visage de Yaacov Markovitch. Longuement. Très longuement. Elle en scruta chaque trait, s'attarda sur le pli déterminé du front, la dureté de l'expression, la raideur du dos. Avait-il toujours eu cet air-là sans qu'elle s'en soit aperçue ? Sans qu'elle ait pris la peine de se méfier de ces signes avant-coureurs qui auraient pu, si elle l'avait dévisagé ne serait-ce qu'une fois, l'avertir ? Peut-être (elle frémit à cette pensée), peut-être tout cela était-il la conséquence du voyage en bateau, le fruit de longues journées de désœuvrement ? Elle s'efforça de raviver le souvenir de leur première rencontre, dans l'appartement, à l'est de la ville européenne. Sans y parvenir totalement (elle revoyait surtout une bouche restée ridiculement béante), elle pouvait assurer que son regard n'était pas aussi glacé. Celui qu'elle avait épousé n'était plus le même. Comment

107

et pourquoi, elle l'ignorait, lorsqu'une bête est prise au piège, elle ne se pose pas ce genre de questions. Elle leva vers lui ses yeux de biche :

— Si tu es un homme d'honneur, tu me laisseras partir.

Yaacov Markovitch se dit : elle ne veut pas de moi. Et il s'étonna de constater qu'une idée aussi triviale pouvait causer une telle douleur. Il pensa : Je n'ai pas le droit. Il sentit sa détermination vaciller, entre ses genoux monta cette chaleur pâteuse qui succède à la décision, allez, laisse tomber, rentre chez toi, retourne à ton paysage familier et à ta solitude. Oui, il retrouverait sa maison et la demoiselle de Haïfa qui était certes multiple, mais n'en restait pas moins une femme aux cuisses écartées, et, si chacune avait un goût différent, la honte laissait toujours dans sa bouche la même amertume. Il retrouverait sa maison et sa vie – le matin il arracherait les mauvaises herbes, le soir il nourrirait les pigeons, la nuit il relirait Jabotinsky. La beauté de Bella Zeigermann s'estomperait progressivement : les sourcils d'abord, les seins ensuite, les yeux et les oreilles enfin. Oui, il l'oublierait chaque jour un peu plus, mais jamais il n'oublierait sa propre défaite : être sur le point de partager sa vie avec une telle femme mais ne pas avoir osé. Rien que d'y penser, il sentit son cœur se durcir et se mettre à battre avec une volonté si forte qu'il en fut le premier effrayé. Refuse, lui disait son for intérieur, refuse, refuse et refuse encore.

Alors cet homme, qui jusqu'à présent n'avait été que bafouillements, que « peut-être » monotones et sans cesse répétés, sentit le refus enfler en lui et le remplir tout entier. Il comprit qu'il ne renoncerait pas à Bella.

Il vivrait avec elle et sa vie deviendrait un enfer. Mais il préférait l'enfer certain au doute éternel.

Après être remontés avec leur bouteille de vin, Zeev et Sonia Feinberg ne trouvèrent dans la pièce que Bella Markovitch, livide, entourée de trois rabbins en noir qui s'agitaient autour d'elle. Elle était si pâle que le couple crut voir un cadavre sur lequel les dignitaires religieux avaient déjà commencé les rites purificateurs. Instinctivement, les deux tourtereaux eurent un mouvement de recul, exactement comme le bien portant s'écarte du malade, le joyeux du malheureux. Ils ne reculèrent en l'occurrence que d'un petit pas, mais Bella le capta aussitôt ; n'avait-elle pas passé toute sa vie entourée de gens qui ne cherchaient qu'à l'approcher ? Pour la première fois, il se produisait le phénomène inverse. Devant cette constatation, devant ce tout petit pas, elle fit ce qu'elle n'avait pas fait quelques minutes auparavant (ni après le départ d'un Markovitch sourd à ses supplications, ni au moment où les rabbins s'étaient rués sur elle, la menaçant de leurs griffes acérées et de leurs questions importunes) : elle éclata en sanglots.

Voyant le désespoir de sa nouvelle amie, Sonia se précipita vers elle et la prit dans ses bras. Le spectacle des yeux qui ne cessaient de couler rendit les siens humides. En fait, leurs yeux étant semblables, à partir de cet instant l'une ne pourrait pleurer sans que l'autre s'y associe. Au milieu de ces épanchements, la voix de Feinberg retentit soudain. Il tenait d'une main sa bouteille de vin devenue inutile, de l'autre la barbe d'un des rabbins.

— Tonnerre de Dieu, qu'est-ce qui se passe ici ?

À ce cri, les sanglots de Bella redoublèrent d'intensité et le rabbin se figea (ce n'est pas tous les jours qu'un géant furieux, aux yeux courroucés et à la moustache enflammée, s'en prend à votre barbe). Ses deux collègues ordonnèrent à l'excité de lâcher prise. Leurs aboiements, mêlés aux lamentations de la malheureuse épouse, formèrent comme un concerto pour violon et orgue.

— Zeevik, c'est Markovitch. Il refuse de lui accorder le divorce, lui expliqua alors Sonia, dont la voix claire et posée parvint à réduire au silence les deux rabbins et à ce que cesse enfin la pression autour de la barbe du troisième.

Bella arrêta de pleurer, incrédule : comment Sonia avait-elle réussi à déchiffrer si vite le code secret de sa détresse ? En fait, elle se trompait : ce n'était pas elle que son amie avait comprise, mais le mari. Car, contrairement à tous les autres, elle s'était donné la peine de regarder le visage de celui qui était arrivé avec tant de retard dans la salle. Malgré la joie et l'impatience qui la submergeaient, elle avait remarqué son expression endurcie. Peut-être parce qu'elle n'était qu'un immense « oui », elle avait saisi l'immense « non » cristallisé en lui. Mais, comme au même moment Feinberg l'avait appelée pour leur mariage, elle avait cessé d'être le sismographe des sentiments de son entourage pour ne s'abandonner qu'aux siens propres. Elle s'en voulut pour les gestes éhontément tendres qu'elle avait eus avec Feinberg sous le nez de Markovitch. Comment avaient-ils pu, avec tant d'outrecuidance, penser que leur amour arroserait tout et tous telle une pluie bienfaisante, alors qu'il avait agi comme de l'acide sur le cœur de cet homme si seul ?

Zeev Feinberg, quant à lui, était arrivé à une conclusion différente. Lui ne s'accusait pas, pas plus qu'il n'accusait sa bien-aimée. Il mettait cela sur le compte de la maladie qui avait terrassé Markovitch en mer et lui avait assurément troublé l'esprit. C'est que, en dépit de sa grande expérience des plaisirs charnels et de l'art de la séduction, le moustachu restait un grand naïf. Il n'avait toujours pas compris que, si le malheureux s'était enfermé dans sa cabine, ce n'était pas qu'il souffrait d'une affection quelconque, mais parce qu'il n'avait pu supporter de voir son seul ami en conversation permanente avec sa femme. Si on lui avait reproché de vive voix d'avoir passé toutes les nuits en compagnie de Bella, Feinberg n'aurait pas eu à rougir puisqu'il savait que rien, jamais, ne s'était produit entre eux. Mais ne se montrait-il pas tout de même d'une extraordinaire candeur en ignorant que ce qui germe dans l'imagination d'un homme est beaucoup plus important que ce qu'il aura pu constater de visu ?

Les rabbins remuaient d'embarras. Il y avait encore d'autres mariages à célébrer ce jour-là, ainsi que des gens à enterrer, sans compter quelque jeune garçon en âge de fêter sa bar-mitsva. Combien de temps allaient-ils devoir encore attendre en compagnie de ces trois-là – l'une belle à tenter les plus sages, l'autre capable de lire dans les cœurs et le troisième… Dieu nous en préserve ! Ils esquissèrent un pas vers la sortie, mais Feinberg leur barra le passage.

— Messieurs, le mari est malade. Il souffre de vertiges. Mais de là à rendre le divorce impossible, ça,

111

non ! Enfin, elle ne va pas rester mariée uniquement à cause d'un petit mal de mer !

Les responsables religieux durent prendre leur courage à deux mains pour lui répondre que les couples restaient mariés pour bien moins qu'un petit mal de mer. On ne transigeait pas avec la loi juive : seul le mari pouvait accorder le divorce. Alors dussent-ils tous se faire arracher la barbe par un sauvage moustachu, aucun d'eux n'annulerait le mariage sans le consentement du mari.

Les trois rabbins partis, les sanglots de Bella reprirent de plus belle – incroyable la quantité de larmes qu'un corps aussi menu pouvait déverser. Feinberg avait beau être aujourd'hui un homme marié, il était incapable de voir une femme pleurer. Il lui servit un verre de vin et lui caressa les cheveux comme si elle était une enfant, puis il s'assit près d'elle et lui assura que son ami accepterait de la libérer dès que les séquelles de son étrange mal auraient disparu. Et Bella Markovitch le crut non pas parce que c'était plausible, mais parce que cela correspondait à ce qu'elle voulait entendre.

Le cœur lourd, Michael Katz se rendit le soir même chez le lieutenant-commandant. Une heure auparavant, il avait reçu la visite de Zeev Feinberg accompagné de sa jeune épouse insignifiante et d'une faible créature qui ressemblait en tout point à Bella Zeigermann, si ce n'est que les couleurs, comme effacées par un chiffon, avaient totalement déserté son visage. L'air sévère, le moustachu lui avait appris que Yaacov Markovitch était reparti de Tel-Aviv sans avoir accordé le divorce à son épouse totalement fictive, mais absolument légitime.

— Je suppose que le virus qu'il a attrapé en mer lui est monté au cerveau, justifia-t-il, et qu'il reviendra ici dans un ou deux jours pour achever correctement sa mission. Cependant, je pense que tu devrais en avertir Froïke.

L'autre lui lança un regard lourd de ressentiment. Non seulement cette brute lui avait de facto confisqué le commandement de l'expédition, mais voilà qu'à présent il venait le narguer en appelant le numéro deux de l'Organisation par son prénom, ce que lui-même n'aurait jamais osé faire.

— Pourquoi tu ne t'en charges pas ? Ce n'est pas toi qui nous as apporté Markovitch en dot ?

— Nous sommes restés trois heures devant le quartier général à attendre son retour. Il est temps pour nous de regagner le village. Va chez Froïke ce soir, il sera peut-être rentré de l'opération qu'il est certainement en train de diriger. Sonia, Bella et moi attendrons à la maison un message de votre part.

Ces derniers mots furent jetés de dos, Feinberg s'approchant déjà de la porte. Il posa la main sur la poignée et se retourna :

— Et n'oublie pas : Yaacov Markovitch est mon ami. Si tu l'accables, je m'arrangerai pour que tu ne parles plus du tout.

Sur ce, il sortit, suivi par Sonia. Suivie par Bella.

La porte refermée, Michael Katz se prit la tête dans les mains. Même si Markovitch était le sous-fifre de Zeev Feinberg, il avait été mis sous sa propre responsabilité. Ses premiers pas en tant que chef d'opération le mèneraient droit dans le mur s'il se montrait incapable de se faire obéir par le dernier des minables !

Ce fut donc le cœur bien lourd qu'il se rendit chez le lieutenant-commandant. À vingt mètres de la maison, il huma une forte odeur d'orange qui envahissait le trottoir, s'insinuait entre les pavés et jusqu'aux abords des poubelles. Stratagème britannique ? Opération de diversion de la Légion arabe ? Il avança d'un pas plus prudent, frappa discrètement à la porte tout en regardant autour de lui pour s'assurer qu'on ne l'avait pas pris en filature. Aux fenêtres voisines, il remarqua des visages qui, étonnés comme lui, écartaient les narines pour humer ce parfum si caractéristique. En fait, ces effluves d'agrume avaient attiré l'attention de la rue entière, et tous les regards convergeaient vers la demeure du haut responsable. Lorsque la porte lui fut ouverte, Michael Katz n'en crut pas ses yeux : des centaines d'oranges, peut-être des milliers, roulaient sur le sol. Des grosses et des petites, des mûres et des vertes, certaines avec une feuille encore attachée au pédoncule et d'autres sans. Il suivit le lieutenant-commandant à l'intérieur et dut batailler pour ne pas trébucher. En vain. Au moment où son hôte terminait de dégager quelques maudits fruits pour faire de la place sur son canapé, il s'étala de tout son long. Très embarrassé, il releva la tête. Étrangement, il eut l'impression que le visage du numéro deux de l'Organisation avait lui aussi viré à l'orange.

— Je suppose que je vous dois une explication.

— Surtout pas ! s'écria Katz, tâchant de retrouver son équilibre. Totalement inutile, chef, je comprends ! Il s'agit là d'un excellent subterfuge, d'une manière géniale de camoufler l'odeur des explosifs ! Quelle brillante idée ! Nous allons enfin pouvoir berner ces chiens de Britanniques.

L'expression fermée avec laquelle le lieutenant-commandant accueillit ces paroles fut ensuite remplacée par un triste sourire. Voilà qu'on le privait même de son obsession amoureuse. Le soupirant Éfraïm Hendel avait rempli son appartement de milliers d'oranges, un acte fou qui se voyait soudain transformé en haut fait militaire, mis à l'actif du valeureux combattant qu'il était. Il songea un bref instant que, s'il se suicidait à cause de Sonia, on en créditerait la reine d'Angleterre !

Michael Katz, qui avait enfin réussi à se relever, chercha un endroit où s'asseoir et, tremblant de respect et de crainte (respect de se trouver physiquement si proche d'un tel héros, crainte de ce qu'il avait à lui dire), se vit proposer un bout de banquette à côté de son supérieur. Si bien que, lorsqu'il commença à parler, il raconta non seulement la visite de Feinberg mais, faisant fi des avertissements, s'en donna à cœur joie pour dénigrer Markovitch. Plus il pourrait accabler ce dernier de reproches, moins il en resterait pour lui (en tout cas l'espérait-il). Certes, il avait commandé cette opération, mais il ne pouvait décemment pas être tenu pour responsable d'un tel comportement.

— Et le plus grave, à mon avis, c'est que Feinberg se trompe. Il ne s'agit pas de quelque maladie contractée en mer. Ce type n'a tout simplement pas l'intention de laisser partir Bella.

Voyant que le numéro deux de l'Organisation l'écoutait avec attention, Katz commença à se sentir rassuré. Il avait inutilement redouté le pire, mais son interlocuteur ne donnait pas de coup de poing sur l'accoudoir, ne haussait pas le ton, ne lui assenait aucune question accusatrice. Au contraire, il affichait une expression empreinte d'une curiosité amusée et non dénuée d'estime.

— Tu penses donc qu'il continuera à lui refuser le divorce ?

— Exactement ! Imaginez, chef : un asticot comme Markovitch qui se voit par miracle attribuer un fruit aussi juteux que Bella Zeigermann ! Alors, au diable l'engagement national, au diable le succès de sa mission ! Et peu lui importe d'entacher notre juste cause aux yeux de l'Histoire.

À l'évocation de l'Histoire avec un grand « H », le lieutenant-commandant se prit à méditer sur ceux qui, justement, n'en faisaient aucun cas. Ceux qui s'insinuaient entre ses pages non pour s'y inscrire à l'encre héroïque, mais pour en déchirer subrepticement un petit coin. Lui dont tous les actes n'étaient dictés que par un seul but, unique et sacré au regard de la postérité (le retour du peuple juif dans son pays), ne put s'empêcher d'éprouver une légère jalousie envers ce Yaacov Markovitch, assurément du menu fretin, et qui, comme tout menu fretin, échappait à l'hameçon d'un illustre destin.

Michael Katz finit par s'apercevoir que, plutôt que de l'écouter, le numéro deux de l'Organisation fixait le tapis de fruits dorés d'un œil éperdu. Il fut, un court instant, traversé par la pensée que c'était la folie, et non la ruse, qui avait concentré ici ces centaines d'oranges. Mais il coupa court à ses réflexions sacrilèges et se dirigea vers la porte après avoir poliment pris congé.

— Laissons-lui une semaine, lança encore le lieutenant-commandant. Si dans une semaine il ne lui a pas accordé le divorce, je me déplacerai moi-même jusqu'au village.

8

On l'apercevait de loin, assis dans la cour de sa maison, occupé à nourrir les pigeons qu'il avait retrouvés avec joie, heureux de constater qu'eux, au moins, l'avaient attendu, ne s'étaient pas envolés vers d'autres villages et d'autres miettes de pain. En signe de gratitude, il leur en jetait par poignées, incapable de se refréner. Car rien d'autre ne l'avait attendu. Il y avait bien le livre de Jabotinsky resté sur la table, mais il n'avait plus envie de le lire. À quoi bon les envolées lyriques et les grands mots ? Il venait d'accomplir le plus bel exploit de sa vie. Désormais, il ne lui restait plus que le pain et les pigeons. Oh, il y avait bien eu quelques visiteurs. Feinberg d'abord. Sonia ensuite. Puis le lieutenant-commandant, qui l'avait blâmé des lèvres et envié des yeux. Tous ces gens étaient venus lui parler, le supplier, l'adjurer en tapant des pieds. L'accuser, le maudire, le menacer du châtiment du ciel et des hommes. Il les avait tous accueillis avec du thé et des amandes, puis reconduits jusqu'au portail, cramponné à son « non » comme un noyé à sa planche de salut.

Puis vinrent ceux qui se présentèrent avec de vrais bouts de bois. L'idée, imaginée par Michael Katz, avait reçu l'aval du lieutenant-commandant : malgré toute la sympathie qu'éveillait en lui Markovitch, il fallait en finir avec une telle ignominie. Katz avait donc proposé de rassembler les jeunes les plus belliqueux de l'Organisation, ceux dont le sang chaud allait de toute façon exploser, et de les pousser simplement dans la bonne direction. La semaine passée, n'avaient-ils pas brisé la jambe d'un charretier arabe qui déchargeait sa marchandise au port et avait eu pour unique tort de leur barrer la route ? Une affaire qui les avait d'ailleurs un peu calmés, mais Katz décelait déjà dans leurs yeux cette soif de violence qui les possédait à intervalles réguliers. Il leur livra Markovitch. Le groupe vint toquer à sa porte un soir, vers vingt heures. Il leur ouvrit en se doutant de quelque chose. Son compte fut réglé en moins de cinq minutes et le malheureux se retrouva sur le carreau avec deux dents en moins, une côte cassée, un œil au beurre noir et la promesse d'une nouvelle visite s'il s'entêtait dans son refus. Mais plus on le maltraitait, plus remontait en lui le souvenir de ce qui lui valait ce passage à tabac : Bella. Et il encaissa les coups avec un sourire éperdu de reconnaissance.

Le premier soir, il resta un certain temps allongé sur le dos, là où on l'avait laissé. Peut-être à cause du coquart, les étoiles lui parurent particulièrement grandes. Tout homme normalement constitué qui se trouverait dehors à une heure pareille s'extasierait devant un tel ciel, mais se hâterait tout de même de rentrer chez lui, qui vers un enfant à nourrir, qui vers une chaussette à repriser, qui vers une urgence matérielle impossible à repousser. Yaacov Markovitch, lui, savait qu'il resterait couché à contempler les petites étoiles de son œil intact et les grandes de son œil enflé, rasséréné en voyant que, en dépit du tremblement de terre qu'il venait de subir, la Grande Ourse apparaissait à la même heure et au même endroit que d'habitude. Il s'endormit malgré ses contusions et, lorsqu'il se réveilla, le corps gelé, la tête en proie au vertige, il sentit des filets poisseux couler de sa bouche sur son menton, des filets que dans sa confusion il prit pour de la bave, la même que celle qui s'échappait de ses lèvres lorsque, enfant, il s'endormait le soir sur les genoux de sa mère. Ce n'est qu'en reprenant ses esprits qu'il comprit : il n'était pas couché sur les tendres genoux maternels, mais sur un sol inhospitalier, le goût âpre et écœurant qu'il avait dans la bouche était celui de son sang. Il leva des yeux furieux vers la voûte céleste. La Grande Ourse restait la même, qu'elle brille au-dessus de l'enfant endormi dans un giron aimant ou au-dessus de l'homme endormi dans la flaque de son sang. Il décida de ne plus jamais regarder les étoiles.

À une heure du matin, il alla frapper à la porte de Zeev Feinberg sous prétexte de lui demander quelque chose pour laver et panser ses blessures, mais en fait, ce dont il avait vraiment besoin, c'était qu'on lave son affront et qu'on panse sa dignité. Le moustachu lui donna ce qui fut verbalement demandé et lui refusa le reste, ne se révolta pas avec des « Qui a fait ça ? » et ne s'écria pas : « Poursuivons-les ! » Il ne maudit pas non plus la chienne qui avait mis bas ses agresseurs après avoir frayé avec un porc. Non. Feinberg soigna ses plaies d'une main experte, nettoya son œil des croûtes qui s'étaient formées et lui arracha une troisième dent qui branlait. Chose faite, il ouvrit grand sa porte et pria Markovitch de s'en aller.

La bande d'excités tint parole et revint à plusieurs reprises, laissant quelques nuits d'intervalle entre deux virées. Chaque fois, Markovitch allait frapper à la porte de Feinberg, soit avec le nez cassé, soit en claudiquant sur une jambe bien abîmée. Il lui arriva même de ne pas parvenir à passer le seuil, de peur de s'évanouir s'il faisait un pas de plus. Celui qui avait été son seul ami le soignait avec zèle en silence, puis le renvoyait chez lui sans avoir desserré les dents. Certains soirs, Yaacov Markovitch se surprit à attendre la visite des voyous uniquement pour aller à nouveau chercher de l'aide derrière une porte qui ne s'ouvrait qu'au prix de ce sacrifice sanglant. Sonia et Bella ignoraient tout de ces visites nocturnes qui avaient lieu lorsqu'elles étaient déjà profondément endormies, chacune bien lovée dans ses rêves (quoique, parfois, ceux de l'une déteignaient sur ceux de l'autre, comme cela arrive aux gens qui partagent un même toit). Jusqu'au jour où Sonia voulut désinfecter la coupure qu'elle s'était faite en cuisinant et trouva le flacon de solution iodée presque vide.

— Il vient beaucoup ici ?

— Une nuit sur trois.

Elle se détourna sèchement et Feinberg lui donna raison : les larmes versées dans ses bras par Bella auraient suffi à arroser quatre vergers, comment éprouverait-elle la moindre pitié envers l'homme qui en était la cause ? Il suivit des yeux la raideur du dos qu'elle lui offrit, la main crispée qui reposa le petit flacon, puis, n'en pouvant plus, il se leva et s'approcha d'elle, mais heurta un coin de table. Le flacon se renversa. Quelques gouttes de liquide violet s'en échappèrent et s'étalèrent rapidement sur la nappe, devinrent un cercle qui s'agrandit de plus en plus, imprégna les fils de coton et se mua en un papillon dont la forme monstrueuse le fascina. C'est alors qu'il remarqua le frémissement qui secouait sa femme.

— Non, s'il te plaît, ma chérie, ne te fâche pas.

Lorsqu'il lui effleura l'épaule, il comprit qu'elle n'était pas en colère, mais qu'elle pleurait :

— Oh, le pauvre ! Le pauvre, pauvre malheureux !

Les voyous de Michael Katz commencèrent à se lasser. Une demi-journée pour aller jusqu'au village, une demi-journée pour en revenir, tout ça pour à peine cinq minutes de satisfaction professionnelle. De plus, ce Markovitch était une cible particulièrement frustrante. Il ne se défendait pas et n'essayait pas de riposter, ce qui leur donnait l'impression de tabasser une poupée de chiffon, et pas un vrai mec. (Michael Katz tenta de leur expliquer que la comparaison avec une poupée était erronée, il s'agissait d'un roseau, il alla même jusqu'à citer : « Le roseau ploie et ne rompt pas », et ajouta que c'était justement sa faiblesse qui le rendait invincible.) Précisons que l'intéressé, pour sa part, ne se voyait ni en roseau ni en poupée de chiffon. De telles comparaisons ne viennent pas à l'esprit de l'homme à terre. Tandis que pleuvaient sur lui les coups des brutes envoyées par l'Organisation, il ne gardait en tête que la raison de cette violence. Chaque poing abattu sur lui le gratifiait d'une douleur cinglante certes, mais ravivait aussi l'image de Bella, et la simple apparition du visage adoré suffisait à l'anesthésier de la tête aux pieds.

Finalement les hommes de main décidèrent d'une ultime tentative musclée et, débordant de zèle, lui cassèrent le bras droit. Voyant cela, Zeev Feinberg ne réussit plus à se contenir.

— Mais pourquoi, nom de Dieu ? Dis-moi pourquoi ?

Markovitch le dévisagea d'un air étonné. Pendant tout le mois, il s'était habitué au mutisme de son ami et si, au début, son silence lui avait déchiré les tympans, il avait fini par s'en envelopper douillettement. Mais à cet instant il se rendit compte combien cette grosse voix lui avait manqué.

— Parce que je l'aime.

— Mais elle ne t'aime pas, l'ami ! Elle ne t'aime pas. Quoi, tu veux vraiment la garder à tes côtés par obligation légale ? Elle t'en voudra tellement qu'elle te tranchera la gorge en pleine nuit, te videra de tout ton sang !

— J'étais déjà tout vide, Feinberg. C'est ce que vous ne comprenez pas, ni toi, ni Sonia, ni le lieutenant-commandant, ni ces voyous qui viennent me casser la figure. Que j'étais déjà tout vide. Rien ne coulait dans mes veines hormis l'attente qu'il m'arrive enfin quelque chose. As-tu, ne serait-ce qu'une fois, été contraint d'attendre qu'il t'arrive quelque chose ? Non. Les gens comme toi ne connaissent pas ça. Les gens comme toi ont l'habitude que tout leur soit acquis. Marcher. Parler. Rire. Tandis que les gens comme moi ne sont qu'attente, interminable attente. Alors voilà : il m'est enfin arrivé un miracle, et je n'ai pas le temps de me retourner qu'on veut m'en priver. J'ai rencontré la femme la plus belle que j'aie vue de ma vie, elle devient ma femme et, une seconde plus tard, on m'oblige à m'en séparer. Moi, je dois garder cette merveille près de moi. Je dois la garder près de moi, car le ciel n'accorde pas deux fois une telle chance. Celui qui ne la saisit pas, qui ne la retient pas de toutes ses forces et la laisse partir parce qu'on lui a cassé une dent ou un bras, eh bien, celui-là ne la mérite pas. Elle m'aimera, je te le dis. Elle finira par m'aimer. Je l'attendrai patiemment, je travaillerai dur, je lui prouverai que je la mérite. Tu verras, elle m'aimera.

Zeev Feinberg soupira tout en achevant de panser le bras de Markovitch, dont le teint avait entre-temps viré au gris. Puis il se dirigea vers la porte et l'ouvrit.

— Tu es mon meilleur ami, Yaacov, mais ne reviens plus ici tant que tu n'auras pas divorcé.

Bella passa deux mois chez les Feinberg. Tous les soirs, le couple la quittait pour aller trouver le mari récalcitrant et essayer de l'attendrir, mais revenait bredouille. Elle passait ses journées à s'apitoyer sur son sort, excellent remède contre l'ennui, mais très mauvais pour le teint, ce qu'elle comprit le jour où le lieutenant-commandant, en visite chez eux, ne cessa de fixer Sonia sans lui accorder le moindre regard. Affolée, elle arrêta aussitôt de se lamenter. Et, pour ne pas rester désœuvrée, elle commença à participer aux travaux ménagers.

Le numéro deux de l'Organisation revint la semaine suivante sous prétexte de retourner plaider sa cause auprès de Markovitch : l'intimidation n'ayant eu aucun effet, il avait décidé de jouer la carte de la fraternisation. Mais, cette fois comme les précédentes, il dut avouer son échec. Ce qui ne l'empêcha pas de s'engager à réessayer sous peu. À noter, ce fait étrange : en parlant du divorce refusé, au lieu de s'adresser à elle, cet homme se tournait vers Sonia. Habituée à attirer tous les regards, Bella ressentit cette indifférence avec la même angoisse que celui qui découvre soudain qu'il a perdu son portefeuille.

Jusqu'au jour où elle comprit qu'elle devait s'en aller. Certes ses hôtes ne la pressaient pas, mais une légère crispation voilait à présent leur expression lorsqu'ils lui parlaient et ils ne faisaient plus l'effort d'étouffer leurs rires pendant la nuit. Ils s'alarmèrent cependant au moment où elle leur parla de ses intentions.

— Mais où iras-tu ? demanda Sonia.

— Qu'est-ce que ça veut dire, « Où iras-tu ? », s'étonna Zeev. Où veux-tu qu'elle aille ? Chez Markovitch ! Tant qu'il ne lui a pas redonné sa liberté, elle est sa femme. Il doit partager avec elle son toit et son argent. Au moins sur ce point, il a intérêt à se conduire en homme d'honneur.

Un dimanche matin, Yaacov Markovitch se réveilla en entendant frapper énergiquement à sa porte. Il craignit tout d'abord que les voyous de l'Organisation ne soient revenus le tabasser au moment même où la plupart de ses blessures avaient fini de cicatriser. En pyjama, il sauta du lit, courut au salon, ouvrit la porte et se trouva nez à nez avec son épouse. Le dimanche matin, elle était encore plus belle que durant le reste de la semaine. Il faisait froid dehors. Markovitch se hâta de refermer la porte dès qu'elle eut franchi le seuil, mais sentit tout de suite que la température à l'intérieur baissait. Il alluma le poêle, persuadé que la pièce serait rapidement réchauffée. Il se trompait. Dès l'instant où Bella entra sous son toit, sa maison ne retrouva plus sa chaleur.

9

La guerre de Bella Markovitch contre Yaacov Markovitch fut longue et impitoyable. Et si cette guerre n'est pas entrée dans les annales du pays, ce n'est pas faute d'avoir été nourrie par d'âpres combats, de vicieux stratagèmes et de terribles sacrifices. Mais Bella joua de malchance en livrant bataille au moment où le monde était à feu et à sang : les Juifs d'Europe luttaient pour leur survie, les Français pour ce qu'il leur restait de dignité, les Russes pour leurs steppes glacées et les Britanniques pour leur couronne. Des combats qui touchèrent tout le globe et se propagèrent partout, que ce soit chez les Chinois, les Japonais, les Indiens ou les Africains. En parallèle, les luttes habituelles se poursuivaient : les loups aiguisaient leurs crocs et les lapins essayaient d'y échapper ; les gros poissons avalaient les plus petits ; les rapaces fondaient sur les mulots. Tout ce temps, Bella Markovitch livra bataille pour recouvrer sa liberté et, bien que ses assauts n'aient été répertoriés dans aucun organe officiel (pas un mot dans les journaux, pas une mention dans les manuels scolaires), ils occupèrent abondamment les esprits et les commentaires dans le village.

— Il paraît qu'hier elle a une fois de plus dormi ailleurs qu'au domicile conjugal.

— La lumière est restée allumée chez eux jusqu'à trois heures quarante-cinq du matin.

— Elle le tuera avec toutes ces infidélités.

— Et ce qu'il lui a fait, à elle, n'est-ce pas pire ?

Tout le voisinage avait été extrêmement choqué du comportement de Yaacov Markovitch, au point de ruminer cette histoire en permanence. Ceux qui le croisaient dans la rue secouaient aussitôt la tête d'un air réprobateur, ceux qui le voyaient dans son champ y allaient de leurs clappements de langue courroucés. À table, si la conversation languissait, l'évocation de son nom suffisait à réveiller la fin du repas avec un débat passionné. Si des paysans se querellaient et que la situation s'envenimât, on se débrouillait pour glisser le nom de Yaacov Markovitch entre deux invectives, et les ennemis se retrouvaient instantanément unis par des reproches communs. La vérité, c'est que, en refusant d'accorder le divorce à sa femme, Yaacov Markovitch avait fait grand bien à son entourage : il s'était rendu coupable d'un acte tellement blâmable qu'un simple regard vers lui et tous se refaisaient une virginité.

Ils appréciaient aussi de regarder Bella Markovitch – pour d'autres raisons. Ils ne la connaissaient que depuis son triste mariage, mais pouvaient sans mal s'imaginer l'effet qu'aurait eu sur eux une telle beauté libérée de ses chaînes. Il est certain que l'attirance des hommes et la jalousie des femmes n'auraient pas été moins violentes que sur le bateau, car, le village avait

128

beau être cerné de plantations et non d'eau salée, il était, sous bien des aspects, une île. Heureuse, l'Europe, assez vaste pour contenir autant de beauté ! Mais la Palestine était petite, et le village plus encore. Oh oui, si Bella était entrée dans leur vie libre et flamboyante, les hommes l'auraient aimée et les femmes détestée. Mais puisqu'elle était arrivée de la manière dont elle était arrivée, en petit animal magnifique et prisonnier, les hommes lui offraient toute leur affection et les femmes toute leur pitié (l'affection et la pitié étant des sentiments adaptés aux dimensions du village). Les dieux, qui la punissaient ainsi pour sa beauté, l'avaient enfin rendue supportable aux simples mortels.

Si bien que pour la première fois Bella se trouva des amies. Tous les jours, Sonia venait avec un nouveau cadeau : des coquillages (« il suffit d'en toucher un pour que ta bouche s'emplisse du sel de la mer et tes oreilles du ressac »), un agneau de la bergerie (pressant sa joue contre le petit museau humide, Bella éclata en sanglots à cause de la douceur qui lui rappela celle du velours noir des boutiques européennes), une miche de pain chaude et légèrement brûlée sur laquelle les deux femmes se jetèrent, se moquant gentiment et dans un bel ensemble de leur voracité partagée. Au bout d'un mois, Rachel Mandelbaum se joignit à elles, arborant un ventre de plus en plus gros avec la fierté d'un gamin qui exhibe un ballon tout juste acheté à la foire.

— Ne voudrais-tu pas, peut-être, apprendre l'hébreu ? proposa-t-elle.

Bella répondit qu'elle en avait très envie. Dès lors, Rachel ne se trouva plus jamais seule dans la boucherie et étonna son mari, qui n'arrivait pas à comprendre pourquoi sa femme tenait tant à partager le chagrin de la belle recluse. À aucun moment il ne songea que ce n'était pas une, mais deux belles recluses que comptait le village ; il ne vit pas non plus que, lorsque Rachel partageait le chagrin de Bella, elle épanchait un peu le sien.

Cependant, si la douceur de la compassion était extrêmement bénéfique au moral de la jolie bouchère, sa grossesse l'était plus encore. De jour en jour, la nostalgie qu'elle éprouvait pour sa vie passée se muait en espoir tourné vers la vie future qui couvait en elle. Elle ne songeait plus à son soldat autrichien, ne cherchait plus la neige étincelante. Une petite fille grandissait dans son ventre, dix doigts délicats, des yeux fermés et confiants. Dès qu'elle sentait le plus petit pincement au cœur, elle s'armait des yeux bleus de son bébé pour le chasser et y parvenait sans difficulté. Ainsi, Rachel passait des journées entières noyée dans les yeux de sa fille à naître, respirant déjà son odeur sucrée et écoutant tinter son rire, un rire dont les vagues successives traversaient son ventre, montaient et inondaient son visage. Alors, les frémissements de sa bonne humeur réchauffaient aussi le cœur d'Abraham Mandelbaum et parvenaient même à soulager un peu Bella… du moins jusqu'à ce qu'elle rentre chez elle, ou plutôt chez Markovitch, comme elle s'obstinait à appeler la maison dans laquelle elle vivait. Deux mots pour bien insister sur le fait que, même si elle y dormait, y mangeait et s'y lavait, elle n'était pas chez elle. Elle ne balayait pas le salon où couchait à présent son mari et ne lessivait pas la chambre qu'elle occupait. Si elle cueillait des fleurs en chemin, elle les jetait avant de rentrer. Elle laissait toutes ses robes se froisser dans sa valise malgré l'armoire blanche que Markovitch lui avait installée et qui attendait, béante, qu'elle y range ses affaires. Et puis elle passait souvent la nuit avec un autre, loin du village, non par désir mais par froid calcul. Bella Markovitch s'était juré de rendre Yaacov Markovitch malheureux, dût-elle, pour cela, l'être aussi. Et, malgré son amitié envers Rachel et Sonia (toutes deux lui manquaient alors terriblement), elle disparaissait soudain pendant des semaines, dans le seul but de faire le plus de mal possible à celui qui la retenait mariée contre son gré et qui ne partait jamais à sa recherche.

Non. Il continuait à travailler sa terre, à nourrir les pigeons, à remplir de thé les verres de Zeev et Sonia qui de temps à autre essayaient encore de l'amadouer, ainsi que le verre du lieutenant-commandant qui venait une fois par semaine tenter d'ébranler sa décision lors de visites qui se raccourcissaient autant que s'allongeaient celles qu'il rendait ensuite à Sonia sous prétexte de lui faire son rapport. Pendant toute cette période, et bien qu'il n'ait pas quitté le village, Markovitch laissait son esprit vagabonder à travers le pays. Il se représentait Bella dans les bras des dockers de Jaffa, en compagnie des pêcheurs du lac de Tibériade ou encore plaquée à la muraille de Jérusalem par quelque officier britannique. Il l'imaginait essayer le socialisme dans les kibboutz, galoper à cheval à travers les orangeraies, affoler les hassidim en Galilée, apprendre à jouer de la flûte chez les Bédouins. Il l'imaginait gémir de plaisir, s'étirer lascivement entre des bras inconnus. Alors il arrachait les miettes du pain avec une violence redoublée, si bien que les pigeons refusaient de venir picorer dans sa main. Il ne se lança néanmoins jamais à sa poursuite et se contenta de laisser allumée la lampe à pétrole, tant il craignait qu'en rentrant elle ne se perde dans l'obscurité.

Il ne se doutait pas de la cuisante déception qu'il infligeait ainsi à sa femme : voyant une lueur briller au loin, celle-ci croyait que la maison était en feu et qu'elle brûlait avec son propriétaire à l'intérieur. Quel n'était pas son dépit en approchant ! Force lui était de constater que les murs tenaient parfaitement debout et que son mari était bien là, vivant et obstiné.

À chacun de ses retours, le feu de la jalousie qui embrasait les poutres en son absence s'évaporait lentement et le froid reprenait possession des lieux. Yaacov Markovitch se surprenait à allumer la cheminée même à la fin du mois d'avril, désespérant de jamais instaurer chez lui la douce température qui sied à l'habitat humain. Dès que Bella partait, il se retrouvait en sueur, à lutter contre ses hallucinations, mais dès qu'elle rentrait il se mettait à grelotter de froid dans l'air glacial qui envahissait les pièces. À croire qu'on avait jeté un sort sur ces murs de pierres dont il avait été si fier auparavant (ils isolaient la maison du froid hivernal et conservaient la fraîcheur au plus chaud de l'été), et ce dans un seul but : lui empoisonner l'existence. S'il rapportait des fruits du verger et les posait dans sa cuisine, le froid avait tôt fait de les gâter et ils n'étaient plus comestibles ; s'il perdait sa couverture à force de se tourner et de se retourner sur sa couche, il se réveillait enrhumé et toussait comme s'il avait dormi à la belle étoile. En revanche, Bella s'habituait parfaitement aux lubies de cette demeure, on aurait dit qu'elle n'y prêtait pas attention. À se demander si elle n'en était pas l'instigatrice. En réalité, le froid s'insinuait aussi en elle, et elle s'étonnait parfois de la chaleur qui régnait à l'extérieur alors que le salon semblait traversé par une tempête de neige, mais elle aimait l'idée que la maison n'était que le reflet de ses occupants. Que les murs ne restaient pas indifférents à ceux qui déambulaient entre eux. Plus sa haine contre le propriétaire du lieu grandissait, plus elle s'attachait au lieu lui-même. Elle continuait à dire qu'elle vivait « chez Markovitch », mais elle se trouva à plusieurs reprises à caresser une cloison froide, et une fois elle alla jusqu'à poser tendrement la joue contre le chambranle d'une porte.

Le soir, lorsque son mari donnait des miettes aux pigeons, Bella en profitait pour goûter aux siennes : elle détachait son médaillon, en retirait la coupure de journal et relisait les vers du poète hébraïque, ces mots dont le charme l'avait persuadée de venir en Palestine.

Et le soleil qui prend à l'orange ses nuances
Emplit nos cœurs d'audace et de vaillance.

Le soleil prenait-il vraiment les nuances de l'orange ? Parfois, lorsqu'elle se promenait en fin de journée avec Rachel et Sonia, elle voyait l'astre flamboyant s'acheminer lentement vers la mer.

— Regardez, on dirait deux amants qui vont bientôt se retrouver ! s'exclamait Sonia.

— Ou un désespéré qui va bientôt se noyer, suggérait Rachel.

133

— Une illusion. Une illusion d'optique, voilà ce que c'est, rien de plus, tranchait Bella. Des millions de kilomètres les séparent, mais on l'oublie toujours.

Certes, au crépuscule, le soleil avait la couleur de l'orange mais, à d'autres moments, pas du tout. Il pouvait être rouge comme l'œil mauvais d'un bœuf agonisant. Translucide et gluant comme du blanc d'œuf par ces journées abominables de brouillard sablonneux. Jamais elle n'arrivait à deviner, en l'observant, sous quelle couleur il apparaîtrait le lendemain. Elle ne pouvait pas en dire autant des mots de son poète, qui s'estompaient à un rythme régulier, presque imperceptible. D'abord le noir des lettres perdit de sa densité. Puis il devint bleu foncé. Ensuite une touche de gris s'y immisça. Et, le jour où s'effaça le « e » de « vaillance », elle décida de partir en quête de l'homme qui avait écrit ces mots. Elle n'en souffla mot à Yaacov Markovitch mais, lorsqu'il constata qu'elle avait emporté toutes ses robes, il se dit qu'elle ne reviendrait peut-être plus. En son absence, il se permit enfin ce qu'il n'aurait jamais osé en sa présence : il alla chercher dans la chambre la seule chemise de nuit qu'elle avait laissée et s'endormit en la serrant contre sa poitrine. Il avait peur d'être surpris en flagrant délit si jamais elle revenait en pleine nuit, mais rapidement il fut incapable de trouver le sommeil sans sentir sur son bras les manches du vêtement qui avait appartenu à Bella. Si quelqu'un avait regardé par la fenêtre, il aurait certainement pensé que notre homme avait perdu la raison. Lui-même d'ailleurs se demandait souvent si tel n'était pas le cas.

10

Un beau matin, au réveil, Rachel Mandelbaum fut saisie par une irrépressible envie de manger du raisin. Il faisait chaud, sa langue était râpeuse comme du papier de verre. Parti pour Haïfa de très bonne heure, Abraham Mandelbaum ne rentrerait que dans la nuit avec des couteaux flambant neufs. (Le voyant s'éloigner, le coq avait lancé dans la cour un cocorico de joie et tous les animaux du village avaient soupiré de soulagement, débarrassés de leur bourreau pour la journée. Les moutons s'étaient mis à bêler plus fort, les poules à se pavaner avec une belle impertinence.) Dans son lit, Rachel Mandelbaum imaginait la douceur d'un grain de raisin qui exploserait entre ses lèvres. Dans son ventre, la petite donnait des coups de pied approbateurs. Manifestement, elle aussi avait des envies de raisin. Peut-être d'ailleurs n'était-ce que l'envie du bébé qui se communiquait à la mère. Peu importe. Le fait est que ce désir grandit tellement qu'il poussa Rachel hors du lit.

Ses seins étaient déjà si lourds et si pleins que souvent du lait coulait sur sa chemise de nuit. Lorsque

Abraham Mandelbaum s'en apercevait, il détournait les yeux, mais le bonheur qui montait sur son visage illuminait toute la chambre. Ce matin-là, il était en route pour Haïfa et sa femme voulait absolument du raisin. Elle aurait pu tuer pour un seul grain rond. Elle enfila une robe très ample et s'en alla dans les vignes glaner quelque grappe oubliée.

Depuis qu'elle était enceinte, Rachel Mandelbaum sortait peu de la maison. Autrefois, c'était par jalousie que son mari la surveillait, à présent par inquiétude. Tout en avançant dans les terres, elle se rendit compte qu'elle n'avait pas marché seule depuis bien longtemps. À cette pensée, la petite qu'elle portait en elle rappela sa présence par un violent coup de pied : oui, elle n'était plus seule. Rachel se caressa doucement le ventre en murmurant des « Chut, chut », un peu pour le bébé, un peu pour elle-même. Que le champ lui parut beau en cette matinée, bien qu'il ne fût plus que ronces et sol desséché. Elle arrivait à deviner quelles fleurs en sortiraient, de même qu'elle arrivait à deviner, d'après ses contractions, quel genre de bébé elle aurait. Elle ferait une couronne avec ces fleurs à venir et la poserait sur les cheveux blonds et soyeux de sa fille. À vrai dire, Rachel avait d'épais cheveux noirs et Abraham des boucles brunes, mais elle savait que la chevelure de sa petite serait blonde comme les blés et aussi nourrissante pour les yeux que du pain. Oui, elle donnerait naissance à une bien jolie petite fille. Elle l'habillerait de jolies robes et lui tricoterait une jolie écharpe pour protéger son joli cou. Et même si ce bébé était la seule chose qu'elle ait jamais obtenue d'Abraham Mandelbaum, elle n'en demandait pas plus.

Elle erra dans les champs pendant une bonne heure. La chaleur lui brouillait l'esprit : partout où elle croyait avoir vu des vignes, elle ne découvrait qu'un sol aride. Finalement, elle s'assit sous un caroubier, épuisée. Elle n'avait plus envie de raisin, mais d'eau. D'eau fraîche et pure pour apaiser sa gorge en feu. Elle voulut se lever et n'y parvint pas. L'arbre tournoyait au-dessus de sa tête, avec ses fruits, langues brunes et contrariées qui la tançaient : Pourquoi es-tu sortie seule ? Au neuvième mois, comment peux-tu être aussi irresponsable ? Tu voulais du raisin ? Quoi, tu ne pouvais donc pas te retenir ? Elle ferma les yeux pour ne plus voir, ne plus entendre les gousses, qui rapidement ravalèrent leurs reproches. Ne restait plus que le sang qui lui battait aux tempes. Tu es en train de te déshydrater, se murmura-t-elle, et les pulsations de répéter en écho : dés-hy-drater, dés-hy-drater, dés-hy-drater, des syllabes dont le sens, au début, l'affola, mais qui se transformèrent petit à petit en berceuse. Elle s'y abandonna, ses paupières se fermèrent...

Elle se réveilla en sursaut dans une flaque d'eau. Elle leva les yeux pour remercier les nuages d'avoir eu pitié d'elle, mais le ciel était désespérément bleu. L'eau ne venait pas d'en haut, mais d'en bas. De son propre corps. De deux doigts tremblants, elle tâta son entrejambe. Impossible, c'était trop tôt, impossible. Mais soudain un coup de poignard d'une violence inouïe la transperça, lui brisa la voix et lui fit comprendre que, si, c'était tout à fait possible.

Une femme va accoucher sous un caroubier, tandis

que petit à petit descend le crépuscule. Son mari n'est pas là et ne reviendra qu'en pleine nuit. Ses parents sont loin, sur un autre continent. Personne alentour.

Rachel Mandelbaum essaya de capter le moindre frémissement, celui d'une branche cassée tout près d'elle, un mulot qui fuyait au milieu des ronces, des oiseaux de plus en plus agités à l'approche du soir. Et puis soudain il y eut ce bruit de pas, si doux, les pas d'un homme… L'entendait-elle uniquement sous son crâne ? Non, car ils devenaient de plus en plus nets, ces pas, accompagnés de craquements de brindilles sous des semelles et d'une respiration. Son esprit ne s'égarait pas.

Effectivement, au détour du chemin apparut Yaacov Markovitch, le visage soucieux. Deux mois que Bella était partie. Il continuait à dormir en tenant sa chemise de nuit, mais son odeur s'était dissipée petit à petit et il ne serrait plus contre lui que du simple coton ayant perdu tout parfum enivrant. Lorsqu'il avait compris qu'il aurait beau humer et humer encore il ne trouve-rait plus la moindre particule du corps qui s'en était un jour enveloppé, il était sorti de son lit pour aller frapper chez son ami.

— Désormais, je me charge des rondes de nuit. Inutile de continuer à faire un roulement. De toute façon, je ne dors pas.

Zeev Feinberg, qui avait ouvert la bouche pour répondre, s'était ravisé et avait simplement opiné. Le lendemain, les villageois avaient appris qu'ils étaient libérés des patrouilles nocturnes grâce à Yaacov Markovitch. Personne ne comptait lui exprimer la moindre reconnaissance, mais ils avaient recommencé à le saluer d'un hochement de tête. En général, ce geste ne durait que le temps du bref face-à-face et se muait dans son dos en moue désapprobatrice, compromis parfait pour qui veut garder sa bonne conscience intacte.

Depuis, il sillonnait le village toutes les nuits, fusil à la main, yeux aux aguets. Si jamais Bella revenait soudain, il serait là pour la protéger d'Arabes excités ou d'amants juifs, il la guiderait jusqu'à la maison dans l'obscurité poisseuse et lui parlerait de la beauté de la nuit. De jour en jour, il avançait l'heure de sa ronde. Le soleil se couchait à peine qu'il se hâtait de sortir pour échapper aux murs trompeurs qui se jouaient de lui en se parant d'images irréelles. Car au crépuscule, lorsque les ombres s'allongeaient, sa maison commençait un cruel manège : elle lui faisait entendre des pas de femme sur le seuil, persuadait une branche de bougainvillier de se plaquer à la vitre afin de dessiner un tendre profil sur le rideau. Tous ces éléments engendraient une nostalgie qui dévorait Markovitch un peu plus chaque jour, l'incitant à sortir chaque fois un peu plus tôt.

Lorsque Rachel Mandelbaum l'aperçut, elle poussa un grand soupir dans lequel l'impuissance et l'espoir se mêlaient aux douleurs de l'enfantement. Un bref instant de bonheur, il crut voir Bella allongée sous l'arbre, mais, lorsque ses yeux se heurtèrent au ventre proéminent, il comprit son erreur. Il n'eut cependant pas le temps de s'arrêter à sa déception.

— Markovitch, j'accouche !

Certes, il avait aidé de nombreuses vaches à vêler, il avait même, au cours d'une livraison clandestine dans le Sud, assisté à la délivrance d'une chamelle.

Sauf que Rachel Mandelbaum n'était ni une vache ni une chamelle. Quant à lui, il était agriculteur et non médecin.

— Je vais chercher de l'aide, bredouilla-t-il en conclusion de ses réflexions.

Il s'élançait déjà mais n'avait pas fait vingt mètres que la parturiente lâcha un nouveau gémissement. Rien à voir effectivement avec les meuglements d'une vache sur le point de mettre bas. Il revint aussitôt sur ses pas : d'après ce qu'il entendait, l'accouchement était imminent. Il s'agenouilla à côté de Rachel, lui épongea le front, lui offrit à boire de l'eau, prit sa main et lui murmura des mots apaisants auxquels il avait lui-même du mal à croire. Les contractions se firent de plus en plus rapprochées, elle lui serrait si fort les doigts qu'il se dit qu'elle allait les lui briser. Il ne retira cependant pas sa main et l'encouragea en répétant :

— Pousse, Rachel, pousse, pousse.

Il se souvenait de cette injonction répétée dans la pièce voisine par la sage-femme appelée auprès de sa mère. Il se souvenait aussi du visage tendu de son père resté avec lui au salon, du silence terrifiant qui avait envahi la maison lorsque les cris s'étaient tus et que le bébé était sorti – sans un pleur. Peut-être se serait-il un peu attardé là-dessus, se remémorant cette soirée où le silence s'était instauré chez eux et au lendemain de laquelle son père avait commencé à fuir sa mère, sa mère à fuir la vie… Les cris de Rachel Mandelbaum le ramenèrent d'un coup au présent, avec l'impossibilité de s'en échapper. Elle hurlait si fort qu'au moins un habitant du village serait alerté, il en était persuadé, et irait chercher les autres, les exhortant à se précipiter dans les champs. Mais derrière les portes closes, on clappait de la langue ou on hochait la tête, on échangeait des piques ou des étreintes, et personne ne comprit que ce n'était pas le vent, mais une femme, qui se lamentait dehors.

Les heures passant, les cris de Rachel changèrent, les syllabes se mirent à sonner comme de l'allemand. Le verrou qu'elle avait posé sur sa bouche à son arrivée en Palestine ne résista pas aux coups de poignard qui lui transperçaient le ventre. Une douleur aussi violente, une peur aussi épaisse ne pouvaient s'exprimer qu'en allemand. Et, ayant recouvré le goût de sa langue maternelle, elle ne s'arrêta pas. Dans l'intervalle de plus en plus court entre deux contractions, elle se mit à pleurer en allemand sur tout ce qu'elle avait laissé là-bas et qui ne reviendrait pas. Les salles de bal et les pierres taillées des trottoirs, le soldat autrichien nommé Johann et sa belle vareuse de velours, le vieux Juif dont le crâne fracassé l'avait poussée à quitter Vienne et envoyée sur le bateau. Elle y ajouta Abraham Mandelbaum, qui l'avait cueillie au port et transformée en femme d'égorgeur. Yaacov Markovitch aurait voulu se boucher les oreilles, conscient d'assister à un débordement intime, à des épanchements qui, offerts à des yeux étrangers, rendent ceux-ci obligatoirement indiscrets. Face à Rachel Mandelbaum qui pleurait en allemand sur son passé, il ressentait une gêne plus grande encore que celle qu'il avait éprouvée la nuit où il avait vu ses seins. Car c'était à présent qu'elle se révélait à lui dans toute sa nudité.

La lune apparut au moment précis où elle s'écria :
— Ça y est, elle sort !

Il jeta un coup d'œil timide entre les jambes de la jeune femme, mais son embarras se mua en bonheur lorsqu'il vit pointer une petite tête rouge. Il l'attrapa et recommença à crier :

— Pousse, Rachel ! Pousse !

Et Rachel poussa, poussa, poussa. Enfin le bébé fut expulsé et, pendant un terrible instant, on n'entendit qu'un silence total. Qui ne dura qu'un instant, un seul. Juste après, les petits poumons lancèrent un hurlement déchirant. Muni du couteau qu'il avait tiré de sa poche, Yaacov Markovitch coupa le cordon ombilical, enveloppa dans sa chemise le bébé toujours hurlant, puis le déposa entre les bras de sa mère. Pensant à Bella et à la cruauté du monde en général, il se dit que cet enfant avait bien raison de pleurer, mais aussitôt après il se souvint du contact de ce crâne minuscule entre ses mains qui l'aidaient à venir au monde et, dans un élan attendri, se dit exactement le contraire.

Rachel Mandelbaum attrapa la chemise dans laquelle braillait un petit d'homme cramoisi. Pendant près de neuf mois, elle s'était représenté le moment où elle serrerait dans ses bras une frêle beauté blonde, aux yeux bleus, à la peau blanche et parfumée. Dans le linge que lui avait tendu Markovitch, il y avait un petit garçon aux cheveux noirs, copie conforme de son mari. Elle avait passé tant de jours à façonner sa petite fille, l'image était encore si vivace dans sa tête qu'elle faillit dire : Il y a erreur, reprenez-le. Le geste, elle le fit. Elle rendit à Markovitch sa chemise et ce qu'elle contenait.

— Garde-le jusqu'à ce que je reprenne des forces, murmura-t-elle, tandis qu'en vrai elle se chuchotait :

Qui est cette créature que mon ventre a portée alors que mon cœur attendait autre chose ?

Accouchée et accoucheur étaient tellement épuisés qu'ils s'assoupirent en même temps, à peine quelques minutes plus tard. Lorsque les habitants du village les découvrirent, le bébé dormait dans les bras de Markovitch.

Abraham Mandelbaum courait devant, les autres suivaient, à une distance qui devait autant à la précipitation du boucher qu'à la crainte qu'il inspirait depuis toujours. Et si tous avaient accepté de l'aider à retrouver sa femme enceinte, personne ne voulait se tenir à côté de lui au cas où les recherches vireraient au drame. Ils l'appréciaient pourtant de plus en plus, ce colosse qui, depuis la grossesse de sa femme, s'était mis à chantonner pendant qu'il travaillait la viande et à cueillir des violettes pour faire plaisir à Rachel. Au début, il avait été la risée du village, et les hommes avaient imité son fredonnement et tendu à leurs épouses les violettes avec des gestes emphatiques pour singer l'égorgeur lourdaud. Mais la force d'un fredonnement, c'est que, même si vous vous en moquez, il vous entre dans la tête. Très vite les hommes se retrouvèrent à chantonner eux aussi le chant d'allégresse du futur papa. La force des violettes, même offertes avec une œillade amusée, c'est qu'elles répandent leur parfum dans la maison, et ils en étaient reconnaissants à celui qui le leur avait rappelé. Mais lorsque, cette nuit-là, il avait soudain jailli hors de chez lui en rugissant le prénom de sa femme, il avait aussitôt coupé court à tout fredonnement et balayé instantanément le parfum des fleurs. Il avait le visage crispé en une expression sauvage, remontée du fond des âges, au point que les hommes hésitèrent à lui emboîter le pas. Il fallut attendre l'appel de Zeev Feinberg pour dissiper les appréhensions, et ce ne fut pas son discours, plutôt laconique, qui les en convainquit, mais le lourd passif qui opposait toujours les deux hommes : si Zeev Feinberg n'avait pas peur et osait rejoindre Abraham Mandelbaum, comment auraient-ils pu, eux, se soustraire aux recherches ?

Par petits groupes, ils avaient fait plusieurs fois le tour du village sans trouver la moindre trace de Rachel. Ils avaient aussi cherché Yaacov Markovitch, au cas où il aurait vu quelque chose, mais lui aussi s'était évaporé. Certains puisaient même dans leur inquiétude pour la jeune femme de quoi alimenter leur hostilité envers ce minable et susurraient des phrases comme « Tu parles d'une sentinelle ! », qu'ils ravalaient cependant dès qu'ils passaient à côté de Zeev Feinberg. Arrivés près du caroubier, ils faillirent manquer les disparus, que l'épuisement avait plongés dans un sommeil de plomb. Par chance, la calvitie naissante de Markovitch brillait suffisamment sous la lune pour que son ami la remarque.

— Là ! s'écria-t-il.

Abraham Mandelbaum s'élança le premier, les autres sur les talons. Découvrant l'homme avec le bébé endormi contre son torse et la femme les bras vides, ils eurent un sursaut déconcerté. Le boucher s'agenouilla près de Rachel et éclata en sanglots. Elle se réveilla aussitôt, vit devant elle un visage cramoisi, inondé de larmes, et se demanda si le bébé, ayant grandi miraculeusement vite, avait pris chacun des traits de son père.

Les villageois restèrent en retrait, très mal à l'aise, et, lorsqu'ils firent demi-tour pour reprendre le chemin du village, ils continuèrent longtemps à entendre les vagissements du boucher.

— Je croyais que tu étais partie. Que tu étais allée jusqu'au port pour rentrer. En Europe. Je te croyais partie, partie, sanglotait-il.

Et elle, refermant les yeux, se mit à susurrer des « Chut » à Abraham Mandelbaum et à ses angoisses, « Chut » au bébé qui ressemblait effroyablement à son père, « Chut » aux villageois qui rentraient chez eux en échangeant des remarques à voix basse. Peut-être que si tout se taisait elle arriverait encore à saisir le rire de la petite fille aux cheveux blonds et aux yeux bleus qu'elle avait portée pendant neuf mois dans le ventre de son imagination et qui à présent n'était plus.

Yaacov Markovitch comprit qu'on n'avait plus besoin de lui. Il avait mal aux genoux d'être resté longtemps accroupi à côté de la parturiente et ses doigts n'avaient pas encore retrouvé leur souplesse habituelle à cause de la pression exercée sur eux pendant l'accouchement. Pourtant il était content, il tenait dans les bras la chemise ayant enveloppé le bébé qu'il avait aidé à naître. Jamais il n'avait ressenti une telle sérénité. Feinberg se pencha vers lui :

— Aujourd'hui, tu as accompli une grande chose, dit-il en posant la main sur son épaule nue avant de continuer aussitôt parce qu'il avait vu les yeux de son ami se mouiller de larmes : Stop, ça pleure suffisamment par ici. Allez, rends donc son paquet à Rachel.

À moins que tu ne veuilles, lui aussi, le garder. Rentrons. Je crève de faim.

Les grillons les accompagnèrent de leur chant nuptial sur la route du retour et le moustachu ne cessa de célébrer la vaillance de Markovitch.

— Peu d'hommes sont capables d'un tel sang-froid, sache-le, répétait-il. Moi, par exemple, je peux occire un ennemi à mains nues s'il le faut, mais je m'évanouirais si je devais voir un sexe féminin dans cette situation.

Le héros du jour archivait chacun de ces mots dans sa mémoire, comme ces rayons de miel qu'on mâche et remâche longtemps après en avoir tiré tout le sucre. Ils s'arrêtèrent devant la porte de Feinberg, qui resta à remuer d'embarras, et Markovitch se dit que, pour la première fois depuis qu'ils se connaissaient, ce n'était pas lui le plus gêné des deux.

— Je ne peux pas te faire entrer. Je t'ai dit que tu ne passerais le seuil de ma maison qu'après avoir libéré Bella. Je ne changerai pas d'avis.

Markovitch mit les mains dans ses poches et commença à s'éloigner. Mais il n'avait pas fait trois pas que le moustachu lui cria :

— Où cours-tu comme ça ? Puisqu'on ne peut pas manger dedans, on n'a qu'à manger dehors !

Le pain était rassis et le fromage avait connu des jours meilleurs.

— Tu ne peux pas espérer d'une femme comme Sonia qu'elle cuisine correctement, s'excusa-t-il. Dans le meilleur des cas elle brûlerait la pâte, dans le pire ce serait toi.

Mais ils trouvèrent une belle grenade qui avait mûri avant les autres et qu'ils ouvrirent dans la cour avec tout le respect requis.

— Petits et mignons, déclara Feinberg qui reprit une poignée de grains dans sa main déjà rougie par le jus et les mit en bouche. Petits péchés mignons. Voilà ce qu'il faut, l'ami, petits, mignons et inoffensifs. Pas comme toi, qui n'as jamais fait de mal à une mouche et qui, d'un seul coup, commets un tel péché qu'il te reste en travers de la gorge et finira par t'étouffer. Tu ne peux ni le vomir ni l'avaler. As-tu déjà entendu dire qu'une grenade avait étouffé quelqu'un ? Non. Et ça n'arrivera jamais.

Yaacov Markovitch prit lui aussi des grains rouges. Le fruit était délicieux, de même que la conversation avec Feinberg, mais la chemise de nuit de Bella l'était davantage. Lorsqu'il lui révéla son secret, Feinberg le toisa avec mépris.

— Aller se coucher et dormir avec une chemise de nuit en espérant qu'au réveil il y aura une femme dedans ? Tu es tombé sur la tête, mon pauvre. Ça n'arrivera jamais. Ni aujourd'hui, ni dans un an, ni dans vingt.

— Alors dans trente ou dans quarante. Et puis, tu sais quoi ? D'accord, peut-être jamais. Mais je continue à espérer et, ça aussi, c'est quelque chose. Peut-être que si j'espère suffisamment fort, si je m'applique vraiment, eh bien, un peu de cet espoir se réalisera. Regarde-nous, regarde ce pays, regarde la terre d'Israël. Deux mille ans, nous l'avons attendue, nous avons soupiré en rêvant à elle, nous dormions la nuit en étreignant une manche de sa chemise, car qu'est-ce que l'Histoire sinon une manche de chemise vide, sans goût et sans odeur ? Tu penses qu'elle nous accepte ? Qu'elle répondra à notre amour ? Foutaises ! Cette terre ne fait que nous rejeter, elle nous envoie au diable et nous frappe sans pitié. D'abord les Romains, ensuite les Grecs, puis les Arabes, et maintenant les moustiques. Alors quoi ? Quelqu'un ici s'est-il dit : Puisqu'elle ne veut pas de nous, nous devons nous en aller ? Ou encore : Il ne faut pas rester de force sur une terre qui essaie de se débarrasser de nous dès l'instant où nous l'avons foulée. Non. On s'accroche et on espère. On espère qu'un jour viendra où, peut-être, elle regardera alentour, nous verra et nous dira : Vous, c'est vous que je veux.

Bella arriva à Tel-Aviv, bien décidée à débusquer son poète. Peut-être serait-il plus juste de dire que c'est la ville qui convia Bella en ses murs. Et si leur précédente rencontre avait été brève et par trop amère, celle-ci promettait d'être longue et de bien meilleur goût. Tout d'abord, la jeune femme se rendit chez le numéro deux de l'Organisation, qui ignora son profond décolleté autant que ses jolies lèvres pulpeuses, mais fixa très longuement ses yeux. Elle savait que ce n'était pas elle qu'il regardait. Les nuits passées sur le bateau en compagnie de Zeev Feinberg lui avaient appris à différencier les hommes pour qui elle était un objet de désir de ceux qui ne la considéraient que comme un pis-aller. Elle connaissait aussi l'identité de celle qu'il cherchait en elle et, magnanime, le laissa s'abreuver en toute quiétude. Lorsqu'il fut rassasié, il lui proposa de l'héberger. De toute façon, il devait partir en mission (il n'en dirait pas plus) et ignorait combien de temps cela prendrait. Pourquoi ne resterait-elle pas chez lui en son absence ?

Elle eut donc tout le loisir d'examiner les lieux. Bien

que rien ne manquât, quelque chose qu'elle était incapable de définir faisait tout de même défaut. Elle mit trois jours à trouver quoi : de la personnalité. Pas un tableau au mur, pas un tapis usé mais dont on n'arrive pas à se débarrasser, pas un objet chargé de souvenirs tangibles. L'appartement du lieutenant-commandant n'était pas un lieu de vie à part entière, de ceux où meubles et sentiments s'entassent et se mélangent. En vain y ajouta-t-elle des fleurs qu'elle avait cueillies ou une broderie tout juste terminée. L'espace n'intégrait pas l'intime, comme s'il s'agissait d'une composante trop étrangère. Les fleurs fanèrent rapidement, la broderie parut si ridicule qu'elle l'enfouit promptement au fond de son sac. Certains jours seulement, quand un grand vent se levait de la mer et faisait trembler les murs, elle croyait percevoir un faible parfum d'orange monter du canapé et du sol dallé, mais il se dissipait aussitôt.

Elle trouva son poète exactement là où on le lui indiqua : à la table la plus à droite d'un café du bord de mer. Un établissement si imbu de lui-même que tout, chaises, meubles de bois et cendriers, criait à l'unisson que sa présence ici dans ces dunes et non sur les trottoirs de Berlin était la conséquence d'un grave malentendu. Et si les habitués ne s'associaient pas à cette protestation, ils ne pouvaient l'ignorer et posaient une fesse penaude sur les chaises, traitaient les meubles de bois avec beaucoup d'égards et n'utilisaient les cendriers qu'avec un pieux respect. Ils savaient à qui ils auraient voulu ressembler, mais savaient aussi que, malgré tous leurs efforts, c'était peine perdue. Ils auraient beau porter des costumes confectionnés en Europe, manger des gâteaux préparés selon des recettes européennes, s'essuyer le nez dans un mouchoir brodé en Europe et déclamer des vers d'auteurs européens, jamais, au grand jamais, ils n'auraient la grâce, l'élégance naturelle des Européens de souche, c'est-à-dire des non-Juifs. Ils pouvaient envier tout leur soûl la classe désinvolte des Polonais, des Allemands ou des Autrichiens, c'était une qualité impossible à imiter. Même ici en Palestine, personne ne s'y trompait. Le moindre vrai Européen qui passait la porte était aussitôt identifié. Non qu'il sirotât son café de façon différente ou qu'il se mouchât d'une manière particulièrement gracieuse, non, c'était juste qu'il dégageait une sorte de nonchalance distinguée qui s'élevait au-dessus de lui tel un drapeau. Sans parler de ses épaules, qui n'avaient à supporter que le poids de son voyage et de sa mémoire, pas celui de « deux mille ans d'exil qui n'ont peut-être pas dit leur dernier mot ». Les consommateurs observaient cet étranger qui ne se préoccupait que de ses problèmes, de ses angoisses, de ses souvenirs et rien que des siens, et tous se disaient que cela devait être bien agréable de ne vivre que pour son propre compte. Ils échangeaient des regards furtifs, car tous le savaient : même ceux qui étaient assis seuls conviaient à leur table les victimes des pogroms, les expulsés de l'Inquisition, tous les bannis de la terre, les insurgés de Rome et sans doute aussi les trente-six justes talmudiques. Le peuple juif dans son ensemble se pressait entre les murs de ce café, même aux heures creuses.

Et de toutes les tables, c'était toujours autour de celle du poète, drapé dans sa solitude immuable, que se regroupait la foule la plus dense. Il n'avait pas encore perdu l'espoir que, s'il arrivait quelque chose à Bialik, il serait promu poète national à la place du grand homme. En conséquence de quoi il consacrait ses journées à se rendre digne de la fonction.

Il avait écrit sur les trois grands patriarches, / Évoqué dans ses vers les quatre matriarches, / Toute la sortie d'Égypte et ses péripéties, / Des ossements desséchés narré la prophétie, / Et afin de rester accessible à tout homme, / Il écrivait aussi souvent sur les pogroms, / Et à chaque massacre sanglant, à chaque crime, / Il chantait de ses vers les malheureuses victimes, / Toute la souffrance juive défilait à sa table, / En longues processions, cortèges interminables, / Il passait en revue les visages à la hâte, / Le temps de trouver la métaphore adéquate.

Et chaque fois qu'il sentait que s'éteignait le feu du souvenir ou que sa main se fatiguait à tenir le stylo, il lui suffisait de songer aux suppléments littéraires qui refusaient systématiquement ses poèmes pour avoir aussitôt les yeux noyés de larmes. En ces instants où, dans sa tête, les malheurs du peuple juif se confondaient avec la blessure de sa non-reconnaissance artistique, il concevait ses plus belles envolées lyriques.

Comme tous ceux ayant dédié leur vie aux merveilles de la poésie, il ne trouvait pas toujours du temps à consacrer aux vétilles telles que l'hygiène, si bien que ses cheveux pendouillaient sur son front en mèches graisseuses, limaçons dépourvus de coquille qui remontaient lentement vers le sommet du crâne. Lorsque Bella s'approcha de lui, il était penché sur sa feuille, et pendant quelques instants elle ne vit de lui que ses boucles poisseuses, ce qui ne la mit pas dans de très bonnes dispositions. Mais lorsqu'il leva vers elle des yeux éperdus, elle reconnut l'expression qu'elle lisait dans ceux de son amant défunt et en saisit aussitôt l'unique signification : la recherche de la meilleure rime. Pupilles agitées, bouche légèrement ouverte, dents qui mordillaient le bout d'un crayon et corps tout entier tendu dans l'expectative, comme si le dos vous démangeait terriblement et que vous attendiez la main à même de vous gratter pile au bon endroit. Elle lui sourit et il interrompit aussitôt sa quête, bien qu'il fût au seuil d'une grande avancée – il avait presque trouvé la meilleure rime au mot « nation » (ne restaient en lice que « sédition » et « lion ») ; mais des rimes il y en avait pléthore, tandis qu'une belle femme à proximité de sa table il n'y en avait qu'une. Pour être honnête, les jolies femmes ne manquaient pas autour de lui : Rachel qui se lamentait sur ses fils, Esther qui sauvait son peuple, Yaël aux seins dressés qui brandissait la tête de Siséra. Mais une femme en chair et en os, avec du sang et non de l'encre dans les veines, une telle femme ne s'était pas approchée de lui depuis fort longtemps.

— Madame prendra-t-elle place ?

Voix décevante, constata Bella. En lisant ses vers dans le journal, elle les avait entendus résonner, puissants et vibrants, déclamés par quelque acteur shakespearien à l'œil brillant et à la fière allure. Or là, le poète s'exprimait sur un ton hésitant et un peu nasillard, comme s'il avait avalé un chaton. Elle s'assit malgré tout. Même avec des limaçons sur la tête et un minet dans la gorge, il était de la race des faiseurs de miracles, capables de changer le sang en roses, l'eau en vin et le soleil en orange.

— J'ai lu un de vos poèmes.

Parce qu'il sut immédiatement de quel poème il s'agissait, elle aurait peut-être dû se méfier et en déduire que c'était le seul publié à ce jour, mais elle en avait assez de se méfier de tout. Au lieu de cela, elle le laissa lui lire des pages et des pages de sa plume et même improviser afin d'adapter quelques vers au beau visage qu'elle lui offrait. Beaucoup de temps s'était écoulé depuis que quelqu'un avait célébré sa beauté et elle avait presque oublié l'influence bénéfique des rimes d'amour sur la peau. Les gerçures qui tiraillaient ses lèvres disparurent, comme gommées à l'huile d'olive, les cernes noirs sous ses yeux se résorbèrent sans laisser la moindre trace. Et, après s'être verbalement emparé de son visage, quoi de plus naturel qu'il le prenne entre ses mains et le couvre de réels baisers ? Son haleine empestait le foie haché, mais Bella, encore réjouie de ne plus avoir les lèvres si douloureusement sèches, ne le repoussa pas.

Ils sortirent du café et allèrent se promener en ville. Jamais le poète ne s'était senti aussi créatif que durant cette balade en compagnie de Bella. Tout lui semblait digne d'extase : un papier d'emballage oublié sur la chaussée, une haie vive devant un immeuble, un vieillard courbé sur sa canne. Il lui fallait absolument consigner cela par écrit (pour la première fois de sa vie il était inspiré par autre chose que les malheurs du peuple juif), ses doigts le démangeaient et cherchaient à se refermer sur quelque stylo, cependant il garda les mains au fond de ses poches et continua à marcher dans le monde au lieu de le narrer.

Bella ne parvenait pas à chasser l'ennui qui la gagnait, allongée sur le dos dans le lit du poète, qu'elle avait eu largement le temps d'observer pendant qu'il lui suçait les mamelons avec une ferveur quasi religieuse. À présent qu'il enfouissait la tête entre ses jambes, elle fut prise d'un léger dégoût au souvenir de l'odeur de foie haché qu'il exhalait. Elle ne se releva cependant pas. On ne quitte un endroit que si l'on pense pouvoir trouver mieux ailleurs. En l'occurrence, Bella ne voyait aucun ailleurs qui lui serait plus doux. Elle avait attendu si longtemps de rencontrer l'auteur des vers hébraïques qui l'avaient tant séduite, cru si longtemps que seul son mari honni empêchait le bon ordre des choses ! Comment assumer maintenant, sans Markovitch et avec son poète, qu'elle n'arrivait toujours pas à se débarrasser de la boule qui lui nouait la gorge ?

Lorsqu'il en eut enfin terminé, il s'étendit sur le dos à côté d'elle. L'odeur de son haleine était toujours aussi désagréable, alors elle lui demanda d'aller chercher quelque chose à manger dans la cuisine. Il revint avec une assiette sur laquelle il avait disposé des quartiers d'orange, qu'elle contempla avec curiosité. Elle n'avait plus consommé d'orange depuis son départ d'Europe, bien que Markovitch, se rappelant qu'elle lui avait dit les aimer, en déposait chaque nuit devant sa porte. Mais Bella Markovitch les jetait par la fenêtre, lançait le plus loin possible ces cadeaux, comme Perséphone aurait dû rejeter la rouge grenade de Hadès. Refusant que le premier goût d'orange eretz-israélienne lui soit offert par cet homme détestable, elle s'était juré d'y renoncer jusqu'à l'instant propice. Comment résister maintenant à ces magnifiques quartiers proposés par nul autre que celui qui l'avait attirée dans ce pays en les utilisant comme métaphore ? Au moment où elle tendit la main, il se souvint du seul poème qu'il avait jamais publié et déclama avec enthousiasme :

— « Et le soleil qui prend à l'orange ses nuances / Emplit nos cœurs d'audace et de vaillance. »

Bella sourit et mordit enfin dans le fruit… pour fondre aussitôt en larmes. Il essaya en vain de lui extorquer la raison de ce désespoir soudain, mais elle ne put que bredouiller entre deux sanglots :

— Et dire… et dire… que je n'aime même pas les oranges…

Plus l'absence de Bella se prolongeait, plus la durée du sommeil de Yaacov Markovitch raccourcissait, si bien qu'un jour il sauta hors du lit avant l'aube. Il prit une miche de pain dans l'intention de nourrir les pigeons, mais même eux dormaient. Il attendit donc le lever du jour et se dirigea vers la boucherie. Abraham Mandelbaum lui serra la main dans un geste censé être amical, mais qui lui broya les doigts.

En fait, ils se serraient la main depuis le lendemain de l'accouchement de Rachel, lorsque, au petit matin, Markovitch avait entendu des coups énergiques frappés à sa porte. S'étant levé à la hâte, il avait cru les brutes de Tel-Aviv de retour. Quelle n'avait pas été sa surprise de découvrir Abraham Mandelbaum debout sur le seuil, tenant ce qui avait été un mouton ! Les deux hommes étaient restés un instant face à face, embarrassés, tandis que leur revenait en mémoire la dernière fois où le boucher avait frappé à cette même porte, avec à la main non pas un mouton, mais un couteau, et où, au lieu d'ouvrir, Markovitch avait décampé avec Feinberg pour sauter dans un train (dans lequel ils avaient passé un bon moment à discourir sur le grain de beauté du sein gauche de Rachel).

La joie du jeune père l'ayant rapidement emporté sur sa gêne, le boucher avait tendu sa main libre :

« Nous pouvons nous congratuler ! avait-il lancé, écrasant les doigts du sauveur de sa lignée (lequel, pour sa part, se félicitait surtout d'avoir la chance que cette rencontre ait lieu en temps de paix). Je t'ai apporté un cadeau pour te remercier, avait continué le boucher. Nous le mangerons ensemble. »

Très touché, Markovitch avait proposé que le repas se fasse chez eux, en présence de la jeune maman et de son bébé, qu'il avait très envie de revoir. Mais Mandelbaum avait baissé les yeux en invoquant dans un murmure la fatigue de sa femme. Markovitch, magnanime, avait exprimé sa profonde compassion d'un hochement de tête convaincu et l'avait invité à entrer chez lui. Ils s'étaient attablés pour partager une viande tendre et moelleuse comme du velours, en même temps qu'ils partageaient un silence tendre, moelleux, épais et velouté lui aussi. L'un ne se demandait plus combien de gens l'autre avait occis et l'autre ne se demandait plus quand l'un renoncerait enfin à sa malheureuse épouse. S'ils avaient pensé à autre chose qu'au mouton qu'ils savouraient, c'était au bébé, à ce visage tout rouge qu'ils avaient découvert la veille, à ses petits doigts écartés, au duvet de son crâne et à ses pleurs exigeants qui scandaient : Je suis là, je suis là, je suis là ! Et puisque le bébé n'aurait jamais pu être là sans Mandelbaum ni Markovitch (l'un pour l'avoir engendré, l'autre pour l'avoir mis au monde), le simple fait qu'il existât prouvait qu'eux aussi existaient.

Leur repas terminé, le boucher s'était levé, avait fait quelques pas puis s'était ravisé :

« Et si tu venais avec moi ? Rachel est fatiguée et tu ne pourras pas rester longtemps, mais tu dois voir le petit. »

Ventres pleins et sourires repus, ils avaient pris ensemble le chemin de la boucherie. Mais, en atteignant le muret de pierres qui cernait la maison, ils avaient sursauté et s'étaient rembrunis : des sanglots violents frappaient les murs, désespérés et inconsolables, qui semblaient ne plus attendre aucune réponse. Pas de doute : le bout de chou pleurait depuis longtemps, probablement depuis que son père était sorti, à en croire l'épuisement et la détresse insupportables qu'il exprimait. Les deux hommes traversèrent la cour l'un derrière l'autre, franchirent le seuil et foncèrent dans la pièce où Rachel fixait d'un œil vague le bébé qui vociférait.

Elle ne fit aucun signe indiquant qu'elle avait remarqué le retour de son mari. Impossible bien sûr d'ignorer sa présence, son corps occupait la moitié du salon, pourtant, en entrant chez lui, il avait comme perdu du poids et de la hauteur, ne semblait plus que l'ombre de lui-même tandis qu'il implorait sa femme d'un regard que jamais un étranger n'aurait dû surprendre. Markovitch, qui se sentait étranger à peu près partout, a fortiori dans cette pièce où un homme, une femme et un bébé se noyaient dans un terrible chagrin, recula avec l'intention de s'esquiver, mais les pleurs l'en empêchèrent. La veille à peine, il aidait cette merveilleuse créature à sortir du ventre de sa mère, comment pouvait-il l'abandonner à une telle humiliation ? Il traversa alors le salon et, planté devant Rachel, l'interpella au-dessus du berceau qui les séparait.

« Prends-le dans tes bras.

— Je ne peux pas.

— Alors, c'est moi. »

Aussitôt dit, aussitôt fait. Elle put enfin fermer les yeux, soulagée. Elle s'était juré de ne pas détourner le regard de son bébé tant qu'elle n'éprouverait pas tous les sentiments maternels qu'on lui avait promis. Émotion, attendrissement, attachement comme jamais elle n'en avait connu. Elle avait scruté le petit visage à s'en dilater douloureusement les pupilles, cherchant à y trouver ce qu'une femme était censée y trouver – beauté sublime, grâce irrésistible, source d'un amour inconditionnel. Mais pour elle, ce visage qui la fixait en retour était celui d'un petit singe. Elle s'était ensuite rappelé que certaines guenons se révélaient capables d'éprouver de l'amour maternel envers des petits d'hommes abandonnés par leurs parents et à ce stade, écrasée d'une culpabilité insurmontable, elle n'avait plus pu bouger.

Lorsqu'il prit le nouveau-né dans ses bras, les cris redoublèrent d'intensité. Abraham Mandelbaum se tordait les mains d'inquiétude, mais Markovitch sourit de plaisir : cette réaction signifiait à l'évidence que l'enfant n'avait pas perdu confiance dans la capacité des humains à lui donner satisfaction (on n'exige rien de celui qu'on juge incapable de répondre à sa demande), qu'il avait juste besoin de réconfort et que lui, en homme responsable, allait tout faire pour répondre à cette attente. Comprenant aussi que le bébé ne se calmerait pas tant qu'il resterait à l'intérieur de cette maison, il fit signe au boucher de le suivre au jardin. Effectivement, dehors, les pleurs s'espacèrent immédiatement, et se turent lorsqu'ils commencèrent à avancer dans la rue.

Voilà donc les deux hommes marchant côte à côte, comme à l'aller. Et si, à l'aller, ils s'étaient sentis liés par une sorte de pacte silencieux, ce pacte englobait à présent trois personnes : Yaacov Markovitch, Abraham Mandelbaum et le bébé apaisé qui passa des bras du premier aux bras du second.

« Tu le tiens comme les rabbins tiennent la Torah les jours de fête », se moqua gentiment Yaacov Markovitch.

Le boucher ne répondit pas, mais s'arrangea pour rectifier sa position et, s'il ralentit, ce fut parce qu'il venait de remarquer que pour chacun de ses pas son compagnon devait en faire trois. Ils continuèrent à marcher un bon moment à travers le village, puis longèrent les champs et finirent par arriver devant le caroubier. En voyant l'arbre, Mandelbaum plissa le front et ses yeux étincelèrent d'une lueur menaçante.

« Dieu sait combien de temps elle est restée couchée là, à même le sol, avant ton arrivée. Elle était seule, toute seule. Quoi d'étonnant à ce qu'elle ait l'esprit troublé ? »

Markovitch, grand spécialiste en matière de solitude, savait qu'il n'y avait aucune différence entre un caroubier et un lit conjugal. Que l'être humain peut être seul partout, même au cœur de la foule. Mais il n'en dit rien. Si Abraham Mandelbaum avait choisi de canaliser son chagrin sur l'arbre, il ne l'en dissuaderait pas.

« Reprends-le-moi un instant. »

Le colosse lui confia son fils puis s'approcha du fameux caroubier. Il examina la terre autour du tronc, s'arrêta là où les ronces avaient été écrasées sous le poids de sa femme en détresse, passa sa grande main sur l'écorce rugueuse.

« Elle était seule, toute seule », répétait-il, et il commença à frapper l'arbre de ses poings fermés.

Il frappa sans pitié. Toutes les branches tremblèrent, et Markovitch encore plus. Au dixième coup, les gousses brunes se détachèrent, il n'en resta aucune accrochée aux branches, une pluie de caroubes s'abattit sur la tête de l'homme enragé. Il continua cependant, s'acharna malgré ses doigts ensanglantés, il cognait et donnait des coups de pied, se lançait de tout son poids contre son ennemi. Et ce n'est que lorsque le caroubier rendit l'âme, que son tronc fut arraché, laissant apparaître ses racines exhumées, qu'Abraham Mandelbaum cessa de venger l'humiliante solitude de Rachel Mandelbaum. Après s'être essuyé les mains sur son pantalon, il esquissa un geste pour récupérer son fils, mais se ravisa, le laissa dans les bras de son compagnon, et tous trois repartirent comme ils étaient venus.

12

Bella Markovitch resta deux années entières chez son poète. Quelques jours après leur rencontre, elle s'était habituée à son odeur de foie haché et ne la sentait plus qu'à l'occasion de leurs disputes. Tous les matins, dès qu'il partait au travail, elle rassemblait ses vêtements dans un sac avec la ferme intention de s'en aller. Il lui arrivait d'ouvrir la porte et de descendre quelques marches, parfois même d'atteindre le bout de la rue. Parfois, elle se contentait de rester quelques instants face à la porte fermée puis retournait défaire son bagage.

Le poète ignorait tout de cette cérémonie matinale. Lorsqu'il rentrait du journal où il passait la majeure partie de la journée à rédiger des nécrologies (et de temps à autre quelques messages de félicitations), il trouvait Bella douchée et parfumée, l'emmenait au café, au cinéma ou se promener le long des avenues. Il avait même accepté de danser : il détestait danser, mais aimait les regards envieux des gens au moment où ils découvraient qu'un homme comme lui valsait avec une femme comme elle.

Il finit cependant par apprendre que sa maîtresse n'était pas la même de jour et de nuit, que sa joie nocturne se muait en tristesse diurne. La chose se produisit par un matin de février, lorsque les immeubles se pressent les uns contre les autres tant ils ont froid. Uniquement protégé par une légère veste et le feu de sa passion (une chaleur qui s'était rapidement dissipée), il frissonnait tellement avant même d'avoir atteint le coin de la rue qu'il décida de faire demi-tour pour aller quérir dans son appartement un manteau chaud et une étreinte supplémentaire de sa bien-aimée. Arrivé à quelques mètres de son immeuble, il vit Bella franchir le seuil, le regard brouillé, son ballot à la main. Il resta cloué sur place. L'homme en lui voulait se précipiter, tomber à genoux devant elle et la supplier de rester, mais l'artiste le somma de demeurer à la contempler de loin, de graver en lui un à un les traits de ce visage sublime en ce jour où elle le quittait, un visage qui ne se savait pas observé et dont il pourrait tirer des poèmes jusqu'à sa propre mort. Tandis que les frères ennemis s'affrontaient en son for intérieur, Bella retourna dans l'appartement. Le poète reprit le chemin du journal, bouleversé, transi d'amour déçu et de froid mordant.

À partir de ce jour, il se remit à écrire. Mais il ne s'intéressa plus à la renaissance nationale, n'exalta plus ni les récoltes ni les paysages d'Eretz-Israël. Ses poèmes tout de simplicité, dépouillement, sensibilité, ne parlaient que d'une seule femme qui abandonnait un seul homme. Ce n'étaient pas des chefs-d'œuvre, loin de là, mais pas non plus de la mauvaise littérature, ce qui était sacrément nouveau. Voir Bella prête à partir l'avait transformé : de poète raté il était devenu poète moyen. À cette époque, le pays comptait pléthore de grands et de mauvais poètes. On vénérait les grands, on plaignait les mauvais. Si bien qu'on accueillit avec joie un poète passable. On publia ses vers dans les journaux tout en continuant à les refuser dans les maisons d'édition, on l'invita à prononcer des discours d'ouverture dans des colloques sans importance tout en sachant que jamais on n'aurait à donner son nom à un jardin public. À un banc, peut-être.

Bella ne lisait pas ce qu'il écrivait. Depuis l'instant où elle avait goûté aux quartiers d'orange, elle en avait fini avec les mots. Si elle avait aimé les poètes par le passé, c'était parce qu'elle les croyait capables de créer n'importe quel monde selon leur désir. Aujourd'hui, elle savait qu'il ne s'agissait que de bulles de savon rondes, aussi légères que celles qui se formaient dans l'eau du lavabo où elle lavait le linge de son amant : de magnifiques bulles colorées, à l'intérieur desquelles le corps aimerait se lover, mais qui éclataient à la moindre goutte et ne laissaient derrière elles que chaussettes sales et chemises à frotter.

Des femmes se mirent à le courtiser. De jolies femmes. L'indifférence dans laquelle les laissaient ses poèmes d'autrefois, ceux qui galvanisaient le sionisme salvateur du peuple juif, avait été remplacée par les larmes qui voilaient leur regard à la lecture des stances dédiées à l'aimée. C'est que chaque mot touchait leur aspiration la plus secrète : devenir, elles aussi, un objet d'amour pour quelque poète inspiré. Tout cela n'échappait pas à Bella, lorsqu'elle marchait avec lui en fin de journée, main dans la main.

Car, au lieu de guetter ses sourires il prodiguait les siens, au lieu de la fixer droit dans les yeux il promenait les siens d'une rousse à une brunette, d'une brunette à une opulente poitrine. Un soir, de retour dans l'appartement, elle fut assaillie de nausées qui persistèrent jusqu'au lendemain matin. Ce jour-là, elle ne fit pas son sac car elle fut obligée de rester à côté de la cuvette entre deux flots qui remontaient de ses entrailles. Elle vomit en même temps le gâteau qu'ils avaient mangé la veille au restaurant et les regards des femmes qui avaient accompagné ce dessert. Elle vomit le poète hébraïque qui préférait décrire leurs adieux que de vivre avec elle. Elle vomit les oranges avalées en Europe sans qu'elle en ait saisi le goût réel, masqué par celui du désir ardent d'atteindre un jour le pays où poussaient ces fruits merveilleux. Elle vomit aussi le pays en question, la nourriture mal digérée, le sable, le vent étouffant du désert, la médiocrité ambiante et les espoirs déçus.

Après avoir tout rendu, elle s'allongea sur le lit, surprise de se sentir aussi légère qu'un oiseau. Elle apprécia même ses brûlures d'estomac. Soudain, elle comprit qu'en fait elle était libre, qu'elle pouvait aller où bon lui semblait. Que Yaacov Markovitch croupisse tout son soûl dans son village perdu, qu'est-ce qui l'empêchait, elle, de vivre pleinement, ici, à Tel-Aviv ? Elle quitterait dès aujourd'hui son infidèle de poète et se trouverait un amant digne de ce nom. Un homme simple et bon, avec les pieds sur terre et sans velléités artistiques. Un médecin. Ou un fonctionnaire. Un homme moderne pour qui le mariage serait sans importance. Elle décida aussi de devenir enseignante pour apprendre aux enfants comment éviter la lâcheté et la scélératesse apparemment constitutives des hommes qui peuplaient ce pays. Ils l'appelleraient « maîtresse » d'une voix timide et admirative, elle leur expliquerait tout ce qu'ils devaient savoir. Les mathématiques, l'histoire, la géographie. La hauteur de l'Himalaya et la vie des Juifs sous domination espagnole. La somme des angles d'un triangle et la structure d'une fleur. La seule chose qu'elle ne leur ferait pas étudier, ce serait la poésie. Même s'ils le lui demandaient. La duplicité des mots était trop dangereuse pour des enfants. Ils la respecteraient, elle ne lèverait jamais la main sur eux et, lorsqu'elle se promènerait au bras de son médecin ou de son fonctionnaire, elle sourirait aux mamans pleines de gratitude qui viendraient lui serrer la main.

Allongée sur le dos et gaie comme un pinson (malgré les légères brûlures d'estomac qui persistaient), elle continua à tisser ses projets, sans savoir que le lendemain matin elle se retrouverait de nouveau penchée au-dessus de la cuvette. Et le surlendemain aussi. Il lui fallut presque deux semaines de nausées et de vomissements pour se rendre à l'évidence : il ne s'agissait pas de son âme qui rejetait le passé, mais de son corps qui annonçait l'avenir.

Bella ne parla pas au poète de sa grossesse. Elle fit ses bagages un matin et quitta l'appartement sans s'attarder ni sur le seuil ni au coin de la rue. Sauf que, une fois le pâté de maisons dépassé, elle s'arrêta, ne sachant où aller. Elle ne voulait pas rester à Tel-Aviv, trop de poètes y traînaient. Jérusalem lui paraissait trop sacré. Elle aimait assez Haïfa, mais là aussi l'enfant risquait d'être considéré comme un bâtard. Elle envisagea d'aller frapper à la porte d'un kibboutz. Elle avait entendu dire qu'on y vivait en communauté, qu'on n'était donc pas très à cheval sur la religion et le mariage, et qu'on y partageait l'amour comme la nourriture. Mais qui accepterait une jeune femme enceinte, incapable de faire la différence entre un grain de riz et un grain de blé ? Elle resta sans bouger un long moment. Dans la rue, les gens allaient et venaient, tout comme son esprit. De Tel-Aviv à Haïfa. De Haïfa à Jérusalem. De Jérusalem au kibboutz. Aucune de ces destinations ne lui paraissant adéquate, elle en ajouta d'autres. Petah-Tikva, Tibériade, Rishon-le-Zion. Ses pensées erraient à travers tout le pays, sauf lorsqu'elles passaient aux abords du village, où elles se hâtaient de prendre de la distance. Non, pas là-bas. Pas là-bas. Exclu. Mais plus elle essayait de s'en éloigner, plus elle y revenait. Elle revit la source dans laquelle elle se baignait nue avec Sonia, le figuier protecteur derrière lequel elles se cachaient et où l'une s'amusait à coiffer l'autre. Elle revit la terrasse de Rachel Mandelbaum, sur laquelle à présent jouait sans doute un petit enfant. Et enfin elle revit Yaacov Markovitch, homme méprisable et vil, doté de revenus aussi confortables que sa maison était vaste.

Par une froide soirée de mars, Bella rentra chez son mari. Elle revint comme elle était partie, sans un seul mot. À l'heure où elle franchit le seuil, il labourait encore son champ, levant la tête de temps en temps dans l'espoir de découvrir sur la route sa silhouette élancée. Comme il faisait cela depuis deux ans, il souffrait d'un torticolis permanent et s'en trouvait plus voûté qu'auparavant. Il répétait cependant ce mouvement environ toutes les vingt minutes, davantage par habitude que conviction. Le jour où elle rentra, il avait vu au loin une femme approcher. Son cœur s'était aussitôt mis à frémir comme un poussin, mais son cerveau l'avait sévèrement réprimandé. Les mois qui avaient suivi le départ de Bella, il les avait passés à se précipiter hors de son champ chaque fois qu'il discernait une forme en robe sur la route. Grande ou petite, grosse ou maigre. Il savait parfaitement qu'aucune n'était son épouse, mais ses jambes partaient toutes seules, traversaient sa parcelle, couraient le long du chemin pour s'arrêter d'un coup, embarrassées, devant la silhouette qu'elles venaient accueillir et qui, de près, ne ressemblait absolument pas à Bella. De temps à autre, lorsque l'ennui avait raison d'une quelconque compassion, tel ou tel jeune paysan recouvrait son short d'un morceau de tissu, marchait jusqu'au carrefour et revenait en se dandinant. Yaacov Markovitch levait la tête comme d'habitude, voyait au loin une silhouette baraquée à la démarche féminine et vêtue d'une jupe, comprenait bien que quelque chose clochait, mais, même s'il entendait les ricanements des hommes cachés dans les fourrés, il ne pouvait s'empêcher d'aller à sa rencontre, les yeux pleins d'espoir.

« Tu es la risée de tout le village, lui dit un jour Feinberg en le voyant rentrer chez lui sous les quolibets. Elle ne reviendra pas.

— Je n'en suis pas si sûr », répliqua-t-il.

Avec le temps, il cessa de se précipiter chaque fois qu'il apercevait une femme qui approchait, mais il continua à lever la tête et à observer les silhouettes au loin. Si l'une d'elles ressemblait à Bella il s'élançait à travers champs, sinon il reprenait son travail. Comme peu de femmes ressemblaient à Bella, a fortiori à la Bella qu'il gardait en mémoire, il quittait de plus en plus rarement sa parcelle. Le jour où elle rentra, il distingua bien une silhouette sur la route, et comme d'habitude son cœur s'emballa, mais ses jambes restèrent figées. La voyageuse marchait pesamment, à pas trop lents. Elle avait des hanches larges et les épaules un peu tombantes, rien à voir avec le port altier, les pas rapides et le bassin étroit de Bella. Il continua donc à biner. C'est en rentrant chez lui qu'il trouva sa femme. Plus lourde, plus voûtée.

Pourtant elle restait la plus belle femme qu'il ait vue de sa vie. Son visage produisit sur lui le même effet que la première fois, dans l'appartement européen, au moment où elle s'était retournée. Il en resta de nouveau pétrifié, comme si on avait rassemblé ses rêves brisés pour en reconstituer cet idéal devant lequel il se trouvait présentement. Lèvres charnues de figue bien mûre, petit nez volontaire, sourcils aussi symétriques que des arches de mosquée. Et ces yeux, même s'ils le regardaient avec dégoût (impossible de se leurrer), lui redonnaient vie.

— Tu es revenue.

Elle eut une légère moue, comme pour exprimer qu'elle était au courant et que rappeler une telle évidence lui paraissait totalement inutile. Il n'avait pas bougé du seuil, elle brodait assise sur le canapé. Il lutta contre la sensation de se sentir étranger dans sa propre maison, comme face à un hôte inopportun qui troublerait la sérénité des propriétaires, fit encore un pas et reprit la parole d'une voix qu'il espéra autoritaire :

— Tu as parcouru un long chemin. Je vais te préparer à manger.

Elle ne répondit rien. Il se précipita dans la cuisine, mit de l'eau à bouillir pour le thé, coupa du pain et, après une légère hésitation, y ajouta une orange pelée.

Alors, un court instant, debout dans sa cuisine, la boisson chaude dans une main et l'assiette avec du pain, du fromage et l'orange dans l'autre, il crut que tout allait s'arranger.

Lorsqu'il regagna le salon, il trouva la pièce vide. Bella avait emporté sa broderie et s'en était allée. Il eut tout d'abord peur qu'elle ne l'ait de nouveau quitté, mais vit qu'elle avait posé ses affaires dans la chambre à coucher, à côté d'un mot à son attention : « Dorénavant, tu retourneras dormir sur le canapé du salon. Tu peux prendre la chemise de nuit avec toi. »

Il n'eut pas longtemps à attendre avant de savoir où sa femme était partie. Le cri de surprise de Zeev Feinberg retentit dans tout le village :

— Incroyable, tu es revenue !

Ce cri ne contenait pas uniquement de la joie, mais aussi une question que n'osaient poser ni Zeev Feinberg ni Yaacov Markovitch, l'un seul dans le salon, l'autre sur le pas de sa porte, en train de serrer Bella dans ses bras.

— Sonia, regarde qui est là !

Évidemment, Sonia devina au premier regard la raison du retour de son amie. Ce n'était pas le corps, qui gardait encore son secret, mais les yeux qui avaient parlé. Les yeux de Bella, exact reflet des siens (excepté l'écart qui les séparait), contenaient quelque chose de plus. Ni la tendresse, ni la douceur, ni tout autre sentiment que les gens pensent devoir trouver dans les yeux d'une femme enceinte. Au contraire s'en dégageait à présent une sorte de dureté, de fermeté aussi : la conscience qu'un autre être dépendait d'elle pour vivre. Cette conscience, Bella s'en était pénétrée tout au long du chemin vers le village, si bien qu'à son arrivée elle l'avait intégrée. Une nouvelle existence dépendait d'elle, un être secret que personne, à part elle, ne connaissait. Un bébé. Ce mot lui plaisait tellement qu'elle n'avait cessé de le prononcer, l'avait sucé pendant le trajet, incapable de s'en rassasier, pleine de l'espoir que sa saveur suffise à elle seule à remplacer tous les autres goûts. Sonia serra Bella entre ses bras vigoureux et lui susurra à l'oreille :

— Je te félicite.

Tout d'abord affolée par la pensée que son secret était plus évident qu'elle ne l'avait cru, elle se rappela que les yeux de Sonia n'étaient pas comme ceux du commun des mortels et en fut aussitôt rassurée.

Ce soir-là, Bella resta chez le couple Feinberg jusqu'à une heure avancée. À la joie des retrouvailles avait succédé l'appréhension du moment où elle devrait rentrer chez Markovitch. Elle resta donc assise sur le canapé, écouta volontiers le récit des exploits de Zeev (et de sa lutte à mains nues contre un crocodile qui, dans la rivière Alexandre, aurait dévoré tout cru un enfant de trois ans sans son intervention), sourit aux précisions de Sonia (pas à mains nues mais avec un fusil, pas un enfant de trois ans mais un homme de trente, pas

171

un crocodile mais un chacal), jusqu'à ce qu'elle sente qu'elle ne pourrait différer son départ plus longtemps. Elle prit alors congé. Plus elle approchait de la maison de son mari, plus elle ralentissait le pas et tergiversait. Au moment où elle poussa la porte, elle fut assaillie par la nausée et se précipita aux toilettes. Elle demeura vingt minutes au-dessus de la cuvette et, lorsqu'elle se redressa, ce n'était pas parce que son malaise avait disparu, mais parce qu'elle avait décidé d'agir, peu importait combien il lui en coûterait.

Yaacov Markovitch dormait dans le salon. Avoir été chassé de la chambre ne le troublait en rien. Depuis le départ de sa femme, le lit conjugal était pour lui un lieu de torture et non de repos, il y restait les yeux ouverts, à guetter le moindre bruit susceptible de se transformer en pas de Bella. C'était pourquoi il avait préféré l'air glacé des patrouilles nocturnes à la chaleur moite de son matelas. La nuit du retour de sa femme, pour la première fois depuis deux ans, il avait succombé au sommeil du juste. Elle s'approcha du canapé. Sans le regarder, elle ôta son chemisier, sa jupe, puis enleva rapidement soutien-gorge et petite culotte. Comme quelqu'un qui a décidé de plonger dans l'eau glacée et sait qu'il y renoncera à la moindre hésitation, elle prit une profonde inspiration et se glissa entre les draps de son mari.

Il ne se réveilla pas tout de suite. Lui qui avait toujours dormi seul arriva, dans un premier temps, à se persuader que cet agréable contact n'était qu'un fantasme de plus. Mais au bout de quelques secondes la douceur ne s'était pas envolée, au contraire, elle s'accompagnait à présent d'un souffle féminin. Il ouvrit les yeux. Bella était allongée contre lui, les yeux fermés, nue. Il n'osa pas bouger. Si grand était le miracle que la moindre maladresse suffirait certainement à le dissiper à jamais. Il referma les yeux, incapable de la regarder, et resta à inhaler son parfum de rosée et de miel. Au bout de quelques instants, il osa rouvrir les paupières. Elle était toujours là. Toujours nue. Sublime. Le laissant se repaître de la vue de son corps. Toujours aussi majestueuse, même sans le moindre vêtement. À l'instar de ces statues de marbre parfaites que l'on vient admirer en masse, sur lesquelles on passe furtivement une main déplacée dès que le gardien a le dos tourné, mais qui, en dépit de tous les regards, veillent jalousement sur leur beauté, peu importe le nombre de visiteurs. Là, en l'occurrence, Markovitch ne savait que contempler d'abord : les épaules d'ivoire (à l'époque où elle déambulait dans la maison, il avait tant de fois cherché à les surprendre au détour d'un mouvement lorsqu'elle soulevait quelque objet !) étaient là, posées à côté de lui. En dessous se dressaient deux seins merveilleux, grenades rondes couronnées d'un mamelon pointé vers le ciel. En dessous, le ventre un peu bombé, doux comme le miel, et en son milieu le nombril, posé tel un sou d'or. Et en dessous. En dessous. Lorsque Yaacov Markovitch vit le triangle du pubis, il fut pris de vertiges et referma les yeux. En les rouvrant, il évita de regarder au même endroit (combien de bonheur un homme peut-il supporter ?) et se focalisa sur les cuisses – une zone que Bella, à sa grande contrariété, avait récemment découverte parcourue de veines bleuâtres et de marques de cellulite. Mais, dans l'obscurité de la nuit, Yaacov Markovitch

173

ne remarqua pas ces dégâts, on peut d'ailleurs à juste titre se demander s'il les aurait remarqués en plein jour. Non qu'il ait une vue déficiente, non. Ses yeux ne fonctionnaient pas moins bien que ceux de n'importe quel autre être humain, c'est-à-dire qu'ils s'efforçaient de lui montrer ce qu'il désirait et de lui cacher tout le reste. Les pieds de Bella par exemple, qui étaient assurément ce que tout œil recherche pour contenter son propriétaire : menus, à la cambrure parfaite, chef-d'œuvre dans leur conception et dans leur réalisation.

Lorsqu'il eut terminé de l'inspecter de la tête jusqu'au bout des orteils, il recommença en sens inverse. Et tira un plaisir particulier à scruter son visage. Certes il l'avait détaillé à de nombreuses reprises (en vrai ou en imagination) mais, maintenant que tous les éléments s'emboîtaient sur son corps nu, il y trouva quelque chose de différent : ce visage était la résultante du corps et inversement, le corps incarnait la promesse suggérée par le visage. Le rouge des lèvres s'accordait avec celui des mamelons, le contour du menton avec la cambrure des pieds et la ligne des sourcils évoquait le triangle de l'entrejambe.

Sous ses paupières closes, Bella se préparait au contact des mains de Markovitch, aussi crispée qu'un patient chez un arracheur de dents. Elle ravalait ses larmes pour les empêcher de révéler son secret. Très salées, ses larmes – pourvu qu'elles ne nuisent pas au petit. À cette évocation, des images ressurgirent : un bébé pleurant de faim et sa mère incapable de le nourrir ; un écolier ayant besoin de livres et sa mère incapable de les acheter ; un jeune homme obligé de supporter la brûlure du mot « bâtard » où qu'il aille.

Si elle avait pu, elle se serait secouée et aurait fait ce qu'il fallait pour exciter son mari de ses propres mains, et, si elle n'arriva pas à s'y résoudre, ce ne fut pas faute d'avoir essayé un long moment. Alors elle abattit sa dernière carte.

— Si tu veux, je coucherai avec toi, dit-elle.

Markovitch eut besoin d'un petit temps pour comprendre les mots qu'il venait d'entendre. Il y avait un tel gouffre entre leur signification et l'intonation employée qu'il en resta perplexe. Puis il essaya de l'expliquer par le fait qu'elle était gênée, qu'elle avait honte du comportement qu'elle avait adopté jusqu'à présent ; que les hommes envoyés pour le tabasser, les regards moqueurs des habitants du village, la vengeance de cette maison qu'il avait bâtie à la sueur de son front, tout cela la tétanisait, pesait sur sa conscience et lui durcissait la voix, mais que voilà, elle avait enfin compris à quel point il l'aimait, elle avait aussi compris que, même si cela ne s'était pas passé normalement, elle arriverait à l'aimer en retour, oui, oui, le sentiment pouvait naître avec beaucoup d'effort et beaucoup d'abnégation, la preuve, elle était dans son lit et attendait qu'il lui pardonne. Homme sage, Yaacov Markovitch allait se laisser convaincre par tous ces arguments, jusqu'au moment où, d'une main tremblante, il lui effleura l'épaule.

Comment ignorer le sursaut de Bella, dont le corps avait vaincu l'esprit ? Lèvres de figue aspirées, paupières crispées, arc des sourcils aplati, tout en elle exprimait le rejet. Il s'écarta aussitôt, s'assit et réfléchit pendant de longues minutes, les yeux clos. Il pensa aux mois qu'elle avait passés loin de lui, à l'homme qu'elle avait certainement laissé derrière elle, à sa silhouette vaincue sur le sentier qui menait au village, à ce corps qui avait un peu épaissi. Lorsqu'il rouvrit les yeux, il vit qu'elle le regardait et s'était enveloppée dans le drap.

— Ne crains rien. Cet enfant qui t'a ramenée ici, je m'en occuperai. Bien sûr que je m'en occuperai. Et maintenant, sors de ce lit et ne reviens que si tu le désires vraiment.

À compter de ce jour, la maison retrouva sa chaleur habituelle. Le bougainvillier modéra ses ardeurs fantasques, à la grande joie de son propriétaire qui pensait déjà devoir l'arracher. Le salon demeurait triste, car les meubles ne peuvent se réjouir dans un espace où l'amour est absent, mais au moins on n'y gela plus. Markovitch ne se berçait pas d'illusions, ce changement ne s'était pas produit pour lui. Si les murs avaient baissé les armes, c'était uniquement parce qu'un bébé poussait dans le ventre de sa femme et que la maison ne voulait pas entraver son développement. D'ailleurs, la maison n'était pas la seule à se mobiliser pour aider Bella dans sa grossesse, il faisait tout, lui aussi, pour la soulager et lui faciliter la vie. Car ce petit à naître était pour lui le gage qu'elle ne repartirait pas. Et il était prêt à subvenir à ses besoins autant qu'il vivrait, pour peu qu'on lui promette que la mère de l'enfant resterait auprès de lui.

13

Yaacov Markovitch ne reparla jamais avec Abraham Mandelbaum de la nuit où ce dernier avait arraché le caroubier à mains nues, bien que, depuis le retour de Bella, il se rendît tous les jours à la boucherie afin de choisir un petit morceau de viande pour sa femme enceinte, un morceau que son ami lui vendait à moitié prix et en le gratifiant d'une poignée de main qui lui écrasait toujours autant les doigts. Et chaque fois qu'il ressortait de là, il se sentait observé par tous les villageois, qui s'arrêtaient à sa vue, perplexes. D'ailleurs, où qu'il aille, il se sentait observé. Des yeux qui auparavant ne s'étaient jamais arrêtés sur lui l'examinaient à présent longuement, le suivaient tout au long du chemin, l'accompagnaient chez lui et ne se détournaient que lorsqu'il leur claquait la porte au nez pour aller prendre des nouvelles de sa femme. Mais, même alors, les regards brûlants de curiosité restaient braqués sur la porte fermée, à essayer de traverser les différentes épaisseurs de bois peint en blanc. Tous rêvaient de découvrir pourquoi Bella Markovitch était revenue vivre auprès de Yaacov Markovitch.

Les rumeurs ne coururent pas tout de suite. Cette année-là, on avait d'autres chats à fouetter : la progression des forces alliées, le réarmement des Allemands-maudits-soient-ils, les manigances des Arabes, rien que de nobles préoccupations sous lesquelles cependant une belle femme grossissait à vue d'œil. Au bout d'un mois et demi, plus personne au village n'ignorait son état. Les interrogations d'ordre supérieur furent alors chassées par de petites questions, lesquelles aboutirent à des remarques mesquines, de celles qui se terminent en disputes mais qui sont si savoureuses !

— L'enfant n'est pas de lui.

— Comment le sais-tu ?

— Tu as oublié toutes les nuits où elle disparaissait ?

— Mais depuis son retour elle n'a pas bougé.

— Elle est peut-être revenue avec un paquet surprise.

Au début on n'en parlait que derrière les portes closes, à mots couverts, une fois la lumière éteinte, lorsque les conjoints cherchaient à se rabibocher par quelque délicieux ragot. Mais, des alcôves, la rumeur gagna les repas de famille dont on en pimenta la soupe. Des tables, elle se faufila dehors, vers les champs et les vergers, pour distraire les oreilles qui s'épuisaient au travail. Finalement elle entra dans le monde de la finance le jour où Michael Nodelman promit vingt livres à qui coincerait Yaacov Markovitch et lui tirerait les vers du nez. Certes, le commanditaire était à peine sorti de l'adolescence alors que la victime était déjà adulte, mais la différence d'âge se trouvait compensée par un avantage de vingt centimètres en hauteur et en largeur du plus jeune sur le plus vieux. Et ce fut Haïm Nodelman, le cadet, qui releva le défi. Mains dans les poches, l'air de rien, il interpella le futur père à son retour de la boucherie.

— Salut à toi, mon cher Yaacov.

Markovitch lui rendit son salut et ne s'arrêta pas. Comment aurait-il pu oublier les deux frères qui, certains soirs sur le chemin de terre, s'amusaient à singer la démarche chaloupée d'une femme pour lui donner de faux espoirs et le voir courir vers eux, éperdu et pitoyable ?

— Tu apportes de la viande à ta petite femme ? » demanda Haïm, et son acné juvénile scintilla sur ses joues telle une constellation d'étoiles au moment où il lui emboîtait le pas. « Bravo, la viande, c'est bon pour le bébé, poursuivit-il. Surtout quand il y a un risque d'anémie. Est-ce que tu souffres d'anémie, Yaacov ? Non, bien sûr que non, pas avec ce teint rouge que tu affiches ! Ah, c'est peut-être madame qui l'est ? Quoique… non, elle aussi a de bonnes joues bien roses. Quelqu'un d'autre alors ? Mais qui ? Ah, ça doit être le géniteur…

Là, son flot de paroles fut interrompu par le coup de poing tout à fait inattendu que lui assena Markovitch, profitant de l'effet de surprise indispensable en l'occurrence – jamais un gringalet comme lui n'aurait réussi à envoyer au tapis quelqu'un de la corpulence de Haïm Nodelman. Après l'avoir immobilisé, il le plaqua au sol, agita sous son nez le morceau de viande saignante acheté chez Mandelbaum et lâcha :

— Si qui que ce soit devait de nouveau avoir des

doutes sur l'identité du père du bébé, je veillerais à ce que son visage ressemble à ce steak haché.

Ce fut la première vraie rixe de sa vie. Non pas parce que c'était la première fois qu'il prenait des coups, mais parce que, pour la première fois, il les rendit, se battit en homme, frappa les Nodelman jusqu'à entendre le merveilleux bruit de côtes brisées par ses poings. Évidemment, il n'eut pas le dessus mais, lorsqu'il s'effondra et que les deux frères l'abandonnèrent au milieu du chemin, ceux-ci ne purent ignorer le sourire qu'il arborait. Il rentra chez lui en claudiquant.

— Les ordures, lâcha Bella, qui vint à sa rencontre.

Là, Markovitch exulta : jamais il n'avait vu sa femme exprimer un dégoût pour quelqu'un d'autre que lui. Le lendemain, il rentra des champs plus tôt qu'à l'accoutumée et la trouva en robe de chambre, qui brodait au salon.

— Habille-toi, nous allons nous promener.

Elle leva les yeux de son ouvrage.

— Beaucoup de choses ont changé entre nous, Markovitch. Mais la seule promenade que je suis prête à faire à ton bras reste celle qui nous mènera au rabbinat.

— À ta convenance. Mais si tu veux couper court aux rumeurs et éviter que ton bébé soit traité de bâtard, il faut prouver que tu es revenue pour moi, que tu commences à m'apprécier.

— Dans ce cas, eh bien, allons-y, soupira-t-elle après quelques instants de réflexion.

À compter de ce jour, Yaacov et Bella Markovitch veillèrent à se promener chaque soir au vu et au su de tout le village. Elle marchait à côté de lui, sans jamais lui donner la main, et ne le regardait que les rares fois où ils croisaient quelqu'un. Pour sa part, il n'était pas loquace, et elle lui en savait gré. Il leur arrivait parfois de rencontrer Sonia et Zeev Feinberg, reconnaissables de loin parce qu'ils marchaient toujours penchés l'un vers l'autre, si collés qu'on aurait dit une créature à quatre pattes et qui riait à deux voix. C'est sans doute sur leur rire que Markovitch se focalisait car, s'il les avait regardés dans les yeux, il aurait évidemment remarqué le voile de tristesse qui embuait à présent les iris bleus du moustachu. Voilà un an déjà qu'il ne prenait plus aucune précaution avec Sonia, laissant libre cours à cette détermination qui, au-delà du simple plaisir charnel, forge l'avenir. Cependant, le ventre de sa femme restait désespérément plat, en vain y cherchait-il le superbe arrondi d'un début de vie. Ces dernières semaines, il ne parvenait même plus à l'approcher sans penser ovule, semence, utérus, des termes à leur place dans les manuels de biologie, mais certainement pas dans la tête d'un homme occupé à lécher le sexe de sa bien-aimée.

Ces angoisses, Feinberg n'osait pas les laisser franchir le seuil de ses lèvres, si bien que, au lieu d'être exprimées, elles grandissaient de plus en plus, comme le font toutes les angoisses ravalées. Les premières à en souffrir furent ses belles bacchantes qui, en véritables sismographes, enregistraient chaque saute d'humeur de leur propriétaire. Dès qu'il voyait Sonia utiliser une serviette hygiénique, les pointes se défrisaient, soudain rattrapées par la gravitation universelle. Et puis il se fâchait pour un rien, une fenêtre restée ouverte, un plat brûlé. Et elle, qui avait l'habitude de se venger sur sa moustache à chaque réflexion désobligeante, passait outre en voyant le piteux état des poils jadis si fiers. Constatant que sa femme en acceptait chaque fois davantage, Feinberg s'en donna à cœur joie. Pas par méchanceté, encore moins par cruauté. C'est juste que, si l'on propose une chaise à quelqu'un, il préférera s'y asseoir plutôt que de laisser ses jambes supporter le poids de son corps.

Plus la date de l'accouchement approchait, plus les relations entre Yaacov et Bella Markovitch s'apaisaient. Certes, hormis leur promenade quotidienne, elle continuait à l'éviter et à verrouiller sa porte pendant la nuit, mais elle cessa d'aller se coucher en gardant un couteau à portée de main et dormait de mieux en mieux. Lui, cependant, recommença à souffrir d'insomnie. C'est que, depuis le retour de sa femme, s'il avait cessé de se morfondre dans son lit, l'esprit dévoré par les fantasmes et la jalousie, il se morfondait maintenant sur le canapé, le corps dévoré par le désir charnel. Bien sûr, il avait repoussé Bella, mais ce n'était que parce qu'il ne pouvait envisager de coucher avec elle sans que l'envie soit partagée. Elle était sa femme, pas une prostituée de Haïfa, il ne la toucherait que si elle le voulait réellement, sans conditions préalables ni bénéfice ultérieur. Cependant, le contact de son corps nu l'avait comme marqué au fer rouge, et il ne cessait de revenir en pensée sur le triangle d'or de son pubis. Pendant la journée il repoussait vigoureusement ces images mais, dès qu'il se mettait au lit, il cédait. Du coup, il passait ses nuits en proie à une longue, très longue érection. Rapidement, il ne se contenta pas de bander la nuit mais aussi, à son grand dam, pendant la journée. Il lui suffisait de voir quelque chose dont la chair tirait sur le rose (une pêche, une fraise ou une pomme) pour qu'instantanément sa braguette se gonfle et ses joues s'empourprent. Tous les fruits lui rappelaient les mamelons de Bella, tous les épis de blé chantaient sa toison. Il déglutissait si bruyamment lorsque le boucher lui coupait une tranche de viande que ce dernier s'inquiétait. Feinberg, lui, chaque fois qu'il le croisait, ne pouvait empêcher ses yeux de s'arrêter sur le renflement intempestif. Même s'il voyait que son ami continuait à afficher une expression des plus ordinaire, cette érection permanente, elle, n'avait rien d'ordinaire.

— Pourquoi n'irais-tu pas à Haïfa ? finit-il par lui suggérer. Si on boit suffisamment et qu'on y met un peu de bonne volonté, on réussit à prendre une femme pour une autre.

Markovitch suivit son conseil. Il recommença, de temps en temps, à aller se soulager chez la dame de Haïfa. Cependant, à peine avait-il franchi le seuil de sa maison que déjà son sexe se redressait, gonflé de joie et d'espoir.

On ne pouvait pas en dire autant de Zeev Feinberg. Si autrefois sa moustache frisait à la vue du moindre sein dodu ou d'une fesse rebondie, désormais ni l'un ni l'autre n'avaient d'effet sur lui. Son œil ne brillait qu'à la vue d'une femme enceinte, dont il examinait le ventre d'un regard avide. Et si, par le passé, il n'avait cessé de se vanter de n'avoir jamais mis de jeunes filles dans l'embarras (il les avait toutes honorées mais n'en avait déshonoré aucune), voilà qu'à présent un doute l'assaillait : était-ce sa seule prudence qui l'avait protégé d'une paternité indésirable ? Cette question l'angoissait tellement qu'il en devint mauvais, obéissant à une méchanceté dont jamais il ne se serait cru capable, d'autant qu'elle n'était dirigée que contre Sonia. Il se moquait d'elle en toute occasion et préférait monter la garde plutôt que de passer la nuit dans le lit conjugal. Dès qu'elle ouvrait la bouche il détournait les yeux, dès qu'elle riait il lui lançait un tel regard qu'elle laissait retomber sa voix, petit oiseau abattu en plein vol. Ayant remarqué la souffrance de son amie, Bella entra dans une vive colère et décida d'aller trouver le moustachu un jour qu'il sarclait son champ.

— Tu as pris pour femme une lionne flamboyante et voilà que tu es en train de la transformer en oie déplumée. Pourquoi ?

Zeev Feinberg la regarda, stupéfait : où était passée la magnifique créature en larmes qu'il avait connue ? À sa place se tenait devant lui une femme avec un gros ventre, des joues rouges, des yeux brûlants et des poings serrés.

— Bella, il y a des choses qui ne regardent que le mari et son épouse.

— Pas dans ce village, Zeev. Chacun laboure seul sa parcelle, mais à part ça vous faites tout ensemble. Je suis bien placée pour le savoir.

— Rentre chez toi, dit-il en posant les doigts sur la main qu'elle gardait fermée. Tu ne dois pas te mettre dans des états pareils, c'est mauvais pour ton bébé.

Ce dernier mot fut prononcé avec une telle douleur qu'elle en frissonna.

Cela prit du temps, mais le numéro deux de l'Organisation finit par entendre parler du priapisme aigu qui frappait Yaacov Markovitch.

— Inconcevable ! Et au pire moment ! tonnat-il. Nous sommes à l'aube d'une guerre et voilà que notre passeur d'armes de la section nord, celui qu'on a méticuleusement choisi justement parce que rien ne dépassait en lui, oui, voilà qu'il se balade avec un mât dressé entre les jambes ?!

Michael Katz opina et rappela qu'il demandait depuis longtemps, à cause du scandale de son mariage qui n'était toujours pas résolu, d'exclure définitivement ce minable de leurs rangs. Ce à quoi le lieutenant-commandant rétorqua qu'il ne fallait pas mélanger lit conjugal et champ de bataille.

— Exclure Markovitch, c'est très bien en temps de paix, pas au moment où une guerre va éclater. Je te prie donc de régler le problème et de l'envoyer en mission le plus vite possible.

Mouché, le responsable sortit du quartier général en râlant et en pestant. Il savait parler quatre langues et donner le change dans huit autres. Il savait démonter un fusil les yeux fermés et le remonter une main attachée dans le dos. Mais il ne savait pas, absolument pas, et surtout il ne voulait pas savoir, comment organiser une débandade.

À tout hasard, il se procura du fil un peu épais, y fit un nœud coulant et se mit en route pour le village. Mais ce n'est que lorsque Markovitch lui ouvrit la porte qu'il prit conscience de l'ampleur du problème. Leur invisible passeur était tout sauf discret. Se serait-il tenu la moitié inférieure du corps cachée derrière un comptoir que le pourpre de son visage aurait dénoncé ses pensées scabreuses. Il se planta devant lui et indiqua d'un geste méprisant le renflement du pantalon :

— N'essaie pas de m'impressionner. On doit déménager une cache d'armes jusqu'à Métoula et c'est toi qui vas t'en charger. Alors, prends ceci (il lui lança le fil avec le nœud coulant) et attache ton bazar. Tu pars cette nuit.

— Ma femme est sur le point d'accoucher, je ne bouge pas.

— Espérons que l'enfant saura manier la rime aussi bien que son père ! susurra alors Katz, qui se fit un plaisir de lui décrire le poète de Tel-Aviv dont Bella avait partagé le lit pendant de longs mois. Si tu les avais vus, quel magnifique couple ils formaient, elle avec ses longues jambes et lui avec ses longues phrases !

Markovitch aurait bien voulu lui claquer la porte au nez, mais il resta pétrifié. Par la bouche de cet homme avaient jailli des troupeaux de bêtes féroces qui se ruaient à l'intérieur de sa maison et la traversaient au galop. L'émissaire du lieutenant-commandant lui parla des cafés dans lesquels Bella avait tenu la main de son amant, de leurs promenades, le soir, le long de l'avenue. Il insista sur sa grâce lorsqu'elle dansait pendue à son cou, et sur le sourire qui éclairait le visage de ceux qui l'entendaient rire. Petit à petit, le passé de la femme volage emplit la maison au point qu'il ne resta plus de place pour le mari trompé.

Lorsqu'elle revint de sa visite quotidienne chez Sonia, Bella trouva la maison vide et Katz toujours planté sur le seuil, son fil épais entre les doigts.

— Où est Markovitch ? demanda-t-elle.

— Parti. Une mission urgente.

— Où ?

— Je crains, madame, de ne pouvoir vous répondre.

Elle avait énormément grossi depuis leur dernière rencontre, n'était pas coiffée et sur son front perlaient des gouttes de sueur. Cependant, rien de tout cela n'empêcha Katz de vaciller sous le regard glacial qu'elle lui lança.

— Où ? répéta-t-elle.

— Dans le nord. Pour au moins une semaine.

Il examina le visage fermé de cette femme et le trouva encore merveilleusement beau. « Toujours aussi fière, songea-t-il, elle ne montrera pas sa joie d'être, ne serait-ce que pour une semaine, libérée – grâce à moi – de ce ver de terre puant. » Elle lui lança un regard supplémentaire et il précisa qu'il s'agissait d'une mission périlleuse d'où, peut-être, son mari ne reviendrait pas. Il ajouta qu'elle avait été bien inspirée d'avoir quitté Tel-Aviv pour revenir vivre ici, à l'abri du besoin. Elle habitait à présent une maison qui avait une certaine valeur, n'est-ce pas ?

— Comme je regrette, lui répondit-elle, de ne pas t'avoir invité à entrer.

Michael Katz la considéra avec perplexité.

— Parce que si je l'avais fait, je pourrais maintenant te jeter dehors.

Sur ces mots, elle lui claqua la porte au nez… et resta quelques minutes à savourer le silence qui l'accueillit. La pièce, débarrassée de la présence tant détestée, lui apparut sous un jour nouveau. Elle finit par aller s'asseoir sur le canapé. Sous un des coussins, elle découvrit une taie d'oreiller, un drap et une couverture soigneusement pliés avec, glissée au milieu, sa vieille chemise de nuit. L'approchant de son visage, elle sentit une odeur de lessive qu'elle ne connaissait pas, mêlée à celle d'un corps qui n'était pas le sien. À force d'avoir passé tant de nuits à étreindre cette manche, Markovitch y avait imprégné sa propre odeur. Et voilà qu'il était parti. Elle lança cette loque contre le mur, jeta sur le sol la taie d'oreiller et le drap. Enfin, elle se coucha sur le dos, ventre proéminent, et ferma les yeux. Elle se souvint qu'elle s'était ainsi allongée, sept mois auparavant, prête à subir les caresses de cet homme honni, prix à payer pour assurer la sécurité du bébé qu'elle portait. Or cet homme honni lui avait donné la sécurité et épargné les caresses. Elle lui en était reconnaissante. Mais elle continuait à le détester pour tout le reste. S'il mourait maintenant… Elle ne le souhaitait pas. Mais elle ne souhaitait pas le contraire non plus.

Trois jours après le départ de Yaacov Markovitch, le lieutenant-commandant débarqua au village. Tous les enfants qui entendirent le bruit du moteur et se précipitèrent au-devant de lui revinrent en larmes. Non seulement il leur avait fait la morale en leur intimant l'ordre de toujours aider leurs parents, mais en plus il les avait interrogés sur leurs devoirs avec un regard si sévère qu'ils en avaient presque mouillé leur fond de culotte. Quant à ceux qui n'avaient pas entendu le bruit du moteur, ils pleuraient tout autant, inconsolables d'avoir loupé l'arrivée de celui dont on ne cessait de relater tout bas les exploits, et qui avait distribué (c'est du moins ce qu'on leur raconta) une grenade dégoupillée à chaque gamin venu le saluer. Les mères, qui ne récupérèrent donc que des rejetons brailleurs, en furent réduites à les moucher avec l'ourlet de leur chemisier, à les consoler par de petites tapes sur la tête et à prier en leur for intérieur pour qu'à l'avenir les visites de personnalités importantes n'aient lieu qu'après l'heure du coucher.

Après avoir laissé au centre du village son automobile qu'astiqueraient assurément les regards étincelants des habitants, le numéro deux de l'Organisation se dirigea vers la maison de Yaacov Markovitch. Il aurait bien voulu s'attarder avant de frapper à la porte : il n'avait pas revu Bella depuis la nuit où elle avait quitté son appartement de Tel-Aviv pour partir à la recherche du poète, ne savait pas exactement pourquoi elle était revenue vivre ici, ni comment elle avait réagi au départ de son mari, bref, une minute ou deux d'analyse de la situation lui auraient été fort utiles. Mais les gamins, qui l'avaient suivi de loin, le fixaient de leurs yeux admiratifs. Conscient des dégâts que les hésitations des adultes peuvent causer à l'éducation de la jeune génération, il leva un poing déterminé et toqua vigoureusement, malgré la sourde angoisse qui lui étreignait le cœur.

Bella n'ouvrit pas immédiatement la porte. Elle marchait d'un pas lourd, les chairs de plus en plus relâchées. Mais, lorsqu'elle apparut enfin sur le seuil, il vit un visage éclatant de beauté, dont les yeux, si semblables à ceux de Sonia, lui donnèrent la chair de poule (la fraîcheur matinale n'y était strictement pour rien).

— Je suis venu prendre de tes nouvelles, belle dame.

— Je vais bien, répondit-elle.

Elle lui aurait volontiers claqué la porte au nez, n'eût été le fait qu'elle se sentait redevable envers lui de l'avoir hébergée en ville. Elle le fit donc entrer et lui prépara un verre de café. Pendant qu'il buvait, elle lui demanda ce qu'avait dit Michael Katz à Markovitch pour le faire partir aussi vite. Le lieutenant-commandant réfléchit avant de répondre.

— J'imagine qu'il lui a expliqué à quel point l'heure était grave. À quel point sa mission était importante. Une guerre risque d'éclater d'un instant à l'autre.

— Et ça ? répliqua-t-elle en indiquant son ventre. Ça ne risque pas d'éclater d'un instant à l'autre ?

— Telle est précisément la raison de ma venue. Rester auprès de toi au cas où il arriverait quelque chose pendant son absence.

Elle rejeta la tête en arrière et éclata de rire. De fins vaisseaux bleus serpentaient sous sa peau blanche et délicate.

— Rester auprès de moi ? Pour ça, tu aurais pu envoyer n'importe quel petit morveux. En revanche, pour rester auprès d'elle, tu n'aurais pu déléguer personne.

Il baissa la tête et chercha à s'en sortir dignement. Elle lui posa une main sur le bras :

— Excuse-moi. Je sais que tu n'avais pas l'intention de me nuire en envoyant Markovitch en mission. Peut-être même croyais-tu me rendre service. Moi aussi, je me serais dit la même chose… jusqu'à récemment.

Le haut responsable gardait les yeux obstinément fixés sur le sol, qu'il divisa en cases dont il modifia

plusieurs fois la surface, se demandant si on pourrait creuser là une cache d'armes. Il aurait tout tenté
pour ne pas poser la seule et unique question qui lui
brûlait les lèvres : comment avait-elle deviné ? Lui-
même, avant d'avoir entendu Bella, ignorait la raison
qui l'avait poussé à venir jusqu'au village. Lorsqu'il
avait décidé de rendre visite à l'épouse malheureuse de
son passeur d'armes pendant que celui-ci accomplissait
sa mission, il n'avait, à aucun moment, compris qu'il
cherchait à se rapprocher de Sonia.

Sonia, qu'il n'avait pas vue depuis un an. Pendant
tout ce temps, il avait aussi évité Feinberg autant que
possible. Chaque fois qu'il devait lui serrer la main, il
ne pouvait s'empêcher d'imaginer le corps sur lequel
ses doigts se promenaient, et cette pensée le ramenait
au souk, où il étanchait sa nostalgie avec des oranges.
Mais les oranges étaient onéreuses et son travail trop
considérable pour qu'il puisse se permettre de l'interrompre à chaque bouffée amoureuse. Il voyait son ami
le moins possible, de même qu'il essayait de ne pas
trop regarder vers le nord. Pendant quelques mois,
il avait continué à être harcelé par la silhouette de
Sonia, puis ses fantasmes avaient progressivement
cessé de l'importuner, comme les chats de gouttière
qu'on caresse distraitement et qui vous suivent encore
un peu avant de renoncer à des flatteries affectueuses.
Mais voilà qu'il se trouvait assis à quelques maisons
de la femme aimée et il la sentait palpiter en lui, il la
sentait marcher dans sa cuisine, arroser son jardin,
rejeter derrière l'oreille une boucle de cheveux rebelle.
Il aurait continué à ressasser son désarroi toute la journée si Bella n'avait pas soudain lâché un gémissement.

— Va chercher Zeev et Sonia, hoqueta-t-elle en lui attrapant la main. Vite, ça vient !

Zeev arriva le premier. Il fit irruption dans la maison, moustache hérissée et yeux combatifs, Sonia sur ses talons, essoufflée d'avoir couru. Derrière eux entra la horde d'enfants qui suivaient partout le vénéré numéro deux de l'Organisation et qui avaient été chargés de ramener d'urgence le couple. Les gamins furent évacués et reprirent leur poste d'observation derrière le muret, attendant le moment où on leur confierait une nouvelle mission.

Froïke, qui s'était préparé au coup de poignard que lui infligerait la vue des deux tourtereaux (chaque fois qu'il les avait rencontrés ensemble, elle rayonnait et lui avait un sourire qui s'étirait jusqu'au coin des yeux), constata aussitôt le changement : Sonia était pareille à une bougie éteinte, Feinberg avait un visage dur et triste. Tout le temps qu'ils passèrent agenouillés auprès de Bella, l'un à sa droite et l'autre à sa gauche, il put les examiner à son gré. Il observa comment Sonia sortit faire chauffer de l'eau, puis comment son mari l'accueillit à son retour. Par-delà leurs gestes efficaces, leurs paroles apaisantes et les gémissements de la parturiente se révéla petit à petit une évidence surprenante, voire révolutionnaire : les yeux de Zeev n'avaient pas une seule fois croisé ceux de Sonia, dont la voix, qui avait toujours été chaude et grave, sonnait à présent aussi faiblement que celle d'une personne égarée qui appelle au secours et sait qu'elle ne sera pas entendue.

— Inspire profondément, Bella, les enfants sont allés chercher le médecin, il ne va pas tarder à arriver.

— Non, il ne viendra pas ! Il ne viendra pas ! s'écria soudain le gamin revenu le premier. La madame a dit qu'il était parti s'occuper d'un malade qui a beaucoup de fièvre !

Les deux amis se consultèrent du regard au-dessus du ventre parcouru de vives contractions.

— Je l'emmène dans ma voiture, déclara alors le numéro deux de l'Organisation. Vous, vous restez là, au cas où Markovitch reviendrait.

— Franchement ? Avec ta façon de conduire ? Tu la secoueras tellement à chaque virage que l'enfant naîtra bien avant d'arriver à l'hôpital ! C'est moi qui vais l'emmener, annonça Zeev d'un ton sans réplique.

Le lieutenant-commandant voulut protester, mais lorsqu'il vit avec quelle ferveur Feinberg essuyait la sueur du front de Bella, qu'il remarqua la manière dont il se pinçait la moustache de la main droite (tic réservé aux situations particulièrement graves), il se contenta de proposer :

— Dans ce cas, allons-y ensemble.

— Non.

La voix qui venait de parler était si faible qu'il crut entendre Bella.

— Zeevik va l'emmener, poursuivit Sonia. Toi et moi, nous resterons ici.

Si le mari fut étonné par la décision de sa femme, il n'en montra rien. Il continua à essuyer conscien-cieusement le front de Bella tout en surveillant son ventre. Froïke, pour sa part, dévisagea celle qui venait de s'exprimer.

— Eh bien, d'accord, dit-il en tirant de sa poche les clés de l'automobile.

Cinq minutes plus tard, il se retrouva seul avec Sonia. Elle alla vider dans la cour la bassine d'eau bouillante tandis qu'il cherchait comment occuper ses mains. Lorsqu'elle s'assit près de lui sur le canapé, il s'efforça de ne respirer que par la bouche, tant il appréhendait l'effet qu'aurait sur lui son parfum d'orange.

— Tu te rends compte, Éfraïm… Maintenant tout est calme et tranquille ici, mais demain, après-demain au plus tard, la maison retentira de gazouillis et de pleurs de bébé.

Elle n'attendait pas de réponse, qui de toute façon ne vint pas. Avoir entendu Sonia prononcer son nom rendit le valeureux héros sourd aux mots qui suivirent. Lorsqu'elle l'embrassa, il détourna le visage.

— Attends. Laisse-moi d'abord te débarrasser de lui.

— De qui ?

— De ton chagrin.

Et il l'embrassa, du menton jusqu'en haut du front, il la couvrit de centaines de petits baisers qu'il sema un peu partout. Entre la bouche et le nez. Sur les joues, les narines, les yeux. Et à chaque baiser il aspirait le doute malsain qui s'était déposé sur elle. Lorsqu'il se rendit compte que cela ne suffisait pas à briser le masque de glaise qui avait durci sur son visage, il commença à la lécher, en longs coups de langue. Il lui lécha les joues, les yeux, le nez, les oreilles. Au moment où elle éclata enfin d'un rire franc, où retentirent à nouveau ses ronronnements de lionne excitée, où elle le frappa de toutes ses forces en le suppliant de cesser et le traita de criminel, alors seulement il s'arrêta, lui prit la tête entre des mains tremblantes et l'embrassa longuement sur la bouche.

Le canapé grinçant de Yaacov Markovitch manqua de s'effondrer sous leur poids. Il était grand et elle n'avait rien d'une maigrelette. Cette couche avait certes été habituée aux gesticulations et aux érections nocturnes de son propriétaire, mais le couple qui s'y ébattait pesait au moins le double, et c'était sans compter le poids de l'attente éperdue – trente mois de séparation, des dizaines de caisses d'oranges achetées au port de Tel-Aviv et un grand espoir.

Malgré la volonté de Froïke de se laisser entièrement happer par ses ébats amoureux, force lui fut de constater que Sonia avait changé depuis la dernière fois qu'ils avaient couché ensemble. À l'époque, son corps était une immense fête foraine qui les accueillait tels deux enfants venus y découvrir monts et merveilles. À présent, elle se donnait à lui avec l'obstination du désespoir, comme quelqu'un qui ne cherche pas tant le plaisir physique qu'un remède à une âme meurtrie.

Allongé sur le dos, les membres agréablement détendus, il se mit à dessiner du doigt des cercles autour des mamelons de Sonia. Sur la bouche de la jeune femme pointa alors un faible sourire, si doux qu'il prit son courage à deux mains, se releva et lui baisa les commissures des lèvres.

— Je sais ce que tu vas répondre, mais je pose tout de même la question, dit-il.

— Si tu sais ce que je vais répondre, pourquoi la poser ?

195

— Au cas où tu me surprendrais. Et puis, comme ça, je pourrai au moins me dire que j'ai essayé de te convaincre de venir avec moi. Et si tu me suivais, Sonia ? Pourquoi pas ? Tu n'es pas heureuse ici. Ne cherche pas à me mentir. Je l'ai bien vu, que tu n'étais pas heureuse ici.

— Heureuse ? répéta Sonia, dont les yeux s'arrondirent d'étonnement. Depuis quand bonheur et amour vont-ils de pair ?

Ils continuèrent à parler de choses et d'autres. Elle l'écouta avec attention lorsqu'il évoqua la seule et unique lettre qu'il avait reçue de sa famille restée en Europe, puis les difficultés rencontrées lors d'une de ses dernières missions. Elle riait en même temps que lui, s'assombrissait en même temps, et, de sa main droite, elle se caressait le ventre. Un ventre d'où naîtrait, neuf mois plus tard, le fils aîné de Zeev Feinberg.

PENDANT

1

Jamais dans le village on n'avait vu deux enfants aussi proches que le fils de Yaacov Markovitch et celui de Zeev Feinberg. Certes, Zvi Markovitch avait dû attendre neuf longs mois la venue au monde de Yaïr Feinberg, mais, dès que celui-ci sortit du ventre de sa mère, les garçons devinrent inséparables. D'ailleurs, au cours de ces neuf longs mois, Zvi avait refusé de grandir. Ses parents, inquiets et perplexes, avaient craint un handicap causé par quelque problème passé inaperçu au cours de l'accouchement. Le bébé pleurait à peine, rampait à peine, se retournait paresseusement, il occupait son temps à fixer avec attention le vide devant lui. Bella avait beau lui offrir le sein, il refusait de téter, et lorsque son père lui tendait un jouet qu'il avait fabriqué (par exemple une étoile formée avec des morceaux de bois assemblés) il détournait la tête, comme pour dire : non, le moment n'est pas encore venu. Jusqu'au jour où il entendit les premiers pleurs de Yaïr Feinberg, des pépiements hoquetés qui fendirent l'air du village et l'écorce de son immobilisme. Il ouvrit grand les yeux, deux lacs bleus insondables, et ouvrit aussi grand la bouche. En entendant le son qui en jaillit, Bella saisit la main de Markovitch.

— Il a ri ! s'exclama-t-elle. Il a ri !

À partir de cet instant, il ne cessa de rire que pour manger et la maison s'emplit de babillages joyeux. De même que la cour. Et parfois, alors qu'il labourait sa parcelle, l'heureux papa avait l'impression d'entendre, entre les herbes, des éclats cristallins que le vent portait jusqu'à lui.

Mais un jour, ce furent des bruits de guerre qui lui arrivèrent pendant qu'il sarclait sa terre. Non pas que les canons se soient mis à tonner. Ni que des salves nourries aient déchiré l'atmosphère ou que le sol ait commencé à trembler sous les pas cadencés. Pourtant, Yaacov Markovitch posa sa houe et se hâta de rentrer. Les champs déserts qu'il traversa confirmèrent ses craintes. Tout le monde avait entendu la même chose que lui et se hâtait pareillement. À l'instar des chevaux qui se cabrent à l'approche d'une tempête, à l'instar des oiseaux qui se taisent une demi-heure avant le déclenchement d'un séisme, les hommes avaient senti, avec cet instinct aiguisé au fil des générations, l'imminence d'un grand chambardement.

Dans le village lui-même régnait la confusion la plus totale. Certains couraient acheter des vivres, d'autres préféraient étendre le linge pour que la guerre ne les surprenne pas sans chaussettes de rechange, d'autres encore essayaient de récupérer toutes les sommes d'argent qu'on leur devait (en une telle période, chaque sou comptait !), mais, ce qui frappait le plus, c'était la vitesse à laquelle tous agissaient. On roulait vite, on parlait vite, on se saluait vite, on se bagarrait vite et on se réconciliait aussi vite. On distribuait même des fessées sur un rythme accéléré, dans l'espoir d'inculquer aux enfants un peu de savoir-vivre avant que la guerre vienne leur enseigner le pire. Au sein de cette fourmilière en ébullition, seule Rachel Mandelbaum se distinguait par sa lenteur, son indolence méditative, elle qui marchait dans la rue d'un pas mesuré et semblait ne rien remarquer de l'effervescence autour d'elle. Si on la heurtait par mégarde, c'était elle qui s'excusait en bafouillant et continuait à avancer sous les haussements de sourcils étonnés de ceux qui reprenaient alors leur route. Mais le jour où elle croisa Yaacov Markovitch, elle s'arrêta et extirpa du plus profond d'elle-même un sourire sincère.

— Markovitch, si toi aussi tu es passé à la vitesse supérieure, c'est donc vrai ce qu'on raconte ? Une guerre va éclater ?

Il regarda attentivement la femme qui se tenait devant lui. Comme elle paraissait fragile ! Depuis son accouchement sous le caroubier, elle sortait rarement. Sa peau avait tellement pâli qu'elle en était quasiment transparente et ne masquait plus la tristesse accumulée dans ses glandes lacrymales. Il la fixa droit dans les yeux et se dit que c'étaient eux, ses yeux bruns et profondément enfoncés, et non le couteau du boucher, qui faisaient pleurer les bêtes à l'abattoir.

— Vrai, déclara-t-il. Une guerre va éclater. Peut-être est-ce déjà fait. De toute façon, c'est inéluctable.

Voyant le sourire de Rachel s'affaisser d'un coup, il se demanda s'il avait eu raison de lui dire la vérité, s'il n'avait pas mal estimé la capacité de résistance de son interlocutrice : au mot d'« inéluctable », la malheureuse avait tant blêmi qu'il eut l'impression de voir ses pensées flotter dans ses veines. Comment pouvait-elle accepter d'être rattrapée par la guerre, elle qui était partie si loin pour y échapper ? Dominant les murmures des villageois après avoir traversé les champs, les vignes et la Méditerranée, le craquement de la tête explosée venait de rattraper Rachel. Elle revit le visage du vieux Juif qui toussait et suppliait en vain, passait de main en main à la merci des jeunes voyous quelque part à Vienne, et elle se rendit compte, stupéfaite, que dans les yeux de ce malheureux elle retrouvait le même désespoir que dans ceux des vaches qui regardaient Abraham Mandelbaum affûter sa lame. Oui, c'était bien le même regard, exactement le même, celui qui se révèle chaque fois que surgit la conscience de la mort, fleur noire qui couvre de ses pétales veloutés toute forme d'entendement. Elle ne se détacha de cette image seulement lorsque Markovitch se racla la gorge pour attirer de nouveau son attention. Le dévisageant, elle ne vit qu'une seule et même expression aux abois, perplexe et animale, identique à celle qu'arboraient les chèvres, les moutons, les oies, les agneaux, et à présent tous les habitants du village. Ils flairent leur propre mort, comprit-elle, ces gens qui s'empressent d'acheter des vivres, de raccommoder des chaussettes et de corriger les marmots effrontés. Au fond, ils ne sont pas différents des bêtes qu'on mène à l'abattoir. Cette pensée précipita son pas. En fait, elle se mit à courir, plantant là son interlocuteur qui, ahuri, resta cloué sur place.

Pas pour longtemps. À peine Rachel eut-elle disparu qu'il vit la silhouette de Feinberg débouler, moustache éruptive, et il décida de lui emboîter le pas, convaincu qu'un tel homme savait quel comportement adopter lorsque le bruit des armes crève les tympans. Erreur. Les oreilles de son ami ne captaient que les babillages enfantins et restaient sourdes à tout autre bruit. Si son pas précipité et sa moustache dressée lui donnaient une fière allure de chef militaire, la réalité était tout autre : ses poils dansaient joyeusement au rythme d'une comptine qu'il se fredonnait et ses pieds tenaient la cadence parce qu'il allait rejoindre son fils.

— Markovitch ! Comme je suis content de te voir. Si tu savais ! Le petit marche presque. À son âge ! C'est exceptionnel, tout à fait exceptionnel !

Et l'heureux papa de continuer à vanter les mérites de son rejeton, et Markovitch de continuer à hocher la tête, au risque d'attraper un torticolis. Il finit tout de même par oser interrompre ce flot enthousiaste (Et son caca, il ne sent presque pas mauvais ! C'est exceptionnel, tout à fait...) pour demander à Feinberg s'il savait quelque chose sur une guerre imminente.

Face à cette question, le moustachu resta sans voix et le dévisagea avec étonnement. Une guerre ? Un mot presque oublié au milieu des langes, des casseroles d'eau chaude et des berceuses. Depuis la naissance de Yaïr, le parfum d'orange qu'exhalait Sonia se mêlait à celui du lait maternel et Feinberg passait d'une pièce à l'autre, emplissant ses poumons de ce merveilleux cocktail qui transformait tout l'intérieur de son être en sucre d'orge.

L'aveuglement constitutif au genre humain fait que l'on modèle toujours autrui à sa propre image. Ainsi, la femme querelleuse s'imaginera voir de la malveillance même dans un regard aimant. Ainsi, l'homme dont le cœur aura ramolli sous l'effet bienheureux d'exhalaisons d'orange et de lait maternel croira à tort que tous les cœurs ont ramolli. Or, loin s'en faut. Et tandis que Zeev Feinberg comptait et recomptait les doigts si mignons de Yaïr, d'autres comptaient et recomptaient les munitions dont ils disposaient. Tandis qu'il pressait des grenades et en tirait du jus bien rouge pour son petit, certains s'entraînaient à lancer une autre variété de grenades, de celles qui transforment les hommes en bouillie bien rouge. Submergé d'amour, l'infatigable papa n'avait rien vu venir, et la seule chose qu'il trouva à dire, lorsque son ami insista et lui montra à quel point il se trompait, fut :

— Quel gâchis.

Bien entendu, il se ressaisirait très rapidement, mettrait son fusil en bandoulière et partirait tuer – principalement des Arabes. Mais pendant tout un temps, l'odeur de poudre et de chairs calcinées tenterait en vain de pénétrer dans ses narines : il ne sentirait qu'un doux parfum d'orange et de lait qui transformait tout l'intérieur de son être en sucre d'orge.

2

Est-il possible de traverser une guerre en préservant son âme pure et en continuant à dormir du sommeil du juste ? Est-il possible d'avoir le corps meurtri, mais le cœur intact ? Certes, on trouve des précédents dans la littérature. Les fils d'Israël ont quitté l'Égypte sous les sanglots de millions d'Égyptiennes pleurant leurs bébés morts, sans en avoir les pieds mouillés ou salés – que ce soit par les lames de la mer ou les larmes des mères. Lorsque les eaux se sont scindées en deux afin qu'ils puissent passer au sec, y a-t-il eu quelqu'un parmi eux pour s'arrêter, ramasser un poisson violacé se tortillant sur le sable et le sauver en le relançant dans les vagues ? Ainsi allait Zeev Feinberg. Il arpentait les champs de bataille d'un pas assuré mais les yeux fermés, même lorsqu'il en ouvrait un derrière son viseur. Peut-être est-ce grâce à cela qu'il ne ratait jamais sa cible.

Par une nuit de mai particulièrement brumeuse, quelques mois après sa rencontre avec Yaacov Markovitch qui l'avait tiré de sa béatitude paternelle, il montait la garde quelque part dans le nord, les sens en éveil, le regard fouillant l'obscurité. Par souci d'exactitude, il nous faut reconnaître qu'il ne consacrait à sa tâche que la moitié de son acuité visuelle, l'autre moitié étant occupée à reconstituer les traits de Yaïr dans les bras de Sonia. Partager en deux sa vision ne favorise pas le discernement, surtout pour un guetteur. Rien d'étonnant donc à ce qu'il ait mis si longtemps à remarquer la silhouette qui arrivait du village arabe censé être sous sa vigilante surveillance.

Lorsqu'il ajusta ses jumelles, il vit, malgré l'épais brouillard, que le jeune homme au loin se faufilait discrètement, passait d'un arbre à l'autre en regardant de tous côtés et se rapprochait dangereusement. De temps en temps, il tâtait le gros sac qu'il portait sur le dos, comme par peur de le perdre. Voyant cela, Zeev Feinberg n'hésita pas une seconde : à l'évidence, il s'agissait d'une charge explosive que l'intrus allait peut-être poser sous le pont. Lorsque les hommes se battent, c'est la terre entière qui est mise sens dessus dessous, on arrache les plantations et on fait sauter des ponts qui retombent en une pluie de petits cailloux fort préjudiciables aux reptiles. Ici, on prenait les porcs-épics et les chacals pour des êtres humains et on les transperçait de balles qui ne leur étaient a priori pas destinées ; là, le sang noircissait l'herbe, les fleurs ployaient sous les monceaux de cadavres. En vérité, la guerre était une affaire sacrément déplaisante, ce que le jeune infiltré avec une charge sur le dos n'allait pas tarder à découvrir puisque Feinberg armait déjà son fusil. Et comme chaque fois qu'il visait un ennemi dans l'obscurité il ne ressentait rien d'autre que l'envie d'en finir au plus vite pour recommencer à fermer les yeux et à se délecter du visage de son fils, il tira sans hésiter. Le sifflement de la balle fut aussitôt suivi de pleurs enfantins qui déchirèrent la nuit. Il lâcha son arme.

Elle avait seize ans. Peut-être moins. C'étaient ses seins menus et son corps d'adolescent qui l'avaient induit en erreur. Sur son dos, enveloppé dans une couverture, elle portait l'enfant qu'il avait pris pour une bombe. Il s'arrêta au-dessus d'eux, le souffle court. Alerté par les gémissements du bébé, il avait bondi hors du poste de garde et s'était élancé vers la silhouette à terre, mais à présent il n'entendait plus rien sauf, au loin, les chuchotements des soldats et de leur commandant qui avançaient vers lui sans se presser. À l'évidence, ils n'avaient pas hâte de découvrir la scène qui les attendait. Zeev Feinberg s'agenouilla à côté du cadavre de la jeune fille. Elle gisait, face contre terre, bras écartés. Sous la couverture qui lui servait de harnais pointaient deux petites menottes. Un instant, un instant de grâce, il crut en voir remuer les doigts. Puis la lune se leva et balaya toute hésitation quant à la nature du cercle sombre qui, au milieu de la couverture, s'étalait autour du point précis où la balle qu'il venait de tirer avait atteint le petit, puis le grand corps. La terre portait sur son dos une mère morte qui portait sur son dos un enfant mort. Ils avaient tous les deux les bras en croix, dix doigts effilés et dix doigts minuscules. Le sol argileux s'imbiba de rouge, sangs mêlés de la mère et de l'enfant, sangs encore chauds, aussi chauds que les larmes de celui qui les avait tués.

Quelques semaines plus tard, il fut renvoyé chez lui, déclaré inapte au combat. Une odeur de lait maternel aigre et d'orange pourrie le poursuivait, s'infiltrait dans ses narines, tellement puissante qu'il avait brûlé ses vêtements dans l'espoir de s'en débarrasser. Ses hommes eurent beau se précipiter pour éteindre le feu, il avait recommencé. Par cinq fois. Jusqu'à ce qu'un haut gradé, espérant peut-être que sacrifier une chemise et un pantalon lui rendrait sa sérénité, l'autorisât à brûler ce que bon lui semblait. Mais l'âme par nature se cramponne à sa douleur, même si la matière est réduite en cendres. L'odeur de lait caillé et d'orange pourrie ne fit que se renforcer, devenant de plus en plus prégnante. Elle arriva même à s'introduire dans le sommeil de Feinberg. Il se réveillait désormais très souvent en hurlant qu'il se noyait dans du lait maternel putride. Ses rêves étaient si terrifiants qu'il cessa rapidement de dormir. Pour se tenir éveillé, et surtout pour se débarrasser de cette puanteur terrible, il se lavait sans cesse le visage, le frottait à l'eau froide puis à l'eau bouillante, le frictionnait, avec des feuilles d'arbre d'abord, avec du gravier ensuite. Sa peau pelait, mais il ne renonçait pas. Au contraire. Chaque fois qu'il retirait de ses joues une nouvelle squame comme s'il s'était agi d'un emballage cadeau, il se disait que voilà, il lui suffirait de frotter encore un peu pour en terminer avec le lait aigre et le visage du bébé qui n'en connaîtrait jamais le goût.

Les cris de Sonia, lorsqu'elle vit arriver son mari, retentirent à travers tout le village. La cause n'en était pas tant son aspect extérieur (bien que les récurages incessants aient transformé son visage en plaie béante), ni la puanteur qu'il dégageait (bien qu'il se soit vautré dans tout ce qu'il avait trouvé en chemin pour fuir l'odeur qui refusait de le lâcher), mais ses yeux, auparavant si bleus et si confiants, qui paraissaient maintenant avoir été dévorés par de l'acide. Il passa devant elle sans la voir et refusa obstinément de regarder Yaïr. Craignait-il de souiller l'innocence de son fils s'il le faisait ?

Il ne parla pas à sa femme de la balle qui avait tué le bébé et sa mère. Et elle ne lui posa pas de questions. Dans un premier temps, elle crut qu'elle agissait ainsi pour l'épargner. Pour laisser la blessure se cicatriser. Mais lorsque Morphée libéra son mari des chaînes diurnes qui entravaient sa langue et qu'il commença à marmonner des horreurs dans son sommeil, elle se couvrit les oreilles avec des mains tremblantes. Elle ne voulait pas entendre. La nuit, dès qu'il se mettait à hurler, elle se faufilait hors de chez elle, bravant l'éclat réprobateur des myriades d'étoiles qui parsemaient le ciel, incapable de se résoudre à rentrer. Elle partageait son lit avec un fauve blessé qui avait pris l'apparence de son mari. Elle avait beau s'exhorter à regagner sa couche et à embrasser le malheureux qui se débattait dans d'atroces cauchemars, ses jambes s'y refusaient. Jamais elle n'avait oublié le drame auquel, enfant, elle avait assisté le jour où un homme avait perdu pied dans un lac et appelait à l'aide en agitant les bras, alors que les femmes, sur la berge, criaient d'impuissance. Lorsque, enfin, un passant s'était jeté tout habillé dans l'eau bleue pour le tirer de là, le sauveur avait été entraîné par le fond, incapable de résister à la force du noyé décuplée par la panique. On ne retrouva leurs corps qu'une semaine plus tard, dans un état de putréfaction tel que même leurs veuves eurent du mal à les séparer et à déterminer qui était qui. Bien des années avaient passé depuis cette tragédie. Elle ne se tenait plus au bord d'un lac bleu, mais face à des draps de coton blanc, pourtant elle ne parvenait pas à se décider à tendre la main vers l'homme qui se noyait au fond de son lit, de peur d'être elle-même entraînée vers les abysses.

Elle avait honte de sa lâcheté, mais plus elle avait honte, moins elle avait la force d'affronter la situation. Et comme elle n'osait pas poser de questions sur le secret qui dévorait son mari, elle choisissait d'autres sujets de conversation. On peut toujours parler du soleil, d'un pied de chaise cassé, des gros titres des journaux. Cependant, force lui fut de constater qu'elle se trouvait bien souvent à court d'idées.

De jour en jour, Feinberg, quant à lui, sentait son mal empirer. Au point que le non-dit arrêta les rayons du soleil, couvrit de son ombre toute sa maisonnée et en obscurcit les pièces à l'intérieur. Le moindre mot devint un danger. Le secret était tapi derrière chaque phrase, chaque métaphore. Si par exemple il voulait simplement dire à Sonia : « Tu sais, ce sera bientôt le printemps », il craignait qu'à la place ne se faufile son terrible aveu et qu'il ne lâche : « Tu sais, j'ai tué une femme et un bébé, la femme embrassait la terre et le bébé embrassait la femme. » Voilà pourquoi il se taisait. Elle aussi se taisait. Et Yaïr, qui était à l'âge où les enfants commencent à tester sur leur langue le goût des premiers mots, regardait ses parents et se taisait lui aussi.

3

Yaacov Markovitch n'avait eu aucune nouvelle de son ami depuis leur fameuse rencontre juste avant la guerre. Il avait lui-même été envoyé en Galilée quelques semaines plus tard. À vrai dire, il ne s'était pas mis en route de gaieté de cœur. Ses supérieurs avaient dû venir frapper chez lui, le réveiller à grands coups dans la porte et lui intimer l'ordre de s'habiller sur-le-champ pour accomplir immédiatement son devoir. Malgré tous leurs efforts pour se concentrer sur les traits brouillés de Yaacov Markovitch, aucun d'eux ne put empêcher ses yeux de loucher vers sa sublime épouse. Même avec un bébé agrippé à son cou, elle avait des yeux qui étincelaient dans l'obscurité, et ses cheveux d'or, maintenus en queue-de-cheval sur sa nuque, évoquaient une gerbe de blé. Ce fut vraiment à contrecœur qu'ils se détournèrent d'elle pour houspiller le mari :

— Qu'est-ce qui se passe, mon gars, pourquoi tu traînes ?

La réponse, ils étaient tous conscients de l'avoir face à eux : s'il traînait, c'était à cause de cette femme qui le dépassait d'une tête ; qui ne lui accordait pas le moindre regard et le laissait s'empêtrer dans son refus de les suivre ; qui n'accordait pas davantage d'attention aux gradés, lesquels pourtant élevaient la voix ; qui fixait la nuit de ses yeux vagues et n'entendait que le chant des grenouilles alors qu'on parlait devant elle de vie et de mort.

Finalement, ils furent obligés de le menacer de lui confisquer ses biens. Cette terre, que l'administration centrale lui avait allouée des années auparavant, n'était pas destinée aux déserteurs. En haut lieu, des gens miséricordieux l'avaient mise entre des mains sionistes pour y faire pousser des moissons sionistes. L'heure avait sonné, pour certaines de ces mains, de troquer la houe contre le fusil.

— Au cours de toutes ces années, j'ai cultivé la vigne, l'olivier et aussi l'abricot, répliqua Yaacov Markovitch après les avoir écoutés. Les arbres ont donné des fruits, parfois sucrés, parfois acides, selon les années. Parfois ils restaient verts, parfois ils étaient mangés par les asticots. Mais jamais, au cours de tout ce temps, je n'ai fait pousser de fruits ni de légumes sionistes. L'olive reste une olive, le pied de vigne n'est pas autre chose qu'un pied de vigne, et l'abricot, un abricot.

À ces mots, les responsables militaires commencèrent à se demander si cet homme serait vraiment capable de se battre. Leurs yeux se posèrent à nouveau sur l'épouse. Certes, le mari venait de leur servir des inepties fort bien tournées, mais un seul regard sur Bella Markovitch leur suffit pour comprendre qu'il essayait simplement de se faire passer pour un idiot.

Ce n'était ni pour les olives, ni pour la vigne, ni pour les abricots qu'il se cramponnait à cette terre et reniait toute idéologie. Mais comment accepter que, tandis que ses frères d'armes se glisseraient au fond des tranchées, lui se glisserait contre le corps somptueux de cette femme ? Non, non, hors de question ! Soit il les suivait immédiatement, soit il se mettait en quête d'un autre toit pour abriter sa petite famille.

À cet instant, Zvi cessa de jouer avec les cheveux de sa mère et éclata en sanglots.

— Je vous suis, déclara Yaacov Markovitch après avoir jeté un rapide coup d'œil à son fils.

Et il alla rassembler ses affaires. Les soldats attendirent sur le seuil, face à la mère et à l'enfant. Lorsqu'ils osèrent à nouveau loucher vers elle, ils ne comprirent pas ce qui s'était passé : l'or des cheveux avait viré au blond banal, la gerbe de blé s'était transformée en mèches bouclées mal coiffées, ses yeux brillaient encore dans l'obscurité, mais plutôt comme ceux des chats ou des vaches lorsqu'on les croise en pleine nuit. Bref, dès que son mari s'était détourné, Bella était tombée de son piédestal pour devenir une femme de chair et d'os. Lorsqu'il réapparut, barda à l'épaule, il déposa un baiser sur la tête de son fils, qui cessa de pleurer pour considérer son père avec surprise : jamais auparavant celui-ci ne l'avait embrassé. Les lèvres sèches et gercées qui se pressèrent contre son crâne, juste à la limite du front, y déposèrent leur chaleur et toute la tristesse de la séparation.

Yaacov Markovitch se tourna ensuite vers sa femme et la fixa intensément. Et pour les militaires, bouche bée, ce fut comme si cet homme avait approché une allumette d'un feu déjà éteint, qui se serait rallumé d'un seul coup : Bella redevint la plus belle femme qu'ils aient vue de leur vie. Comment cette chevelure avait-elle pu leur paraître d'un blond terne alors qu'à l'évidence elle n'était constituée que de fils d'or pur (assura l'un d'eux) ou de tresses au miel (renchérit un autre). Ils en étaient encore à discourir là-dessus lorsque le mari fit un pas, un seul, en direction de sa femme. Tous les autres détournèrent la tête, il est normal de laisser un homme, fût-il déserteur, se séparer correctement de son épouse et de son fils. Ils se concentrèrent donc sur le sol et les laissèrent se prendre dans les bras, attendant le vrai baiser, lèvres sèches et fendillées contre lèvres rouges et charnues, qui les unirait. Sauf que rien de tel ne se produisit en l'occurrence : ils restèrent juste à se regarder fixe- ment, et peut-être auraient-ils continué ainsi pendant de longues minutes si les soldats, ayant décidé que même les adieux les plus émouvants avaient une fin, ne s'étaient raclé la gorge. Markovitch se tourna vers eux et commença à s'éloigner. Il se sentait plus léger à chaque pas, moins réel. Le centre de gravité de son existence, cette obsession qui était devenue son essence vitale, restait dans sa maison, protégé par des murs de pierres et entouré d'oliviers, de vignes et de quelques abricotiers.

Il arriva en Galilée quasiment en état d'apesanteur. Le jour, il participait à des combats absurdes, la nuit il écrivait des lettres absurdes. Bella n'y répondait jamais. Pourtant, elle les lisait, avec les yeux étonnés de ceux qui écoutent le chant d'un oiseau mais n'y comprennent rien. Markovitch ne disait pas un mot des batailles. Non par souci d'épargner sa femme, mais parce que, même s'il se trouvait pris dedans depuis qu'il était parti de chez lui, il ne s'était pas vraiment heurté à la guerre. Ou plutôt, la guerre n'avait pas réussi à pénétrer son être, totalement envahi par Bella. Les individus de son espèce évoluent avec l'indifférence d'une coccinelle, peu importe le drapeau qui flotte au-dessus de leur tête. Évidemment, il n'était pas un coléoptère, mais un agriculteur idéaliste, ayant d'ailleurs à son actif quantité d'armes passées clandestinement et de nombreux exploits guerriers. Mais il marchait comme quelqu'un qui, tiré de son sommeil en plein rêve, continue à entendre sous son crâne les appels de personnages imaginaires sans savoir s'il doit ou non les écouter. Les cris de ses supérieurs et de ses camarades de combat ainsi que le fracas des bombes ne lui parvenaient que de loin, se mêlaient en un brouhaha si étouffé qu'il doutait parfois de leur réalité. En fait, tout ce qui n'était pas la voix de Bella lui paraissait irréel et il se détachait de plus en plus de ce monde. Peu lui importait qu'on le secoue, qu'on lui hurle dessus, qu'on le moleste, il passait ses journées à préparer ce qu'il écrirait à sa femme le soir venu.

Et pendant que Yaacov Markovitch combattait en Galilée, Bella Markovitch combattait dans le village. On n'avait certes pas vu le bout du nez d'un ennemi sur le seuil des maisons ou dans les plantations, mais les querelles de voisinage peuvent tout autant vous pourrir l'existence. Les femmes étaient fatiguées, inquiètes et irritables, quant aux enfants, ils étaient le reflet exact de leurs mères. Ils pleuraient pour n'importe quoi et les sanglots se propageaient de l'un à l'autre aussi vite que la varicelle. De plus si, aux premiers jours de la guerre, on partageait encore un sentiment de solidarité qui avait permis de lisser les poils chaque fois qu'ils se hérissaient, les semaines passant, chacune s'était retranchée dans son chagrin, empilant des briques de peur, d'angoisse et de rancœur.

— Incroyable, c'est maintenant qu'elle prépare de la confiture d'abricots !

— Et qu'est-ce que ça sent fort !

— En proposer aux autres, elle n'y a même pas pensé !

Et pourtant, lorsque Bella était venue leur en offrir, toutes avaient refusé. Les abricots avaient beau être rares cette année et l'odeur de sa confiture les faire saliver, hors de question qu'elles acceptent de manger une mixture préparée par cette femme-là. Car nul ne pouvait ignorer le changement qui s'était opéré en elle du jour où son mari avait quitté le domicile. Sa joie était si manifeste qu'elle chatouillait les nuages. L'or de ses cheveux aveuglait les enfants, ses yeux brillaient d'un tel bonheur que parfois ils induisaient en erreur les forces armées qui, de loin, croyaient y lire les signaux lumineux de quelque message codé. Pire encore, elle chantait ! Tant qu'elle se taisait, les autres femmes arrivaient à lui pardonner sa beauté cinglante. Après tout, elle n'y était pour rien. Mais à l'entendre chanter ainsi, comment ignorer qu'elle s'épanouissait ? Car tel était le cas. Et pour la première fois de sa vie, cela ne provenait d'aucun regard extérieur, mais bien de ce qu'elle vivait intérieurement. Voilà ce qui était impardonnable. Briller grâce au regard des hommes est une chose, rayonner de son propre chef en est une autre. En l'occurrence, la beauté de Bella Markovitch souillait tout le village.

Un homme part au combat. Que demande-t-il ? Que la terre cesse de tourner. Pour celui qui, de ses mains, a enterré ses camarades, la sereine germination des céréales est un crachat à la figure. Sans parler des champs de coquelicots. Quelle honte. Comment les plantations osaient-elles se laisser féconder avant le retour de ceux qui les possédaient ? Pourtant au village les arbres continuaient à donner des fruits, les coquelicots à rougir, les blés à pousser sur le même rythme qu'avant la guerre, et Bella Markovitch contemplait tout cela en fredonnant une chanson de sa composition. Elle ne songeait que rarement à son mari. La maison se défaisait de lui. Même ses biens les plus personnels, les écrits de Jabotinsky par exemple, se libéraient progressivement du poids de leur propriétaire. Parfois, tandis que Zvi construisait ses châteaux de sable, les pensées de sa mère vagabondaient par-delà les jours et les semaines et elle se demandait si les choses pouvaient perdurer ainsi indéfiniment, si son geôlier était effectivement parti pour ne plus revenir. Car alors, elle resterait entre ces murs de pierres, prison devenue enfin maison, et élèverait son enfant dans une solitude radieuse et bienfaisante.

Mais les lettres de son mari continuaient à arriver. Des mots qui dégoulinaient parfois de tant de sentimentalité qu'elle devait se laver les mains après leur lecture, de crainte de les sentir poisseuses. Une ou deux fois, tombant sur une métaphore trop rebattue, elle ne put réprimer un éclat de rire. Bien sûr, elle se le reprochait mais, si elle avait su à quel point elle se montrait magnanime à côté des mauvais traitements que lui infligeaient ses compagnons d'armes, elle se serait vite pardonnée. Dès le premier jour, ils avaient remarqué l'étrangeté de la nouvelle recrue. Tout en cet individu taciturne, pourtant vêtu du même uniforme qu'eux, criait sa différence. Durant les longues nuits, une fois le feu de camp éteint et les fadaises mâchées et remâchées jusqu'à en perdre toute saveur, il y en avait toujours un pour oser dérober le cahier du soldat Markovitch. Les hommes se rassemblaient alors pour lire à haute voix ce que le mari éperdu avait prévu d'écrire à sa bien-aimée, lecture qu'ils rythmaient de toutes sortes de soupirs et de halètements suggestifs. Le malheureux les suppliait, tapait du pied, donnait de la voix, mais tout cela ne servait qu'à attiser l'hilarité ambiante.

Un soir qu'il cherchait en vain son précieux cahier, il s'approcha d'une haie enveloppée d'un silence qui ne faisait que confirmer l'implication des soldats planqués derrière. Tous retenaient leur souffle, on aurait dit un peloton d'exécution sur le point d'appuyer sur la détente. Il se sentait observé par des dizaines de paires d'yeux aux aguets. Qu'allait donc faire ce guignol ? Courir d'un recoin à un autre dans une recherche frénétique ? Rester cloué sur place à se répandre en gémissements, parfait combustible pour guerriers désœuvrés ? Non, l'imbécile ne fit rien de tout cela. Les minutes passèrent, il restait immobile. Sans dire un mot. Alors la curiosité des gars se mua en lassitude. Dommage, ils allaient devoir se trouver une autre distraction pour la nuit. Ils en étaient encore à se demander de quelle manière ils iraient troubler le sommeil du gros première classe de la chambrée voisine lorsqu'ils entendirent le bruit d'un fusil qu'on armait. Yaacov Markovitch se tenait raide comme un piquet et visait les buissons où ils se cachaient.

— Le cahier. Tout de suite.

La plupart des hommes sont capables de discerner les différents bruits. Plus rares sont ceux qui savent identifier les différents silences. Leur supérieur était de ceux-là. Non seulement il distinguait facilement le cri du geai de la parade nuptiale de la chouette, mais il distinguait aussi le silence détendu de la terreur muette. Allongé sous sa tente, il n'avait rien entendu tant que ses hommes s'étaient amusés aux dépens de leur souffre-douleur, mais, à l'instant où Markovitch arma son fusil, il sentit l'air ambiant s'épaissir. Il se précipita dehors, pistolet au poing, et tomba nez à nez avec un première classe dont, jusqu'à cet instant, il n'avait même pas réussi à mémoriser le nom.

— Qu'est-ce que tu fais, soldat ?

— On m'a pris mon cahier, mon commandant. Je veux le récupérer.

— C'est pour ça que tu menaces les buissons ?

— Pas les buissons, mon commandant, ceux qui se cachent derrière.

Le supérieur plissa les yeux pour fouiller les branchages, mais ne vit rien. Les plaisantins, que la peur d'un geste fou avait réduits au silence, n'osaient même plus respirer, désormais, terrorisés par la présence de leur chef.

— Comment sais-tu, soldat, qu'il y a des hommes dissimulés derrière ?

— Je les sens, mon commandant. Je sens les quolibets à travers le feuillage.

Le supérieur scruta attentivement sa recrue. Il se fit la réflexion que parfois des dons hors du commun se cachent sous une apparence des plus ordinaires.

— Sortez de là, bande de chacals, et rendez-lui son cahier. Quant à toi, écris dedans ce que tu voulais écrire et viens me voir. J'ai à te parler.

Après avoir rapidement griffonné quelques phrases, Markovitch sortit de la tente, non sans avoir laissé son cahier bien en vue sur son lit de camp (comme s'il mettait ses camarades au défi d'y toucher). Il alla rejoindre le commandant qui, à sa vue, parut considérablement déçu et resta un long moment à l'observer. Lorsqu'il l'avait surpris braquant son arme sur les buissons, il avait senti que le feu qui couvait sous la chemise militaire risquait de réduire en cendres tout l'uniforme du soldat, transcendé par sa colère. Mais maintenant que celui-ci avait vidé son cœur entre les pages de son cahier, il ne restait rien de cette aura, et son visage avait retrouvé sa teinte grisâtre. Il était redevenu le Markovitch des temps de paix : un homme simple, sans rien de remarquable, aux manières gauches et aux yeux délavés.

— Tu comprends certainement que j'aurais pu te punir. Le fusil qu'on t'a confié n'est pas destiné à être retourné contre les nôtres.

Comme son première classe ne répondait pas, le commandant envisagea, non sans inquiétude, la possibilité que ses sens l'aient trompé. Il décida que, si le gars s'excusait pour son acte, la sanction tomberait.

— Si c'était à refaire, je le referais, affirma alors Markovitch en le regardant droit dans les yeux.

Quelle ne fut pas sa surprise de constater que son supérieur accueillait sa déclaration effrontée avec un grand sourire et qu'il l'invitait à s'asseoir d'un geste cordial.

— De la fougue, soldat, voilà ce que tu as. J'avoue être passé jusqu'à présent à côté de tes qualités, mais cette nuit a balayé tous mes doutes. C'est grâce à une telle fougue, et seulement grâce à elle, que nous arracherons l'indépendance de notre État.

Qu'une femme et non une parcelle de territoire à défendre ait suscité cette fameuse fougue ne perturbait en rien le commandant. Peu lui importait la raison d'une flamme tant qu'il pouvait la mettre à profit pour ses propres objectifs. Partout où sa carrière militaire l'avait entraîné, il avait cherché les rêveurs et les illuminés. Les autres hauts gradés ne voyaient pas ces initiatives d'un bon œil, mais lui savait que, en dépit de leur aspect ridicule, tous les obsédés – correctement manipulés – pouvaient former la meilleure unité d'élite que l'on puisse imaginer et qu'à eux seuls ils seraient capables de se battre mieux qu'une armée tout entière. Outre Markovitch, il avait déjà recruté pour son commando spécial un parieur compulsif arrivé en Palestine afin d'échapper à des créanciers américains. Après avoir vu la flamme qu'allumait dans ses yeux le moindre dé à jouer, le commandant avait décidé de le garder avec lui, malgré une judéité incertaine. Avant cela, il avait aussi insisté pour incorporer un jeune boiteux considéré comme inapte au service. Rejeton d'une famille très pieuse de Safed, fier de ses ancêtres, qui avaient toujours vécu en terre d'Israël, ce jeune homme avait quitté sa maison et sa ville natale après avoir reçu, en rêve, la visite de l'ange Ouriel, qui lui avait intimé l'ordre de rejoindre les combattants sionistes. En dépit de sa claudication, il avait fait à pied tout le chemin jusqu'au quartier général de la vallée de Jezreel. Le responsable du recrutement lui avait ri au nez, mais le commandant avait croisé son regard et ordonné qu'on lui trouve un uniforme. Sa dernière recrue : un commerçant de Jaffa, un Tunisien corpulent qui se noyait dans l'alcool, une passion qui avait englouti ses biens et sa famille. Il était en train de tabasser un cafetier qui refusait de lui servir un verre de plus lorsque le commandant s'était interposé, lui avait payé à boire et promis de continuer à l'abreuver généreusement s'il acceptait de le suivre.

Markovitch rejoignit ces trois illuminés peu de temps après l'épisode du fusil. À compter de ce jour, il logea dans une tente à part avec pour voisins de chambrée un joueur compulsif, un boiteux mystique et un buveur invétéré (mais à la poigne de fer). Il n'eut plus à s'inquiéter pour son cahier. Après y avoir jeté un rapide coup d'œil, ses compagnons comprirent que là résidait son obsession et le considérèrent avec autant de respect que lui-même considéra l'obsession de chacun d'entre eux. Voilà qui était nouveau pour lui. Les critiques méprisantes que lui avait attirées son comportement envers Bella l'accompagnaient depuis si longtemps qu'il les avait intégrées à son ronron quotidien, au même titre que les stridulations nocturnes des grillons ou le bruit de la cascade. Or soudain, dans cette tente où le commandant l'avait placé, plus la moindre réprobation, pas un soupçon de dénigrement. Rien que de la sympathie, voire de la bienveillance. Pour la première fois de sa vie, il goûtait au plaisir d'appartenir à un groupe.

La nuit, lorsque des éclats de rire et des chants montaient des autres tentes, nos quatre spécimens échangeaient des haussements d'épaules dédaigneux. L'un d'eux se lançait alors dans un long monologue à la gloire de son obsession et les autres l'écoutaient avec une admiration quasi religieuse. Yaacov Markovitch décrivait les yeux de Bella, le commerçant de Jaffa portait aux nues le velouté des spiritueux, le parieur chantait les louanges des faces de dé et le boiteux magnifiait l'ange Ouriel. Dès que l'un cessait de parler (non pas parce qu'il se fatiguait, ce qui bien sûr n'arrivait jamais puisque chacun aurait pu continuer à encenser éternellement l'objet de sa passion, mais par respect pour ses camarades), un autre prenait le relais. Ils restaient très souvent éveillés jusqu'au petit matin. Alors le boiteux souriait de satisfaction, rajustait sa kippa et murmurait des propos qui pouvaient laisser entendre que la venue du Messie était imminente. Lorsque le commandant venait les rejoindre sous la tente, il était ravi de constater à quel point la folie de l'un alimentait celle des autres. Ces quatre recrues discutaient volontiers avec lui, mais attendaient impatiemment son départ : depuis qu'ils s'étaient rencontrés, ils ne voyaient aucune raison de perdre leur temps avec des gens qu'aucune passion ne consumait. C'est qu'ils étaient loin de soupçonner que, malgré son bel uniforme et ses galons, ce haut gradé était un des leurs, et que sous l'aspect policé d'une verte pelouse couvait un volcan aux flancs rocailleux.

Jusqu'au jour où la lave jaillit. Le parieur était en train de raconter comment il avait dû abandonner sa maison à un créancier des plus cruels lorsque le commandant fit irruption sous leur tente, les yeux étincelants.

— Cette nuit ! rugit-il.

— Quoi, cette nuit ? demanda Yaacov Markovitch.

— Cette nuit. Nous prenons la citadelle cette nuit.

Et de leur avouer enfin qu'il nourrissait, lui aussi, une passion secrète : la citadelle fortifiée, celle qui se dressait à l'ouest et dominait la vallée. Dix ans qu'il frappait contre ses hautes murailles et attendait en vain une réponse ! À force, il s'était presque habitué à ne la désirer que de loin. Mais les Britanniques venaient de la céder aux Arabes, ce qu'il ne pouvait tolérer. Voilà sept jours qu'il n'en dormait pas, ses oreilles bourdonnaient des hurlements des vieilles pierres violées, des dalles écrasées sous les semelles ennemies. Il ne leur cacha pas que les chances de victoire étaient ténues, mais il préférait les affres de l'échec à la honte de la résignation. À peine avait-il terminé sa harangue que le boiteux le serra contre sa poitrine. L'ivrogne de Jaffa essuya discrètement une larme, tandis que le parieur sanglotait sans honte. Quant à Markovitch, il déclara :

— Nous sommes vos hommes.

Les autres approuvèrent à l'unanimité. Y a-t-il plus grand honneur que de combattre au nom d'une véritable passion, même si ce n'est pas la sienne ?

Ils lancèrent l'assaut en pleine nuit, Markovitch et

le parieur en tête. Le commandant dégageait une telle chaleur que tous deux transpiraient à grosses gouttes et avaient les joues en feu. Derrière eux avançait le buveur, le boiteux très reconnaissant sur le dos, ainsi qu'Ouriel peut-être puisque, au dire du jeune homme, l'ange était assis sur son épaule. Le reste du peloton suivait : des soldats qui brandissaient leur fusil d'une main tremblante et avaient commencé à s'inquiéter dès qu'ils avaient pris connaissance des instructions, avant même de quitter leur base sécurisée au fond de la vallée. Le peu d'armement dont ils disposaient et la position dominante des Arabes, perchés dans la citadelle, ne présageaient rien de bon.

Soudain, la lune apparut, argentée et traîtresse. Elle illumina les visages de quatre valeureux attaquants qui levèrent vers elle un regard affectueux : ne recevait-elle pas, comme eux, sa lumière d'un autre feu ? L'astre continua à éclairer de ses rayons la troupe qui progressait derrière eux, et les balles fusèrent sans plus attendre. Markovitch se rendit compte qu'il n'était pas surpris : il avait su dès le début qu'ils seraient tout de suite repérés. Cependant, les mots qu'il avait lancés sous la tente, il les aurait répétés avec la même conviction, et c'est plein d'enthousiasme qu'il se lança dans cet échec peut-être évident, mais qui valait tout.

La ferveur du commandant qui avançait vers la citadelle éclairait le visage de Markovitch, mais la peur des combattants qui le suivaient lui glaçait le dos. Le martèlement des pieds qui montaient avec lui cédait de plus en plus au bruit de cavalcade de ceux qui s'éloignaient,car nombre d'entre eux battaient en retraite. Lorsque la lune révéla le visage délirant du chef, la rumeur courut qu'il avait perdu la raison. Ne restèrent que les rares soldats qui voulurent le croire mû par sa témérité militaire et non par une folie obsessionnelle. (D'ailleurs, ceux qui prirent la poudre d'escampette passeraient leur vie à s'en justifier.) Markovitch et ses camarades s'élancèrent, le sourire aux lèvres, chacun donnant à l'imposante citadelle l'aspect de ses propres désirs. L'ivrogne modela les hautes murailles en une immense coupe remplie de la plus délicieuse des liqueurs ; le parieur savait qu'un bâtiment en forme de cube ne pouvait être qu'un dé géant lancé du ciel ; le boiteux vit, en haut de la tour de guet, l'ange Ouriel le viser de ses flèches et se laissa abattre sans la moindre difficulté. Yaacov Markovitch, pour sa part, avait compris que cette forteresse imprenable incarnait le refus de Bella. Il déposa un baiser sur le front du boiteux qui venait de s'écrouler sans vie et se jeta de plus belle dans la bataille. Au pied des murailles, il trébucha sur le corps du parieur qui avait mal évalué les risques d'être atteint par le même tireur embusqué qui avait tué le boiteux, lui ferma les yeux et se fit la réflexion que, malgré leur regard à présent vide, le visage de ses deux amis exprimait un intense plaisir. Il reprit sa course et fonça à l'intérieur de l'édifice. Il se frayait un chemin au milieu des Arabes lorsqu'il aperçut l'ivrogne étendu sur le dos, une baïonnette fichée dans le cœur. Le bienheureux se vidait de son sang en flots aussi rouges que le vin le plus délicieux.

Markovitch arracha la lame et s'en servit comme il

put tandis que les combattants autour de lui tombaient comme des mouches. Il eut le temps d'occire lui-même quelques ennemis avant d'entendre la voix de son commandant. Il crut cependant que le sifflement d'une balle perdue l'avait rendu sourd. Mais le cri se répéta.

— Reculez ! hurlait le chef.

Markovitch blêmit. Non, non, il n'était pas attristé par la mort de ses camarades, loin s'en faut ! Ce qui le bouleversa, ce fut de constater que celui qui les menait avait perdu le combat entre sa raison et sa passion. À cet instant, il vit Bella qui dormait paisiblement dans sa maison au village et cette vision, au lieu de l'envoyer hors du théâtre des opérations, le poussa à resserrer les doigts autour de son fusil, comme si c'était sa femme qu'il étreignait. Le gros des troupes commençait déjà à reculer, mais lui, pris de folie, continuait à tirer, enclenchait chargeur après chargeur et trouait l'obscurité de ses balles. Son délire se communiqua au commandant qui retrouva, grâce à lui, toute son ardeur. Dos à dos, ils se battirent pendant de longues minutes. Un sourire radieux sur le visage, le valeureux chef militaire à la large carrure et le banal première classe massacrèrent ensemble autant d'Arabes que possible. Deux soldats tellement beaux, tellement confiants, que, si on les avait peints ou pris en photo, leurs portraits se seraient retrouvés sur des timbres-poste. Malheureusement, ni peintre ni photographe ne se trouvaient dans les parages à ce moment-là et, à supposer qu'il s'en fût trouvé un, il aurait vraisemblablement été mort ou blessé, comme la plupart des hommes piégés dans la citadelle lorsque le jour se leva.

Les premiers rayons du soleil surprirent le commandant. À aucun moment il n'avait pensé survivre jusqu'au lendemain. Cinq heures auparavant, quand la lune s'était levée et avait révélé leur présence, il avait compris que le combat était perdu. Pourtant il n'avait pas hésité à poursuivre l'assaut. Et s'il avait fini par intimer à ses troupes l'ordre de reculer, c'était uniquement parce qu'il avait constaté que trop de soldats ne pouvaient plus lui obéir pour la bonne raison qu'ils gisaient à terre. Sachant que pour sa part il ne battrait pas en retraite, il ne s'était un instant écarté du chemin que par désespoir, parti en quête de quelque glaive contre lequel il pourrait se lancer pour périr tel Saül en son temps. C'est alors qu'il avait aperçu Yaacov Markovitch en plein délire. Les minutes qu'il avait passées dos à dos avec lui, face à la montagne, à tirer dans l'obscurité, avaient été les plus belles de sa vie. Il ne voulait pas laisser la lumière du soleil entacher son bonheur par l'image du drapeau ennemi flottant toujours au-dessus de sa forteresse adorée. Comment redescendre vaincu dans la vallée alors qu'il était presque arrivé au sommet ? Il resta encore un instant contre le dos de son subordonné puis se détacha, s'écarta, s'élança vers la ligne de feu. Markovitch n'eut pas besoin de se retourner pour savoir ce qui se passait, il tira encore quatre balles, une pour chacun de ses camarades tombés, puis lâcha son arme, fit volte-face et commença à descendre. Lorsqu'il passa devant le cadavre du commandant, il constata que le chef était tombé face contre terre. Le sifflement des balles autour ne lui permit pas de le retourner sur le dos, mais il savait que, s'il l'avait fait, il aurait trouvé un sourire béat sur le visage du mort.

4

Ce matin-là, Yaacov Markovitch rentra au campement fourbu, les jambes lourdes, le cœur brisé. Il ne parvint pas à trouver le sommeil et resta allongé sur son lit de camp pendant des heures, incapable d'étouffer les lamentations qui montaient des matelas autour de lui : de celui du marchand de Jaffa émanait encore une forte odeur d'alcool, au pied de celui du parieur patientaient plusieurs dés et deux jeux de cartes, et, sur celui du boiteux, le recueil de prières était toujours ouvert à la même page, celle où l'on pouvait lire : « À ma droite Michael, à ma gauche Gabriel, devant moi Ouriel, derrière moi Raphaël, et au-dessus de ma tête se tient la Présence divine. » Orphelin, le livre, tout comme la bouteille d'alcool et les dés, attendait. Songeant à ses camarades tombés sur la montagne, il comprit qu'il était à présent chargé d'une grande mission. Il prit la bouteille et en but une gorgée, lança un dé non sans avoir auparavant parié avec lui-même et gagné, ramassa le livre de prières, invoqua les anges et haussa le ton en prononçant le nom d'Ouriel, comme le faisait le boiteux (chose qui auparavant déclenchait l'hilarité dans la tente mitoyenne). Cette fois il n'entendit rien, soit parce que ses voisins n'avaient plus le cœur à rire, soit parce que ses propres larmes lui bouchaient les oreilles. Il passa ainsi toute la journée à boire, à parier et à prier. Il continua les deux jours qui suivirent, jusqu'au moment où un lieutenant vint lui annoncer que le nouveau commandant demandait à le voir.

Yaacov Markovitch, qui avait mis à profit les trois jours écoulés depuis la mort de ses camarades sur la montagne, avait réussi à transformer ses nouveaux talents en grand art. Il était maintenant capable de prier, boire et parier en même temps. Il commençait par prendre une grande lampée d'alcool puis, tandis que la boisson coulait onctueusement dans son gosier, il lançait un dé et se mettait aussitôt à prier de toute son âme pour que la déesse de la fortune fasse sortir un six, qui correspondait au nombre de lettres composant le nom de l'ange Ouriel. Si sa prière était interrompue par un hoquet éméché (ce qui arrivait à maintes reprises), il s'excusait sincèrement auprès du boiteux et souriait légèrement au buveur. Un tel hoquet lui échappa en présence des soldats qui venaient le chercher et qui ne comprirent rien à la valeur commémorative de ce réflexe à la gloire du marchand de Jaffa (peut-être simplement n'étaient-ils pas friands de commémorations). Quoi qu'il en soit, l'un d'eux tendit immédiatement la main dans le but de confisquer la bouteille. Cette fois, Markovitch n'eut pas à braquer son arme, un seul regard suffit à calmer toute velléité dans ce sens.

Encadré à droite par le buveur, à gauche par le parieur, suivant le boiteux, suivi par le commandant et protégé par une passion unique qui avait envahi le ciel au-dessus de sa tête, Markovitch se rendit à la tente de commandement.

— Si je comprends bien, tu es le seul survivant, déclara le nouveau chef, qui ressemblait comme deux gouttes d'eau au précédent, à la différence près que l'un était vivant et l'autre mort.

Il était tout aussi grand et baraqué, avec des cheveux bouclés et un regard audacieux. Était-il, lui aussi, consumé par quelque obsession ? Markovitch n'aurait pu l'affirmer.

— Je ne suis pas le seul à m'en être sorti. Regardez, le camp est plein.

— Le camp est plein de ceux qui ont reculé. Mais de ceux qui se sont lancés en première ligne et ont conduit cet assaut suicidaire sur la montagne, il ne reste que toi.

— Effectivement, répondit Markovitch, qui sentit un hoquet remonter dans sa gorge, pria Ouriel de l'aider à garder la bouche fermée et essaya de mesurer ses chances pour que l'ange accède à sa demande.

À cet instant, le commandant poussa un soupir si profond et si bruyant qu'il couvrit le hoquet gênant.

— Quel gâchis, mais quel gâchis ! C'était évident que vous n'aviez aucune chance.

Incapable de déterminer si son supérieur attendait une réponse, Markovitch préféra ne rien dire, d'autant qu'il ne pouvait pas justifier logiquement leur acte. Il y avait bien une explication mais, si son interlocuteur n'avait pas compris tout seul, à quoi bon la lui donner ?

— Et maintenant nous sommes obligés de réattaquer cette maudite place forte.

Yaacov Markovitch dévisagea son interlocuteur avec perplexité : il ne nourrissait assurément aucune passion pour la citadelle, alors pourquoi ?

— Mon commandant, si nous n'avons aucune chance, pourquoi recommencer ?

— Parce que nous venons d'échouer. Tous les soldats qui sont redescendus de la montagne savent que nous avons failli atteindre notre but, mais que nous sommes revenus bredouilles. Si nous en restons là, chaque fois que nous nous lancerons à l'assaut d'une montagne et d'une citadelle, l'échec de cette tentative leur collera aux semelles et paralysera leur index sur la détente.

Yaacov Markovitch revit l'ancien commandant, dont le visage était sûrement encore enfoncé dans la boue du champ de bataille. Souriait-il davantage à présent ? Ses yeux vitreux et écarquillés s'étaient-ils fermés en un doux sommeil éternel et apaisé ? Considérations qui se mirent à tourner dans sa tête embuée par les vapeurs d'alcool. Elles lui parurent plutôt cohérentes. Sauf qu'en réalité les yeux de l'ancien commandant s'étaient fermés au moment où il était tombé face contre terre, et la conquête de la forteresse n'y changerait plus rien, excepté le fait que les asticots qui s'étaient installés sur lui auraient d'autres cadavres vers lesquels migrer. Cette pensée ne lui vint absolument pas à l'esprit, d'autant que si elle s'y était aventurée il l'aurait chassée à grands coups de pied. Il fixa le nouveau responsable droit dans les yeux et lança bravement :

— Si vous voulez, je retournerai avec vous prendre la citadelle.

— En général, quand un homme a échappé à l'enfer, il ne se hâte pas d'y retourner.

En bon soldat, Markovitch hésita avant de répondre. Face à son nouveau chef, il fut tenté de dire que la défense des villages du nord du pays était sa priorité. Face à son ancien chef et à ses trois camarades, il se disait plutôt que l'élan qui le poussait à retenter l'assaut venait de sa volonté à honorer leur mémoire. Mais s'il plongeait dans son âme un regard lucide, il savait que ce n'était ni pour les uns ni pour les autres, mais pour lui-même, et uniquement pour lui-même, qu'il voulait conquérir cette forteresse. Dos à dos avec son ancien commandant alors qu'ils trouaient la nuit de leurs tirs répétés, jamais Markovitch n'avait éprouvé une telle sérénité. Toutes les cellules de son corps vibraient dans la plus parfaite des harmonies. Pour la première fois de son existence, il était totalement à sa place. Assis dans la tente du nouveau commandant, la tête embrumée, il comprit qu'il n'avait qu'une envie : ressentir une fois de plus cette assurance exaltée, les pieds solidement vissés au sol sous le sifflement des balles tirées de toutes parts. Il se mit lentement debout, leva une main un peu tremblante et, avec un salut militaire, affirma :

— La prochaine fois que nous nous parlerons, nous aurons la vallée entière étendue à nos pieds.

Ils ne se reparlèrent plus. Le nouveau chef tomba non loin de l'endroit où était tombé l'ancien, à la différence qu'il le fit sur le dos, face tournée vers le ciel, et qu'il émit des râles pendant un long moment. Markovitch, qui resta tout ce temps à côté de lui, s'efforça de capter les bribes de phrases qu'il bredouilla dans son agonie, espérant pouvoir en tirer de quoi consoler sa famille. Il mémorisa donc des balbutiements qu'il décrypta comme « canards », « cours de Bible », « Tamara », « Ruth », « ça brûle, ça brûle », persuadé qu'un beau jour ces mots ultimes apporteraient du réconfort à quelqu'un. Il n'avait rencontré aucun membre de la famille du nouveau commandant et ignorait à quoi ressemblait le visage de Tamara ou celui de Ruth. En revanche, et malgré tous ses efforts, ne s'effacèrent jamais de sa mémoire les traits de cet homme qui continua à gémir en marmonnant ses « Tamara et Ruth », « Ruth et Tamara », au point que cela en devint insupportable. Markovitch recommença donc à se répéter le nom de Bella, à se le chuchoter en boucle, comme le font les Arabes qui égrènent les versets du Coran : Bella, Bella, Bella, Bella. Il laissait ces deux syllabes lui emplir les oreilles et le cerveau, augmentait ou baissait le volume en fonction des râles du commandant défunt.

Outre leur chef, vingt et un soldats furent tués cette nuit-là. On peut logiquement supposer que chacun d'eux avait aussi une Tamara, une Ruth ou une Bella, mais il exclut l'idée de les prendre tous en charge, de peur de perdre la raison. Ne lui resta donc qu'une seule possibilité : cesser d'y penser. Totalement. Le nouveau et l'ancien commandant allèrent rejoindre, l'un au-dessus de l'autre, la fosse commune creusée dans le tréfonds de sa mémoire, à côté du boiteux, de l'ivrogne, du parieur et de vingt et un autres jeunes soldats qui, eux, n'eurent même pas droit à un surnom. Markovitch tassa la terre au-dessus de ces cadavres et poursuivit sa route sans se retourner. Un mois plus tard, lorsqu'il passa par le chemin qui serpentait au pied de la citadelle et qu'il vit le drapeau israélien flotter en haut de la tour, il fut submergé d'une étrange tristesse qui irrita ses yeux et lui fit accélérer le pas.

5

Si Yaacov Markovitch avait décidé de refouler son passé au plus profond de lui-même et si Zeev Feinberg vivait le sien comme un long présent interminable, Rachel Mandelbaum, elle, sentait que le sien la poursuivait toutes griffes dehors, près de la rattraper pour devenir son futur. Elle ne cessait de se réveiller au bruit terrible d'un crâne qui explose. Pourtant, des années s'étaient écoulées depuis qu'elle avait vu la tête du vieux Juif de Vienne cogner le bord du trottoir. De longues années. Mais la guerre en Palestine lui avait ramené les horribles craquements, plus vivants, plus concrets que jamais, si proches qu'elle n'arrivait pas à se convaincre qu'ils remontaient d'autrefois. Elle savait que la violence se rapprochait inexorablement du village. Elle le savait, même si les gros titres des journaux affirmaient le contraire. Elle l'entendait. À travers tout le pays, des crânes étaient fracassés et leurs échos la pourchassaient où qu'elle aille. Elle en avait la certitude : le bruit provenait de champs de bataille au nord d'Israël, de troupes embusquées au sud ou encore de bataillons venus de l'est qui écrasaient tout sur leur passage. Les jeunes Autrichiens qui, dans leur jeu, s'étaient acharnés sur le vieillard allaient à présent la rattraper, et peu importe s'ils arboraient une croix gammée sur la manche ou si leur peau et leurs cheveux avaient foncé et qu'ils se soient transformés en Arabes.

Elle continuait à arroser ses fleurs et à nourrir son bébé qui grandissait et devenait un petit garçon, mais elle tendait l'oreille, guettant les barbares dont les hordes arrivaient. Tantôt elle s'arrêtait au milieu d'une berceuse, tantôt en revanche elle se mettait à chanter à tue-tête, sous les yeux ébahis de son fils qui éclatait de rire… mais peu lui importait, tant qu'elle parvenait à couvrir le bruit des crânes fracassés. Presque. Elle ne parlait à personne de ces voix qui la hantaient. À qui d'ailleurs aurait-elle pu se confier ? Abraham Mandelbaum était parti se battre dans le Sud et, même quand il était là, les propos qu'ils échangeaient devaient traverser de tels océans avant d'être compris que cela n'aurait rien changé. Yaacov Markovitch se battait dans le Nord et, après cinq lettres adressées à sa femme, on n'avait plus eu de ses nouvelles. Quant à Bella, elle rayonnait d'une joie qui semblait émaner de tous les pores de sa peau. Comment Rachel aurait-elle osé ternir un tel bonheur avec ses angoisses ? Un jour, elle prit son fils par la main et marcha jusque chez les Feinberg. Elle allait frapper à leur porte lorsqu'elle jeta un coup d'œil par la fenêtre. Son bras retomba aussitôt : assis dans le salon, le couple se taisait, Zeev avait tourné vers la fenêtre un regard vide, Sonia fixait le sol et, entre eux, leur enfant se taisait lui aussi.

La nuit, Rachel prenait les hurlements des hyènes pour une sirène et attendait, jamais dupée par le calme, que des bombes soient larguées du ciel. À l'aube, elle consolait son corps fourbu de tant d'heures de tension en glissant une main entre ses cuisses. Mais, son esprit étant plongé dans une frayeur permanente, elle ne fantasmait plus sur Johann, son soldat autrichien. Alors il lui fallait s'obstiner et se caresser avec suffisamment de désespoir pour atteindre quelques brefs sursauts de plaisir, pour que de délicats frissons parcourent son corps et étouffent – ne fût-ce que quelques minutes – les horribles voix.

Ce n'était pas qu'Abraham Mandelbaum n'écrivait pas à sa femme. Loin s'en faut. Le problème, c'est qu'aucune de ses lettres ne fut jamais envoyée par la poste ni même couchée sur le papier. Ce qui n'empêchait pas le boucher d'être un épistolier particulièrement fidèle. Il gardait dans ses poches des talismans à l'intention de sa femme, toutes sortes d'objets, témoins de ce qui lui arrivait et de son amour pour elle. Un caillou ovale de couleur rouge ; une pince de scorpion déterrée dans le sable ; une branche d'acacia en fleur. La nuit, lorsque ses camarades de chambrée se concentraient sur leur correspondance, il tirait de sa poche un de ces objets et le contemplait longuement. Le caillou ovale, par exemple, représentait en même temps le coucher de soleil au-dessus du village, un cœur palpitant et le point mystérieux qui marque le front des Indiennes. Chaque fois qu'il le regardait, il était bouleversé par tous les possibles contenus dans le creux de sa main. Alors il refermait les doigts dessus et voyait les doigts de Rachel ouvrir une enveloppe imaginaire et en extraire ce porte-bonheur. Comprendrait-elle ?

S'arrêterait-elle pour admirer le coucher de soleil ou jetterait-elle ce don unique dans le jardin ? De toute façon, même jeté sur la pelouse, il trouverait sa place. N'était-ce pas une pensée des plus plaisantes que d'imaginer ce caillou ramassé dans les sables égyptiens faisant tout le chemin jusqu'au seuil de sa maison ? Mais chaque fois que l'on passait prendre le courrier (les enveloppes s'entassaient sur la banquette arrière d'une camionnette qu'embaumait l'odeur fraîche de mots à peine cueillis), Abraham Mandelbaum se ravisait et remettait la pierre dans sa poche. Quel dommage, songeait-il, que les gens se soient habitués à recevoir des lettres explicites. Comme ce serait agréable d'en recevoir qui ne diraient rien et permettraient ainsi à leur destinataire de tout deviner à son gré.

Il est quasiment certain que le boucher n'aurait pas formulé de telles pensées s'il avait eu quelque facilité à écrire. Mais il n'était pas davantage un homme du mot écrit que du mot parlé. Les mots, d'une manière générale, le mettaient mal à l'aise. Trop précis, trop tranchants, semblables à une meute de chiens enragés ou à un groupe de femmes moqueuses. Il aimait Rachel pour ses nombreux silences et il aimait le désert parce que les mots y perdaient leur pertinence. À quoi bon prononcer une phrase comme : Il fait chaud aujourd'hui, si la chaleur la dissout avant même qu'elle ait été énoncée ? L'absolue solitude du désert vidait les mots de leur contenu. Quelles que soient les tentatives des soldats pour remplir de paroles et de rires cette vaste étendue aride, pour s'échanger des grossièretés ou des plaisanteries scabreuses, leurs voix retombaient vite sans que personne comprenne pourquoi. Abraham Mandelbaum regardait les oueds et les reliefs, les parois rocailleuses, les ravins et voyait les propos exprimés à haute voix choir très rapidement sur le sable, telles des grappes de fruits pourris. Oui, débarrassé des mots et libre de manier le fusil à sa guise, les poches riches d'un caillou ovale, d'une pince de scorpion et d'une branche d'acacia en fleur, jamais cet homme n'avait été aussi heureux que dans le désert.

Parfois, la nuit, il pensait à son fils qui aurait cinq ans le mois suivant. Le garçon le reconnaîtrait-il à son retour ? Pas un instant il ne songea à se poser la question inverse, pourtant lui aussi aurait bigrement changé.

Vint l'automne. Le ciel vit que les hommes commençaient à espérer et se couvrit de nuages. Les hommes virent que le ciel se couvrait de nuages et commencèrent à espérer. L'espoir toucha les nuages et les fissura. Des gouttes se mirent à tomber une à une par les fissures. Les hommes levèrent la tête et dirent : « Il pleut. »

À peine avaient-ils prononcé ces mots que la pluie cessa et que les nuages poursuivirent leur route. Cette averse trompeuse fut suivie d'une chaleur plus lourde encore. Les hommes cessèrent de scruter le ciel tant l'attente devenait insupportable. Mais c'était l'automne, et l'espoir resta là, stagnant, à l'instar de la canicule au mois d'août et du froid au mois de janvier. Or, si l'espoir s'introduit quelque part, il n'y a plus ni canicule ni froidure, il n'y a que l'attente toujours à température ambiante. Jusqu'à ce qu'espoir et attente pourrissent comme une citrouille oubliée dans un champ. Les hommes en conclurent qu'il ne pleuvrait pas cette année. Ils cessèrent de défier du regard un ciel devenu inutile, oui, simplement inutile. Et ce fut à ce moment-là que la pluie s'abattit sur tout le pays. Après la pluie, les fleurs recommencèrent à pousser, lentement et avec hésitation, tant elles avaient peur d'être à nouveau écrasées par les tas de cadavres comme cela s'était produit au printemps précédent. Peine perdue, cette fois aussi, elles furent écrasées par des cadavres, d'abord nombreux, puis un peu moins, puis la guerre se termina exactement comme elle avait commencé. On enterra les morts, on cueillit des bouquets pour orner leur tombe, Abraham Mandelbaum rentra à la maison et découvrit sa femme pendue dans la boucherie.

Au moment où il la trouva, Rachel Mandelbaum bleuissait déjà. Debout sur le seuil, il fixa ce petit corps desséché, mais dont on pouvait encore distinguer l'exceptionnelle beauté. Les seins bien ronds sur lesquels la force de gravité n'avait eu aucune prise, la natte brune presque aussi épaisse que la corde enroulée autour de son cou, sans oublier les oreilles, lobes délicats, douces coquilles incapables de supporter davantage le fracas d'un crâne explosé et qui dans leur souffrance avaient poussé les mains à former le nœud coulant, les pieds à grimper sur l'escabeau et les épaules à se lancer dans le vide. Car Rachel avait compris, au moment où le tumulte de la guerre se taisait, où les journaux se réjouissaient, où les gens dansaient dans les rues, que les voix dans sa tête ne seraient jamais réduites au silence. Tant que les combats faisaient rage, elle avait cru que, si les Juifs triomphaient, ce vacarme morbide cesserait et qu'elle pourrait de nouveau saisir les bruits quotidiens – les rires des enfants, le murmure des blés traversés par le vent, le meuglement des vaches. Mais, après la proclamation de la victoire, elle avait continué à entendre la même chose, encore et encore. Jamais elle ne s'en débarrasserait. Si la guerre l'avait poursuivie jusqu'ici, jamais elle n'aurait la certitude que les combats étaient réellement achevés et qu'elle pouvait respirer en toute sécurité.

Il est rare qu'un être humain qui n'a pas su vivre sache mourir. Rachel Mandelbaum ne pouvait choisir pire moment pour mettre fin à ses jours : transporté de joie et de soulagement, le pays tout entier exultait et s'envolait sur les ailes de la béatitude. Les habitants du village ne cessaient de se féliciter, de se congratuler et d'échanger de larges sourires, même avec les voisins qu'ils détestaient le plus. On faisait des gâteaux, on hissait des drapeaux. Les maris tombaient dans les bras de leur femme et les enfants étreignaient les jambes de leur père. Non seulement la liesse était sincère et venait de l'intérieur, mais elle s'était instaurée en mot d'ordre. Une sorte d'obligation morale. L'acte de Rachel Mandelbaum relevait donc de la haute trahison. C'est ce qui explique que dans le petit musée construit ultérieurement à la sortie du village, entre le stand de falafels et la boutique de poterie, il est impossible de trouver la moindre coupure de presse de l'époque relatant la fin des hostilités. Et pour cause : si tous les journaux avaient vanté en première page les célébrations des agglomérations alentour, ils ne s'étaient intéressés, chez eux, qu'au suicide de Rachel Mandelbaum – de l'avis général, un acte fort déplacé.

Ce ne fut qu'au bout de plusieurs semaines, lorsque la joie s'apaisa et que l'on eut besoin de se mettre autre chose sous la dent, que l'on commença à se demander ce qui lui avait pris, à la bouchère. Et si les gens avaient pu se réfugier sous les ailes déployées d'une exaltation partagée, s'ils s'étaient alors sentis faire bloc, quand le tourbillon de la victoire s'en alla vers d'autres contrées, les citoyens tout frais émoulus se regardèrent et se souvinrent qu'ils étaient en fait très différents les uns des autres. Une femme se rappela à quel point elle détestait le visage de son mari, un homme son travail. Des dettes oubliées, des querelles non réglées, des espoirs et des jalousies… tout ressurgit dès que s'émoussa la joie qui avait déferlé sur le pays à la fin de la guerre. La merveilleuse plénitude s'était dissipée, ne restait désormais que la fadeur du quotidien. La routine reprenait ses droits. Et eux qui, pendant les combats, avaient tellement aspiré à retrouver une vie normale, qui l'avaient attendue, espérée, appelée de leurs vœux, évoquaient à présent la période de violence avec des trémolos dans la voix.

« À l'époque, le mot "ensemble" avait un sens », soupirait-on en fin de repas.

Et on regardait alentour sans plus trouver nulle part de trace de ce fameux « ensemble »… sauf à se tourner vers la boucherie d'Abraham Mandelbaum, car, s'il y avait encore un endroit où ce sentiment pouvait se cacher, c'était assurément là. Ainsi, après avoir passé les premiers jours de deuil dans une éblouissante solitude, le boucher se retrouva soudain au centre de l'attention générale. Et tous de s'inquiéter pour lui, de venir l'encourager, de le secouer – son drame n'était-il pas leur tragédie à tous ?

« Le village est à tes côtés », lui assurait-on.

Il ne chassa aucune bonne âme de son salon, il s'en chassa lui-même, mais une telle agitation régnait à l'intérieur de sa maison que personne ne s'apercevait de son absence. Il restait des heures assis sur les marches en pierre de son perron, les yeux tournés vers le soleil qui se couchait sur la mer, les mains aimantées par les lettres d'amour qu'il avait ramenées dans ses poches. Il caressait le caillou rouge puis la pince de scorpion et inversement, si bien que la pince de scorpion brillait tel du marbre et le caillou, dont l'ovale avait été poli par une mer qui n'existait plus et des vents qui n'avaient fait que passer, était à nouveau ballotté, non par les flots, mais par les gros doigts qui portaient en eux à la fois la mer et le vent, tant leur tristesse était profonde et puissante leur nostalgie.

Et tandis que ses mains palpaient fiévreusement ses fétiches, son esprit, lui, se complaisait dans une sorte de léthargie. Au moment où il avait trouvé Rachel dans la boucherie, un voile blanc lui avait comme embrumé le cerveau, le rendant aveugle et sourd. Pourquoi sa femme était-elle montée sur son escabeau précisément le jour où les armes s'étaient tues ? Comme elle ne lui avait jamais parlé du crâne fracassé qui l'avait conduite de Vienne au village, il ne pouvait pas deviner que c'était ce même fracas qui l'avait conduite du village à l'escabeau et à la corde. D'autres mobiles lui venaient donc à l'esprit, obscurs et maléfiques. Il ne les distinguait pas encore avec netteté, parce que le brouillard béni qui émoussait son entendement lui épargnait toute idée claire. Cependant, à travers ces blancs nuages cotonneux, il commençait à voir se dessiner une pensée qui avançait lentement, tel un gros ours noir guettant sa proie. Et parfois la brume se dissipait un peu et l'animal approchait. Alors le boucher se recroquevillait sur lui-même et se disait : « C'est à cause de moi. À cause de moi. Elle s'est pendue à cause de moi. Parce qu'elle savait que je rentrais. »

Dans ces moments-là, il s'enveloppait de nuées vaporeuses, à l'instar de l'enfant qui, apeuré par la nuit, se cache sous sa couverture, et prenait son caillou dans la main pour le serrer encore plus fort entre le pouce et l'index. Quelle consolation en tirait-il, il ne le savait pas lui-même, mais chaque fois que l'ours noir montrait les crocs, qu'il tombait entre les griffes de quelque pipelette trop curieuse ou se laissait entraîner malgré lui à discuter avec un voisin, ses doigts se glissaient instinctivement dans sa poche et il se sentait un peu mieux.

Jusqu'au jour où il se réveilla et le caillou avait disparu. Le soleil pointait à peine, aucun villageois ne s'était encore levé pour venir remplir son vide existentiel par une visite de condoléances. Abraham Mandelbaum ôta sa chemise de nuit, enfila son pantalon, enfonça la main dans sa poche, et là, ses doigts ne trouvèrent rien. Il resta figé un quart de seconde, puis se secoua et plongea la main dans son autre poche – peut-être, peut-être que la veille, par distraction, il l'avait mis du mauvais côté ? Mais la seconde poche était aussi vide que la première et ses doigts ne saisirent que de l'air. Entendant un bruit dans le jardin, il se précipita si vite dehors qu'il ne prit même pas le temps d'enfiler une chemise. Comme il sortait d'une maison aux volets clos, il fut d'abord aveuglé par la forte luminosité extérieure, et ce n'est qu'au bout d'un long moment qu'il réussit à distinguer la silhouette de son fils qui discutait avec le fier rosier. Yotam, dont les cheveux n'atteignaient que les pétales les plus bas, était à peine visible. Le gamin, qui avait déjà passé une quantité non négligeable de jours sur terre, continuait pourtant à regarder les fleurs avec le même émerveillement qu'il regardait les sauterelles, les êtres humains ou les théières (exactement le même, ni plus ni moins intense). Il se tortillait entre les branches, sur des pieds hésitants qui semblaient n'avoir pas encore décidé s'ils voulaient marcher ou voler. Bras écartés, il avançait sur le sol humide tel un funambule. Les yeux de son père furent aussitôt attirés par la petite main fermée en poing serré. Que cachait-il donc là-dedans ? Une couleur rouge, familière, apparaissait entre les doigts du petit. Le caillou. Une seule foulée suffit à Mandelbaum pour franchir la distance que le garçonnet avait parcourue en plus de dix pas, il tendit les bras, souleva l'enfant surpris, qui protesta et se débattit tellement que le rosier riposta en lui griffant la main de ses épines, et soudain le précieux ovale, soleil du désert égyptien, ramené au fond d'une poche et religieusement poli, tomba au milieu des ronces.

À cet instant, Yotam éclata en sanglots, non pas à cause du caillou qui l'avait tant fasciné ce matin-là au réveil (le monde foisonnait de ce genre de merveilles), mais à cause de la trahison du buisson si joliment fleuri. Quant à Mandelbaum, insensible à la souffrance de son fils, il ne suça même pas les gouttes du sang qui coulait de la menotte blessée. Il reposa le pleurnicheur sur le sol et se mit à ramper sous les branchages à la recherche de sa lettre d'amour, destinée à Rachel Mandelbaum et à elle seule. En vain. Il eut beau ramasser, plein d'espoir, telle ou telle pierre, il la rejetait aussitôt, dépité. Les larmes de l'enfant qui s'intensifiaient n'empêchèrent aucunement le colosse de continuer à fouiller à quatre pattes les mottes de terre de ses yeux perçants. Rien. Le caillou avait disparu et emportait avec lui les nuées bienfaisantes dont s'enveloppait celui qui l'avait ramené, la brume se levait à présent comme un rideau de théâtre et révélait à la vue du malheureux l'évidence que, jusqu'à ce jour, il avait été incapable d'affronter : Rachel n'avait jamais voulu de lui. Elle ne l'avait jamais aimé. S'il y avait une raison à son suicide, c'était lui et rien que lui.

Il leva alors vers les roses des yeux brûlants : les joyaux du jardin de sa femme, le seul luxe qu'elle s'était autorisé. Les voisines avaient d'ailleurs raconté en chuchotant que le matin où elle avait attaché ses cheveux en une tresse aussi épaisse que la corde dont elle s'était servie, oui, même ce matin-là, elle s'était levée tôt pour les arroser et qu'elle en avait aussi caressé les feuilles. Avait-elle pris la peine de caresser de la sorte la joue de son fils ? Et avait-elle jamais pris la peine de caresser de la sorte ses joues à lui, son mari ?

Des mois s'étaient écoulés depuis qu'Abraham Mandelbaum avait arraché à mains nues le caroubier du champ. À présent il arrachait à mains nues tous les rosiers de son jardin. À l'époque il avait vengé l'humiliation de sa femme, la solitude dans laquelle elle avait accouché. Aujourd'hui il se vengeait de sa propre humiliation, de la solitude dans laquelle elle l'avait abandonné, si pesante que cela lui empoisonnait le sang et empêchait ses oreilles d'entendre les pleurs de son enfant. En guise de protestation, les piquants s'en prirent à sa chair qui se teinta de rouge tandis que ses joues s'empourpraient elles aussi. L'odeur du sang se mêla à celle des roses en un parfum capiteux sous un soleil devenu ardent. Et tout ce temps, Yotam continua à pleurer : d'abord d'incrédulité, ensuite de colère, puis ses hoquets prirent la forme d'un long gémissement monocorde auquel son père ne prêta pas davantage attention qu'à sa peau écorchée ou aux fleurs massacrées. Le boucher s'entêtait dans ses recherches, peut-être le caillou réapparaîtrait-il enfin. Lorsque les villageois vinrent pour leur visite de condoléances quotidienne, ils le trouvèrent debout dans sa cour, les mains ensanglantées, entouré des roses qui jonchaient le sol tel un monceau de cadavres.

6

On décida de porter l'enfant chez les Feinberg. À l'exception de Rachel Mandelbaum, personne ne savait que la mélancolie de Zeev Feinberg n'avait fait qu'empirer et avait déteint sur Sonia et son énergie pourtant à toute épreuve. Aux yeux des voisins, elle restait ce qu'elle avait toujours été : une femme capable rien que par la force de ses jurons de ramener à elle son homme parti en mer, une femme à la peau senteur d'orange, si culottée qu'elle faisait fuir les voleurs de chevaux en imitant les hurlements du loup. Qui mieux qu'elle, se disaient-ils en approchant de la maison avec Yotam en pleurs, saurait quoi faire d'un enfant dont la mère s'était pendue à un croc de boucher et dont le père avait décapité des rosiers ?

En tambourinant contre la porte, les mains rompirent le silence de mort qui régnait depuis longtemps entre les murs des Feinberg, un silence si pesant que même les mouches avaient déserté les lieux, trop embarrassées qu'elles étaient d'entendre leurs battements d'ailes résonner si fort. Sonia n'ouvrit pas immédiatement. Elle resta encore un long moment assise sur le canapé, le regard vague, à essayer de décrypter la signification de ce chahut. Jusqu'à ce que s'élèvent soudain les sanglots du petit garçon. Plus puissants que les poings qui toquaient avec acharnement. Un enfant pleurait. Un enfant pleurait dans la cour. Or cela faisait bien longtemps qu'elle n'avait pas entendu pleurer son fils, gagné par le mutisme ambiant au point qu'il n'émettait quasiment plus aucun son. Zeev Feinberg émergea de la chambre à coucher. Depuis quelques semaines, il souffrait de telles insomnies qu'il ne différenciait plus le jour de la nuit et se mettait au lit dès qu'il se sentait assailli par le plus petit coup de fatigue béni. Il s'endormait, mais se réveillait au bout de quelques minutes en criant ou en tremblant, les yeux dilatés de terreur.

Il flottait dans la douce somnolence qui précède l'endormissement lorsqu'il entendit, lui aussi. Un enfant pleurait. Un enfant pleurait dans la cour. Il se leva d'un bond, entra dans le salon et trouva Sonia qui se dirigeait vers la porte d'un pas rapide. Un enfant pleurait. Un enfant pleurait dans la cour et voilà qu'ils étaient tous deux mobilisés, impossible de savoir si c'était pour lui porter secours ou pour chercher en lui leur salut.

Ils étaient quatre. Bras tendus comme s'il venait d'attraper un renard, Michael Nodelman tenait le gamin qui se débattait ; juste derrière se tenait Haya Nodelman, dans une posture qui indiquait non seulement qu'elle était très charitable, mais aussi qu'elle avait toujours raison ; juste derrière se tenait Yeshayahou Ronn, qui feignait de regarder l'enfant alors qu'en vrai il louchait sur les fesses de Haya Nodelman ;

enfin, Léa Ronn, la femme de Yeshayahou, s'était glissée près de la porte d'entrée et feignait de ne pas remarquer le manège de son mari. Sonia et Zeev Feinberg avaient à peine ouvert qu'ils s'engouffrèrent tous à l'intérieur et se mirent à parler en même temps.

— Il est devenu fou !

— Pas le moindre doute !

— Il a arraché tous les rosiers !

— Et en plus à mains nues !

— Pitié pour cet enfant, grandir sans mère !

— Et avec un père cinglé !

— D'ailleurs, chez lui aussi, quelque chose ne tourne pas rond.

— C'est vrai, pleurer comme ça, sans s'arrêter !

— Il n'a pas cessé de brailler tout le chemin jusque chez vous !

— Et de donner des coups de pied, de griffer, un vrai petit sauvage !

— Une chance que notre Michael soit aussi fort !

— Et que sa femme soit si gentille !

— Merci pour le compliment, Yeshayahou.

Tout en parlant, ils inspectaient la pièce – la bouche ne vient-elle pas toujours détourner l'attention des yeux qui fouinent ? Les Feinberg étaient connus pour avoir de nombreuses qualités, mais pas celle d'être soigneux. Cependant, la vue de leur salon n'offrait pas le fatras bigarré auquel ils s'étaient habitués, avec un sol jonché de toutes sortes d'objets hétéroclites, mais qui formaient une joyeuse mosaïque : là une poupée de chiffon, ici un pantalon raccommodé, plus loin trois crayons. Sonia possédait cette étrange capacité à assembler des éléments divers et à en tirer quelque chose de plus précieux. Jamais elle n'aurait cueilli des fleurs pour les mettre bêtement dans un vase sur la table. Non, chaque fois qu'elle revenait des champs, elle en rapportait quelque trouvaille originale et inattendue. Comme cette carapace de tortue qu'elle transforma en cendrier, cette feuille sèche dont les nervures devinrent le dessin d'une femme nue ou encore ce fer à cheval qui, retourné, se transforma en sourire lumineux. Ses voisines avaient beau faire la fine bouche devant la saleté et le désordre qui régnaient dans son foyer, lorsqu'elles retrouvaient leur intérieur net et astiqué sans rien qui dépassât, elles ne pouvaient pas occulter le souvenir des yeux en gousse d'ail que Sonia avait accrochés au-dessus du sourire en fer à cheval, sorte de masque porte-bonheur qui défiait le mauvais sort. À présent qu'ils s'étaient servis du malheureux enfant comme prétexte pour inspecter la maison, les deux couples de voisins n'y trouvèrent rien de l'ancien bric-à-brac si réjouissant. Le désordre régnait toujours, mais c'était davantage un tas de ruines qu'une aire de jeux. L'atmosphère poisseuse dans laquelle ils avaient pénétré dès le seuil franchi alourdissait les mots dans leur bouche au point qu'ils finirent par ne plus rien dire. Même Yeshayahou Ronn s'en rendit compte et détourna les yeux des fesses de Haya Nodelman pour comprendre ce qui se passait. Car si cet homme avait les mains particulièrement agiles (pour cultiver autant les champs que l'amour), il avait l'esprit plutôt lent. Cela ne signifie pas qu'il était idiot, loin de là, il était parfaitement capable de faire des calculs sans compter sur ses doigts et de prononcer des discours enflammés… certes, diversement accueillis. Il avait aussi parfaitement identifié le moment où il avait cessé d'aimer sa femme, bien que le sentiment, telle une poule décapitée, ait continué à s'agiter encore un peu avant de tomber raide mort. Mais les choses qui touchaient à la géologie de l'âme humaine et à ses strates invisibles le prenaient totalement au dépourvu. Voilà pourquoi, après avoir détaché les yeux du postérieur (assurément somptueux) de sa voisine, il ne réussit pas à cerner ce qui le gênait tellement dans cette maison. Il remua d'un pied sur l'autre, mal à l'aise, telle une bête de somme qui devine plus qu'elle ne comprend la lourde charge dont on va la harnacher. Et comme il ne nota aucun changement dans la pièce, il se demanda pourquoi il se détournait ainsi des excitantes rondeurs de la Nodelman. D'où venait la force qui l'obligeait à garder les yeux aux aguets et pourquoi sentait-il que, si les autres n'avaient pas été là, il aurait volontiers éclaté en sanglots ?

Car, s'il captait instinctivement le désespoir qui planait en ces lieux, le motif dépassait de loin son entendement. Or, c'était justement parce que rien n'avait changé, la carapace de tortue était toujours sur la table, la feuille morte continuait à s'effriter sur l'étagère et le fer à cheval trônait à sa place habituelle, oui, c'était justement pour cela que la maison avait cette allure de momie figée dans une immobilité éternelle. Avant ce triste jour où elle avait vu Zeev Feinberg revenir de la guerre les yeux remplis d'une acidité destructrice, Sonia changeait tout le temps, et sa maison avec elle. Il lui arrivait de se lever le matin et de décider d'accrocher la carapace de tortue à un arbre de la cour dans l'espoir qu'un oiseau vienne y bâtir son nid, d'entrer dans la chambre de Yaïr le fer à cheval à la main et de rire avec lui en imitant un galop de sabots. Sans compter les jours où elle mettait de côté tous ces bibelots décoratifs, prenait son fils par la main et déclarait : « Viens, aujourd'hui on renouvelle tout ! »

Mais depuis que son mari était revenu avec la mort du bébé sur la conscience, elle avait cessé de chercher des trésors dans les petits riens du quotidien, et la collection qu'elle avait constituée était redevenue ce qu'elle était en réalité : une accumulation d'objets insignifiants et dénués de charme.

Évidemment, Yeshayahou Ronn ne comprenait pas cela. Zeev et Sonia Feinberg s'en rendaient vaguement compte. Le petit Yotam, en revanche, n'était pas du tout dérangé et l'oppression ambiante ne l'empêchait pas de pleurer. Il avait la gorge de plus en plus sèche tandis que montait en lui la sourde angoisse de ne plus jamais pouvoir s'arrêter, car, s'il continuait à brailler, c'était simplement parce qu'il avait oublié comment on cessait. Il avait aussi oublié le miracle des roses qui l'avait émerveillé dès l'aube et appelé au-dehors, ainsi que leurs épines traîtresses qui lui avaient griffé la main. S'il pleurait à présent, c'était parce que Michael Nodelman le tenait à bout de bras, parce que son père n'était pas là, et aussi parce que sa mère n'était pas là (même si, pour elle, c'était un peu différent et qu'il le sentait confusément). Soudain, à travers ses larmes, il remarqua une chose aussi nouvelle qu'extraordinaire : la moustache de Zeev Feinberg, qui se trouvait exactement au-dessus de lui. Bien que terriblement malmenés et même dans un piteux état, les poils réussirent là où tous les autres avaient échoué et mirent fin aux sanglots du gamin. Yotam abandonna ses pleurs comme il aurait lâché un jouet à la vue d'un autre soudain plus attrayant. Incapable de résister à l'appel de la broussaille noire qui s'agitait là-haut, sur le visage de l'homme tout proche de lui, il tendit la main et tira vigoureusement dessus.

— Aïe ! s'écria Zeev Feinberg.

À cet instant, par la magie de ce mot, le terrible maléfice qui enveloppait la maison fut conjuré. Sonia ne put réprimer un grand éclat de rire. En fait, elle se roula carrément par terre tant le regard ahuri de son mari, qui laissait l'enfant lui arracher l'incarnation sublime de sa virilité, était comique. La voyant, lui-même se mit à rire. Quant à Yotam, qui, depuis des jours, n'avait pas entendu ce joyeux tintement et en était venu à se demander si les adultes étaient encore capables de produire un tel son, il recommença à tirer sur la moustache avec une exultation qui secoua tout son petit corps. Sonia regarda son mari et comprit qu'ils étaient sauvés. Elle vit que dans ses yeux le bleu avait retrouvé une limpidité perdue depuis longtemps, comme une fenêtre qu'on aurait enfin lavée après avoir trop attendu.

7

Deux semaines s'étaient écoulées depuis la fin des hostilités et Yaacov Markovitch n'était pas encore rentré. Il n'avait pas écrit non plus. Chaque fois que Bella s'en allait aux champs, elle ne pouvait s'empêcher de tourner la tête vers la route, au cas où il reviendrait. Plus les jours passaient, plus elle multipliait les coups d'œil vers l'entrée du village. Il pouvait apparaître d'un instant à l'autre. D'un instant à l'autre, elle risquait de voir sa silhouette voûtée et avachie avancer le long du sentier tortueux qui descendait de la colline. À plusieurs reprises, ses yeux lui jouèrent des tours : un matin, parce qu'elle crut reconnaître la démarche de Markovitch dans le pas lent du vieux facteur, elle s'engouffra chez elle à toute vitesse et une fois à l'intérieur se mit à tourner en rond, désorientée. Ensuite, elle s'assit sur son lit et essaya de reprendre son souffle, mais son cœur battait la chamade. Que lui dirait-elle ? Que lui dirait-elle ? Un long moment, elle passa mentalement en revue tout un tas de possibilités. Soudain, on frappa à la porte et elle se retrouva, terriblement embarrassée par son erreur, face au vieux visage tout ridé du postier. Un autre jour, elle prit Yeshayahou Ronn, qui traversait un champ avec une houe sur l'épaule, pour Yaacov Markovitch qui s'en revenait, fusil en bandoulière. Cette fois-là, elle ne rentra pas dans la maison mais préféra rester bien droite près du muret de pierres, le corps aux aguets, s'efforçant de remettre dans ses yeux ce mépris froid qui les avait désertés depuis bien longtemps. Elle se demandait aussi parfois si la flamme éternelle de son ressentiment pouvait s'apaiser. Peut-être que le temps, qui éteignait les grandes amours, éteignait aussi les grandes haines pour n'en laisser que les braises. Mais si les jours qu'elle avait passés seule avaient estompé le souvenir de la terrible trahison dont elle avait été victime, ils avaient laissé dans sa bouche la saveur de la liberté. Et c'était si bon, si jouissif, qu'envisager le retour de cet homme était insupportable.

Yaacov Markovitch n'avait pas abandonné son idée fixe et était loin d'avoir oublié sa femme restée au village. Il avait cependant un devoir plus urgent : il s'était engagé à aller, dès que la guerre serait terminée, rendre visite aux familles de ses trois anciens compagnons, le boiteux, l'ivrogne et le parieur. C'était la raison du retard qui mettait les nerfs de Bella à si rude épreuve et lui imposait cette question lancinante : reviendrait-il, oui ou non ? Comme cela arrive souvent dans les cas d'extrême anxiété où l'être humain, en proie à un vertige ininterrompu, ne peut s'extraire seul de la spirale intérieure qui l'emporte, ce furent les soucis de quelqu'un d'autre qui sauvèrent Bella. Lorsqu'elle apprit qu'Abraham Mandelbaum avait massacré ses rosiers et oublié son fils, elle se hâta vers la boucherie et fit le chemin sans croiser âme qui vive. Les voisins, qui le matin même se pressaient encore chez le veuf, se calfeutraient à présent chez eux et ne lançaient plus que des regards hostiles vers les fenêtres du *meshugener*, du cinglé. Après l'acte désespéré de Rachel Mandelbaum, on s'était mobilisé pour réconforter le mari par des visites inutiles, chacun y allant de ses blablas anodins. Mais maintenant qu'il perdait lui aussi la raison (et avec quelle irresponsabilité criminelle par-dessus le marché !), même si on ne voulait pas, bien sûr, lui jeter la pierre, comment ne pas lui reprocher de se laisser ainsi aller à sa folie, de se livrer pieds et poings liés à ce qui allait sans l'ombre d'un doute le mener à sa fin ? Quand on attrape la grippe, les microbes envahissent le corps et le malade ne peut en être tenu pour responsable. Mais lorsqu'il s'agit d'un trouble mental, nous entrons là dans l'incroyable domaine du choix et de la culpabilité. Des malheurs, nous en vivons tous, mais arrachons-nous à mains nues des parterres de rosiers ? Est-ce que, tous, nous ignorons nos enfants en pleurs comme s'ils étaient des chats de gouttière – et encore, un chat de gouttière aurait été mieux traité que son Yotam ?! D'accord, Rachel Mandelbaum avait succombé à une mort soudaine et tragique. Mais nous avons tous traversé des épreuves plus ou moins graves, parfois même les petits drames paraissent immenses à ceux qui les subissent, comme la mort du chiot du jeune Asher Shahar dont les sanglots à fendre l'âme avaient bouleversé tout le village, oui, oui, ici, on respectait cela aussi, la seule chose qu'on demandait, c'était de ne pas dépasser les bornes !

Dès qu'on décida d'imputer à Abraham Mandelbaum la responsabilité de ce qui lui arrivait, plus personne ne ressentit la moindre compassion à son égard. Et on le rejeta comme on aurait rejeté (en d'autres temps et dans d'autres villages) un lépreux ou un pestiféré. La folie de Rachel Mandelbaum était une folie morte. En revanche, celle de son mari était tangible et bien vivante. Peut-être même contagieuse ! C'est que les habitants avaient une peur bleue des épidémies, au point que le moindre risque de contamination les vidait aussitôt de toute commisération et leur intimait l'ordre de veiller à une distance de sécurité. En vain essayaient-ils de se raisonner en se répétant qu'un problème psychiatrique n'avait rien à voir avec un problème physique. Précisons cependant que, face à une personne atteinte dans sa chair, leur attitude ne différait pas, ils avaient aussi tendance à la rendre responsable de son état :

« Sûr qu'il buvait...

— Ou qu'il menait une vie de débauche...

— On m'a dit qu'il se lavait rarement les mains...

— Et que sa maison était crasseuse... »

Ainsi caquetait-on et cancanait-on (peut-être se levait-il trop tard ? ou trop tôt ?), pour finir immanquablement par tomber d'accord sur le détail qui clochait. Alors un sourire victorieux s'épanouissait sur les visages car, dès que l'on trouve une raison aux ennuis de son prochain, on se sent à l'abri, fort de la preuve que, quoi qu'on en dise, le monde est un endroit bien régulé, où personne ne sombre sans avoir au préalable creusé sa propre tombe.

Voilà pourquoi les voisins restaient calfeutrés chez eux et avaient baissé leurs volets. Ne rien voir, pas même le coin du coin de la maison du cinglé. Voilà aussi pourquoi ils ne sentirent pas, ne purent aucunement sentir, l'odeur de fumée qui s'élevait de sa cour. Celle qui la sentit, ce fut Bella. Alertée par son odorat, elle se précipita à l'arrière de la boucherie et tomba sur Abraham Mandelbaum occupé à jeter dans le feu tout ce qui avait appartenu à sa femme, soit cinq robes, deux chemises de nuit et tous les rideaux qu'elle avait confectionnés avec son passé en coupant dans ses parures rapportées de Vienne.

— Qu'est-ce que tu fais ? s'écria-t-elle.

Il ne se retourna pas, tout concentré qu'il était sur la destruction d'une des deux chemises de nuit, l'oreille attentive, prête à capter les protestations du tissu. Si ce n'est que le vêtement supplicié réagit exactement comme le corps qu'il avait enveloppé, il lâcha prise dès que la pression se fit trop forte, il se laissa facilement lacérer par des doigts qui, doublement exaspérés par une telle soumission, le jetaient haineusement, lambeau par lambeau, dans le brasier.

— C'est à cause de moi. Elle s'est pendue à cause de moi. Parce qu'elle ne voulait pas que je revienne.

Mais les mots restèrent coincés dans la gorge du boucher et Bella ne les entendit pas. Elle comprit cependant tout, tendit une main pour la poser sur l'épaule du malheureux, le fit prudemment car il était très grand et sa colère plus grande encore. Précaution inutile : dès qu'elle lui effleura l'épaule, il s'apaisa. Parfois un être humain brisé n'a besoin de rien de plus que le contact d'une main lui effleurant l'épaule.

Et tandis qu'il s'abandonnait à la douceur du geste de Bella, elle discerna quelque chose qui la fit bondir :

un cahier gisait au milieu des flammes, un petit cahier avec une couverture en cuir dur qui l'avait jusque-là protégé, mais qui commençait à se consumer sous les assauts du feu, vouant les feuillets et ce qu'ils contenaient à disparaître, réduits en cendres.

— Ordure ! s'écria-t-elle.

Il lui lança un regard surpris. Une seconde auparavant, un ange posait une main salvatrice sur son épaule, et voilà que maintenant une diablesse le frappait, une diablesse à la chevelure d'or et aux yeux étincelants de colère.

— Tu brûles son journal intime, elle qui parlait si peu ? Elle qui était si délicate, si secrète, comment oses-tu brûler les seuls mots qu'elle nous a laissés ?

— Mais je ne…

Elle le coupa. Un homme qui brûle les mots de sa femme morte n'a pas le droit de parler. Elle s'approcha du feu, regardant alternativement le cœur des flammes et Abraham Mandelbaum. La pitié qu'elle avait éprouvée envers le triste veuf se mua en une rage dévastatrice envers celui qui avait choisi d'anéantir tout souvenir de la femme qu'il avait tant aimée, uniquement parce qu'il avait décidé de ne rien laisser de celle qui n'avait pas voulu de lui.

Avant même de comprendre ce qu'elle faisait, elle introduisit un bras dans le brasier pour en extirper le précieux journal. Chauffée à blanc, la couverture en cuir se colla aussitôt à sa paume, la brûla en profondeur, mais elle ne lâcha pas prise avant de l'avoir déposé en sûreté sur les graviers. Lorsqu'elle passa les doigts sur sa main blessée, elle ne put retenir le cri de douleur qui monta de ses entrailles. Ce fut au tour de

Mandelbaum de se précipiter vers elle avant qu'elle ne s'effondre. Mais elle ne s'effondra pas. Jamais elle n'avait été aussi solide. Jamais elle ne s'était tenue aussi droite sur ses jambes qui s'élevaient tels deux piliers d'acier. Elle contempla sa paume qui n'avait plus rien d'humain. Certes, elle se terminait toujours par cinq doigts, mais la peau tendre et délicate avait été complètement arrachée, partie avec la couverture du cahier, et n'avait laissé que de la chair à vif où le rouge, le violet et le jaune se mêlaient, exhalant une odeur un peu écœurante de viande grillée. Une main de monstre. De monstre cracheur de feu. Comment y voir encore la main distinguée et raffinée qui n'avait qu'à frôler les touches d'un piano pour que s'en échappe la plus douce des mélodies ? Ou ces doigts longs qui ressemblaient tellement à des pétales de rose que, si elle s'endormait dans un champ, les papillons venaient s'y poser, les abeilles bourdonnaient tout autour à la recherche de nectar ? Une main de monstre. Voyant cette bouillie sanguinolente, Abraham Mandelbaum se détourna et vomit ses tripes. Bella resta à contempler le désastre, non pas avec horreur mais avec curiosité, tandis que les pensées se succédaient sous son crâne : « Je suis donc ainsi faite sous ma peau. » Et aussi : « Je me demande quand je commencerai vraiment à avoir mal. » Ou encore : « À présent, plus jamais aucun homme ne dira de moi que je suis parfaite. »

Elle attendit une semaine que s'arrête l'écoulement jaunâtre qui suintait de sa main brûlée avant d'ouvrir le journal intime de Rachel Mandelbaum. Pour le lire, elle s'installa à l'emplacement même où s'était dressé le caroubier sous lequel son amie défunte avait accouché. Restait encore le tronc, qui gisait sur le flanc tel un somptueux cadavre. Personne n'avait osé le déplacer, encore moins le débiter pour en faire du bois de chauffage. L'arbre était donc là, au bord du chemin, stèle silencieuse dédiée à la force de celui que l'amour avait rendu fou. Les habitants du village passaient devant en accélérant le pas et attendaient d'être hors de portée de ses branches pour murmurer : *meshugener*, avant de poursuivre leur route. Bella, au contraire, recherchait la présence de ce caroubier, à l'instar de ceux qui reviennent là où ils ont vu pour la dernière fois quelque chose de précieux désormais disparu. Car c'était bien là que Rachel Mandelbaum avait été vue pour la dernière fois dans son entièreté, avant qu'elle ne devienne l'ombre d'elle-même. Bella s'assit à même le sol et s'adossa au tronc abattu. Elle installa Zvi à côté d'elle et lui donna pour jouer deux gousses brunes dont les graines desséchées s'entrechoquaient à l'intérieur en émettant un son joyeux. Elle saisit enfin le cahier mais, passant sa main valide sur le cuir, elle frissonna tant était encore vif le souvenir de sa brûlure.

Qu'allait-elle découvrir ? Que renfermait la couverture gondolée sous l'effet des flammes ? Au cours de leurs conversations à trois (Rachel, Sonia et elle), jamais la femme du boucher n'avait mentionné le fait qu'elle tenait un journal. L'idée était en totale contradiction avec ce que dégageait une personne aussi frêle, dont l'équilibre précaire faisait penser aux pétales des séneçons fantomatiques, qui se transforment en fils de soie blancs dès le début de l'été et sur lesquels il suffit de souffler pour qu'ils s'éparpillent à tous les vents. A contrario, les mots d'un journal sont, eux, toujours si lourds qu'ils restent immuables bien après que le champ fleuri a été labouré, fertilisé, mis en friche, déclaré constructible et enfin occupé par de nombreux immeubles. Bref, comment la si vulnérable Rachel aurait-elle pu tenir un journal intime ?

Elle ne l'avait pas fait. Lorsque Bella osa enfin soulever la couverture de sa main valide, tremblante (la brûlée s'était soudain mise à enfler), elle découvrit de courtes phrases en allemand, bien ordonnées. Les poèmes de Rachel Mandelbaum. Par trois fois, elle fut obligée d'essuyer ses larmes avant de réussir à lire le moindre vers. Cette femme qui dès son arrivée en Palestine avait juré de ne parler qu'hébreu, qui était venue l'aider, elle, à apprivoiser et à utiliser cette nouvelle langue, cette femme dont même le rire – chose rare – s'était coulé dans la gutturalité hébraïque, cette femme écrivait en allemand. De la poésie. La manière dont elle formait ses lettres était nerveuse, petits caractères pressés et anguleux, comme si les mots couraient de gauche à droite et traversaient la page aussi vite que possible pour atteindre la dernière ligne avant d'être rattrapés par tous les barbares qui voulaient les tuer : la langue hébraïque (seule épouse légitime et qui ne supportait aucune concubine), l'époque (qui ne tolérait pas – entre les combats et les déclarations exaltées, entre les cochenilles à éradiquer et les lessives à accrocher – qu'on écrive des rimes délestées d'idéologie), le passé (taureau furieux pour qui le moindre mot germanique était un drapeau rouge sur lequel il était prêt à foncer, cornes nostalgiques pointées).

Les larmes de Bella Markovitch ayant fini par

sécher, elle se pencha sur les poèmes eux-mêmes, et quelques instants plus tard recommença à pleurer : ce qu'avait écrit Rachel était plus beau que tout ce qu'elle avait lu auparavant. En comparaison, les vers de son poète tel-avivien ne valaient pas mieux que de la fiente noire de pigeon éparpillée sur une page blanche. Tel l'alchimiste qui transforme le lin en or grâce à quelque formule magique, elle, Rachel Mandelbaum, avait eu le pouvoir, par ses mots, de distiller le quotidien pour qu'il devienne larmes d'or pur. Elle resta assise toute la journée à lire, sa main valide tenant le cahier, la blessée posée sur le tronc, et, lorsqu'elle eut terminé, elle sut qu'elle allait les traduire. Cette pensée lui vint, si claire et si apaisante qu'elle se dit que tout le chemin parcouru jusque-là n'avait eu pour but que de la mener au caroubier déraciné, là où elle déciderait de se lancer dans la traduction des poèmes de Rachel. Elle souleva sa main meurtrie et la passa sur le cuir du cahier, mais à son contact le pus recommença à couler.

— Si c'était à refaire, je le referais, chuchota-t-elle.

Comment pouvait-il en être autrement, puisque tout cela n'était destiné, bien sûr, qu'à sauver ce qu'avait écrit son amie, à tirer des profondeurs d'une mine obscure tous ces petits diamants allemands qui serviraient de boussole quand la tête serait assaillie de vertiges et que les jambes seraient épuisées.

Zvi lâcha les gousses du caroubier pour observer sa mère, étonné : voilà un bon moment qu'elle n'avait pas levé les yeux vers lui, et l'absence de ce regard caressant creusait en lui comme une béance qu'il sentait physiquement. Il lança un court gémissement exigeant qui se termina en point d'interrogation, du

genre : tu es où ? Bella referma le cahier en un claque-
ment hâtif. Elle était là, bien sûr qu'elle était là. Les
mots allemands attendaient depuis si longtemps qu'ils
pouvaient faire preuve d'encore un peu de patience.
Quant à Zvi, qui sentit de nouveau les yeux de sa
mère se poser sur lui, il reprit ses caroubes et les agita,
les frappa l'une contre l'autre dans un beau chahut,
annonçant ainsi au monde entier que tout était rentré
dans l'ordre.

8

Le numéro deux de l'Organisation n'avait pas trente ans que déjà trois bébés portaient son prénom. Le premier, Éfraïm Yémini, naquit au kibboutz Nitzanim en pleine guerre, le 13 juin 1948. Au moment d'accoucher, entre deux contractions et alors que le fracas des bombes couvrait ses cris, sa mère décida de l'appeler Ishmaël. Trois jours plus tard, l'ordre arriva d'évacuer tous les enfants du kibboutz parce que les Égyptiens approchaient. La mère fondit en larmes. Elle était encore trop épuisée pour se lever et marcher – comment son petit se nourrirait-il sans elle ? Le soir même, on versa des somnifères dans tous les biberons destinés à la pouponnière, où, exceptionnellement, se pressaient les parents venus tenir la menotte de leur bébé et le contempler une dernière fois recroquevillé dans son sommeil avant de s'en séparer pour une durée indéterminée. Malgré le somnifère, les enfants tardèrent à s'endormir. Comment le pouvaient-ils alors que leurs parents étaient là, ces mêmes parents d'ordinaire sourds aux supplications désespérées lancées gorge serrée et œil humide (maman, ne me laisse pas ici !) et qui ne les ramenaient jamais avec eux (même si pères et mères regagnaient leur chambre le cœur lourd, ils restaient convaincus du bien-fondé des dortoirs collectifs). Bref, cette nuit-là, les enfants regardèrent les adultes avec étonnement, les adultes regardèrent les enfants avec tristesse, jusqu'à ce que l'influence de la drogue ne l'emporte et que les petits yeux se ferment. Alors chaque parent se pencha sur un lit, souleva son bébé (tellement menu, tellement léger !) et, le serrant dans ses bras, sortit affronter la nuit.

Le groupe marcha presque deux heures avant de retrouver les combattants qui avaient réussi à contourner les lignes égyptiennes pour venir à sa rencontre. Dernier bisou, dernier câlin, chuuut ! Surtout ne pas les réveiller ! Les bébés endormis passèrent des bras d'un père ou d'une mère à ceux de soldats jeunes et musclés dans lesquels ils se lovèrent aussitôt. Pas un parent qui ne se demanda s'il aurait le bonheur, une fois la guerre finie, de serrer à nouveau contre sa poitrine ces quelques kilos si précieux. Pas un soldat qui, tenant dans ses bras les quelques kilos si précieux qu'on venait de lui confier, ne se demanda s'il aurait un jour le bonheur, une fois la guerre finie, de serrer ainsi contre sa poitrine son propre enfant. Et seul le lieutenant-commandant s'étonna de ne compter que vingt-deux petites créatures alors qu'on lui en avait annoncé vingt-trois. On lui expliqua que le nourrisson manquant était trop petit pour quitter sa mère et que celle-ci était trop faible pour marcher.

— Dans ce cas, déclara-t-il aussitôt, je me charge des deux.

Il retourna jusqu'au kibboutz au pas de course et

en revint trois heures plus tard, portant sur son dos la mère qui serrait son fils contre son sein – celui-là même qui aurait dû s'appeler Ishmaël et qui, à partir de cet instant, se métamorphosa en Éfraïm.

Le deuxième Éfraïm, Éfraïm Sharabi, naquit deux mois plus tard (bien que personne ne puisse se porter garant du jour et de l'heure exacts de sa naissance). Son père, un tireur d'élite exceptionnel, combattait au même moment sur les hauteurs de Jérusalem et, allez savoir par quelles voies miraculeuses, il apprit que sa femme était sur le point d'accoucher. D'un garçon, d'une fille ou d'un singe à cornes – il ne savait pas à quoi s'attendre. Le lieutenant-commandant en eut vent et ordonna aussitôt au futur père de rentrer chez lui. Devant le refus catégorique de ce dernier, il déclara :

— Si tu ne viens pas, dans quarante-huit heures, me rapporter ce qui se cache dans le ventre de ta femme, je t'éclate le crâne !

Le soldat obtempéra, découvrit qu'il avait un fils, lui donna le nom d'Éfraïm, reprit rapidement les armes et fut tué deux semaines plus tard.

Le troisième Éfraïm, Éfraïm Grinberg, naquit à Tel-Aviv un jour brumeux de mars. De sa mère il hérita le nez épaté et le mauvais caractère, de son père la peau eczémateuse et les sourcils qui se rejoignaient pour ne former qu'une seule barre bien droite. C'était un bébé assez laid, bien qu'il y en ait eu de plus disgracieux. En le voyant lever et abaisser son petit poing avec énergie, sa mère comprit qu'un jour il ferait de même à la tribune du Parlement du tout nouvel État d'Israël.

C'est pourquoi elle voulut lui donner le prénom d'un illustre dirigeant. David était déjà pris : trop de mères à la maternité avaient choisi ce prénom ; Herzl, on l'entendait *ad nauseam* rebondir des balcons aux cours d'immeubles. Penché au-dessus du lit de sa femme, Yehouda Grinberg contemplait avec émotion son fils qui se mit soudain à pleurer. Le sein gonflé que sortit aussitôt la jeune mère lui rappela le goût crémeux dont il s'était délecté la première fois qu'il l'avait lui-même sucé, et il revit le bateau qui les ramenait en Palestine. Certes, après être arrivée à bon port et avoir réglé son divorce, Frouma avait voulu explorer le nouveau pays et ses hommes, mais elle lui était finalement revenue et l'avait épousé pour de bon une seconde fois. Et voilà que ce délice onctueux se transformait à présent en lait ! À cet instant, il sut qu'il donnerait à son enfant le prénom du numéro deux de l'Organisation. N'était-ce pas lui qui l'avait envoyé en Europe, d'où il était revenu marié ? Ce choix était dicté autant par la gratitude (rendre honneur à celui à qui il devait son bonheur) que par un léger désir de revanche (face au grand Éfraïm, Grinberg n'avait jamais osé dire autre chose que : « Oui, mon commandant ! » Il se réjouissait à l'idée de pouvoir lancer bientôt, fort de son autorité sur son fils, quelque : « Éfraïm, tu as encore fait caca à côté du pot ? »). Il se hâta donc d'en parler à sa femme.

— À vrai dire, déclara celle-ci après réflexion, le lieutenant-commandant n'est pas encore une importante personnalité, mais il est indéniablement en bonne voie de le devenir. Adjugé ! Nous appellerons notre fils Éfraïm.

Et ce bébé pas très beau sembla comprendre qu'on parlait de lui. Il lâcha un petit pet.

Froïke, pour sa part, mentionnait rarement toute cette progéniture qui lui rendait ainsi hommage. Du coup, le prénom d'Éfraïm – très original de l'avis de tous – revenait chaque fois qu'un de ses subordonnés était à court d'idées. En six mois, on lui annonça la naissance de quatre Éfraïm supplémentaires, des nourrissons qu'il était obligé de prendre dans ses bras, soulever, caresser, alors qu'en son for intérieur il ne pensait qu'à un seul petit être.

Yaïr Feinberg, le lieutenant-commandant ne l'avait jamais vu. Trois mois après le jour mémorable où il avait couché avec Sonia, il reçut la visite de Zeev qui fit irruption dans son bureau, posa devant lui une bouteille de vin et s'écria :
— Buvons à la santé du petit !
— Quel petit ?
— Mon fils ! Bon, ce sera peut-être une fille, on va devoir attendre avant de savoir. Oh, mon Dieu, si c'est une fille, et si elle naît avec le même parfum que ma Sonia, tu devras me fournir des grenades et des mitraillettes pour que je la protège des garçons !
Et d'éclater d'un rire tonitruant qui se communiqua à tout le quartier général. Le seul à ne pas l'entendre fut le lieutenant-commandant : les mots « mon fils » étaient venus se plaquer contre ses oreilles et empêchaient tout autre son d'atteindre ses tympans. Mon fils. Dans le corps de Sonia se développait un enfant. Feinberg déboucha la bouteille, les deux amis burent

et burent encore. Le futur papa révéla alors que le sexe de sa femme avait un goût nouveau, cent fois plus doux, une sorte de saveur de pêche, jamais il n'avait goûté quelque chose d'aussi délicieux, sauf peut-être une fois, avec la fille de Guedera, celle qui avait les yeux vairons ; d'ailleurs, six mois plus tard, elle avait accouché de jumeaux, l'un aux yeux bleus, l'autre aux yeux verts. Par souci d'exactitude, Zeev développa : en fait, ce n'était pas uniquement de la pêche, il y avait aussi de la prune et de l'abricot, oui, comment décrire exactement tous les arômes ainsi que la texture… Pendant qu'il parlait, une goutte de vin s'accrocha aux poils dressés de sa superbe moustache, une goutte qui étincela sous le regard du lieutenant-commandant et lui renvoya les mots : mon fils. Mon fils. Mon fils.

Zeev finit tout de même par se lever et s'en aller, non sans avoir vigoureusement étreint son ami Froïke. Lequel resta un long moment assis à son bureau. Puis il se leva lui aussi et partit faire la seule chose qu'il savait faire : tuer des Arabes. Il en tua en Galilée, à Hébron, à Rehovot, ainsi que dans les rues de Jérusalem et les venelles de Jaffa. Chaque fois que, dans les implantations de pionniers, on avait besoin de renforcer la protection, de mener une opération de représailles ou – disons-le par souci de vérité historique – d'assurer le succès d'une mission audacieuse, le lieutenant-commandant était le premier à donner l'exemple. Ce qui explique pourquoi, alors même qu'il n'avait pas encore trente ans, son prénom était déjà entré sur la liste des préférés des futurs parents.

Trois jours après la fin de la guerre, Froïke, mort de faim et de fatigue, s'apprêtait à pousser la porte de chez lui. Il était tellement épuisé qu'il ne remarqua pas que Frouma Grinberg fondait sur lui du bout de la rue et il se laissa aussi facilement piéger qu'un lapin pris dans les phares d'une voiture.

— C'est un miracle de te rencontrer, comme ça !

Le numéro deux de l'Organisation, qui réservait le mot « miracle » aux circonstances exceptionnelles (comme ce fameux jour où une grenade avait atterri au milieu de son campement et où il s'était précipité pour la relancer au loin), se contenta de hocher poliment la tête.

— Nous fêtons aujourd'hui le premier anniversaire de notre petit Éfraïm. Viens, ce serait un plaisir de t'avoir parmi nous !

Il sentit l'étau se resserrer autour de lui. En vain, il indiqua son uniforme maculé de poussière et de sang, prétexta qu'il serait très gêné de paraître ainsi. Mais, à la vue de toutes ces taches, les yeux de la mère se mirent à briller : son cher époux avait été écarté des missions un tant soit peu héroïques pour cause d'un méchant calcul rénal, enfin elle pourrait fanfaronner au côté d'un vrai chef de guerre ! Ni une ni deux, elle passa le bras sous celui du lieutenant-commandant et l'emmena chez elle, où il fut accueilli avec enthousiasme. Ce n'est pas tous les jours qu'on effleure une éminente personnalité en allant remplir son verre de limonade. On lui demanda de raconter ses exploits dans le Nord, on voulut entendre ce qu'il avait accompli dans le Sud et, entre deux bouchées de gâteau au pavot, on chuchota sans attendre de réponse (une seule étant possible) :

— Est-ce vrai qu'une nuit vous avez réussi à traverser les lignes jordaniennes dans Jérusalem assiégé pour aller poser votre main sur les pierres du mur des Lamentations ?

L'intéressé se bornait à sourire avec amabilité et laissait les histoires monter en volutes autour de lui, aussi impassible que la montagne enveloppée de nuages ornant les assiettes de porcelaine de Chine. Et ce sourire, loin de signifier à ses interlocuteurs le ridicule de ces légendes et inventions qui ne méritaient même pas d'être démenties, les persuadait au contraire que tout était véridique – le propre des sourires aimables étant que chacun y trouve son compte.

— Ah, on leur a bien montré de quel bois on se chauffait ! s'exclama un homme qui se tenait à côté de lui, dégoulinant de sueur et de soda.

Le lieutenant-commandant opina, ce genre de confirmation ne coûtait rien et faisait très plaisir.

— On les a boutés hors de la ville de Lod, chassés de Jaffa, maintenant le pays sera calme pendant quarante ans !

Là, Froïke stoppa net son hochement approbateur.

— Certainement pas. Malgré la citation biblique, ce pays ne sera pas calme.

Car, même s'il maniait l'art de l'approbation avec habileté et acceptait les balivernes héroïques en cas de besoin, il refusait de cautionner un tel déni : il avait vu de ses propres yeux l'expression des Arabes de Lod qui emballaient leurs maigres effets avant d'entamer leur longue marche. Il avait vu le soleil cuisant.

Il avait vu une femme essayer d'allaiter un bébé mort, il avait vu son regard, il avait vu leur regard à tous, à tous ces Arabes, et avait eu l'impression de croiser le sien tel qu'il se reflétait dans le miroir. Un regard qu'il connaissait bien, celui de tous ceux qui étaient obligés de renoncer à ce qu'ils avaient de plus précieux au monde. Lorsqu'il répondit à son interlocuteur dégoulinant de sueur et de soda, il n'avait en tête ni les paysages verdoyants, ni la Méditerranée, ni le lac de Tibériade. Non, il n'avait en tête qu'une seule chose : les deux yeux un peu trop écartés de Sonia et la main de Zeev Feinberg qui caressait le ventre de miel sur lequel il avait lui-même posé la tête. Et, à cause de cette image, il répéta :

— Comment voulez-vous que ce pays soit calme ?

Sans rien ajouter et sans prendre congé, une tranche de gâteau au pavot encore à la main, il quitta les lieux. Les convives se contentèrent de hausser les épaules en se disant que c'était là un bien étrange individu. Tuer, il le faisait à merveille, mais, si vous comptiez sur lui pour participer à une simple conversation, vous vous trouviez face à une carpe. Et tandis qu'ils s'en retournaient siroter un verre de limonade supplémentaire, Froïke, lui, fonçait vers Jaffa. Il devait absolument vérifier s'il avait raison, si le regard de l'Arabe privé de sa terre était le même que celui de l'homme privé de son aimée. Arrivé en ville, il dut tourner encore et encore avant de dégotter un Arabe, qu'il saisit aussitôt au collet et plaqua contre un mur. Sous l'éclairage blême du réverbère, il plongea jusqu'au fond de ses pupilles. Si seulement il pouvait y trouver de la peur. Mais le regard que l'homme lui rendit n'était autre que celui qu'il connaissait trop bien. Alors il le lâcha et le laissa partir. À présent, il savait : de même qu'il sentirait le parfum d'orange de Sonia où qu'il aille, ces gens-là sentiraient, à tout jamais, le parfum de leurs orangeraies, de leurs oliveraies et de leurs vignes.

Il déambula toute la nuit dans Jaffa. Ce fut si long, à travers des ruelles si tortueuses, qu'il finit par croire que plus jamais le soleil ne se lèverait, qu'il marcherait pour l'éternité entre ces murs étroits, qu'il aurait beau obliquer un coup à droite, un coup à gauche, ce serait toujours la même obscurité qui l'attendrait au coin de la rue, de carrefour en carrefour. Sauf que, tout à coup, il tomba nez à nez avec le soleil. En le voyant, il comprit que la guerre était réellement finie. Ce qui aurait dû le réjouir. Pourtant il prit peur. Pour la première fois de sa vie, il prit peur. L'astre se levait, éclairait les pavés de la chaussée. La rue entière semblait tapissée d'or. Tout était calme. Pas un sifflement d'obus, pas un tir de mitrailleuse, l'air n'était plus déchiré par le ronflement des avions ni le hurlement des sirènes. Les officiers n'aboyaient plus leurs instructions, les soldats ne murmuraient plus leurs prières. Et dans ce calme, dans ce calme terrifiant et glacial, le numéro deux de l'Organisation put enfin entendre ce que le fracas des armes avait eu la bienveillance d'étouffer : les mots de Zeev Feinberg lui annonçant que Sonia était enceinte.

9

C'est à Safed que Yaacov Markovitch commença
sa tournée de condoléances, fidèle à son serment de
rencontrer les familles de ses défunts compagnons
d'armes. Il passa quelques jours avec les parents du
boiteux et leur raconta que le jeune homme avait combattu sans quitter des yeux l'ange Ouriel et qu'il était
mort avec sur les lèvres un chant à la gloire de Dieu.
Il pria avec eux, bénit la nourriture avec eux et, au
moment de les quitter, il comprit la grande consolation
qu'apportaient la religion et toutes ces cérémonies. De
même que, au village, il avait rassemblé des manuels
qui expliquaient comment bonifier la croissance des
agrumes, ces gens-là possédaient des livres qui les
aidaient à bonifier la croissance des hommes, ils leur
indiquaient ce qu'il fallait leur donner à manger et à
boire, leur offraient de quoi soulager leur douleur.

De là, il se rendit chez le marchand de Jaffa, où il
fut accueilli par un verre lancé contre le chambranle
de la porte au seuil de laquelle il se tenait. Le verre
visait-il sa tête et avait-il manqué sa cible, ou bien
était-ce la manière dont les maîtres de céans avaient

l'habitude de souhaiter la bienvenue à leurs hôtes ? se demanda-t-il, perplexe… jusqu'à ce qu'un bocal d'olives l'atteigne en plein ventre et dissipe ses doutes : en ces lieux, on n'avait pas l'intention de lui faire bon accueil. L'épouse, une créature décharnée à la poigne de fer, était de celles qui lancent à la tête de leur mari toutes sortes d'ustensiles de cuisine et d'aliments divers. Avant que Markovitch n'ait le temps d'ouvrir la bouche, elle lui avait envoyé la moitié de sa maison – elle n'épargna ni la bouteille de vieux vin ni le gâteau parfumé à peine sorti du four.

— Dehors ! Tout de suite ! Ou j'y vais avec les couteaux !

Yaacov Markovitch fut sur le point de rebrousser chemin. Il avait beau avoir participé à de nombreux combats, jamais il ne se sentit autant en danger qu'au moment où elle attrapa une casserole de lait bouillant et la brandit, menaçante.

— Arrêtez ! Je suis un ami de votre mari !

Il esquiva le liquide brûlant par un bond de côté, mais vit sur ses chaussures des petites gouttes blanches brillantes qui crépitèrent un instant avant de refroidir.

— Encore un créancier ? Ou un revendeur d'alcool qui cherche une proie facile ? À moins qu'il ne t'ait promis, à toi aussi, une de nos filles en échange d'un bon coup de gnôle ?

— Pas du tout, je suis agriculteur.

À ces mots, la furie abaissa le panier d'œufs qu'elle lui destinait. Apparut alors un visage anguleux encadré de cheveux couleur goudron.

— Tu es vigneron ?

— Non.

— Producteur d'eau-de-vie ?

— Non.

— De liqueur de prune, alors ?

— Madame, je n'ai jamais vendu d'alcool à votre mari.

— Quoi, tu lui as donné à boire gratuitement ?

— Non, mais j'ai bu à sa mémoire.

Les douzaines d'œufs se brisèrent au moment où l'épouse du marchand de Jaffa vacilla, lâchant le panier qui se renversa à ses pieds. Les jaunes et les blancs se mélangèrent.

— À sa mémoire ?

Pour la première fois, la voix dure se fissura. Markovitch s'éclaircit la gorge.

— On ne vous a pas avertie ?

— Des gens sont venus, mais je me suis enfermée et j'ai refusé de leur ouvrir. Je croyais que mon imbécile de mari avait déserté pour aller se chercher à boire et qu'on venait le remmener de force. Je suis montée sur le toit et j'ai déversé sur eux de l'huile bouillante.

Elle s'assit sur le sol souillé par les œufs. Après un instant d'hésitation, il s'approcha et s'assit, lui aussi.

— Quel idiot ! Quel triple idiot c'était !

De grosses larmes toutes rondes se mirent à rouler de plus en plus vite sur son visage anguleux.

— Un fainéant. Et un infidèle. Tu conviendras avec moi qu'il était infidèle ?

Elle se tourna d'un coup vers Markovitch, qui se tortilla d'embarras.

— J'en conviens, finit-il par lâcher.

— Un infidèle, un chaud lapin ! poursuivit-elle en enfouissant son visage dans ses mains, de sorte que ses cheveux noirs et emmêlés couvrirent presque tout son corps. Et un sale menteur !

Il baissa les yeux et fixa le carrelage sur lequel se mélangeaient à présent les larmes de la femme, le lait et les coquilles d'œufs. Lorsqu'elle releva la tête, il vit qu'elle avait le visage ravagé.

— Conviens que c'était un porc.

— Sans conteste.

— Aaaaah !

La femme se mit alors à gémir d'une voix fine, haut perchée, et lui se concentra sur la petite éclaboussure d'œuf qui tachait son pantalon. Il humecta son index de salive et frotta. En vain. Non seulement la trace refusait de disparaître mais, il avait beau se focaliser dessus, il ne parvenait pas à ne pas entendre les sanglots qui devenaient insupportables. Finalement il se tourna vers la veuve éplorée et lui dit la seule chose qui lui parut adéquate en une telle circonstance :

— Sachez, madame, qu'il est mort en héros.

Elle se calma instantanément. D'une main poisseuse, elle sécha ses yeux et repoussa ses cheveux. Maintenant que le rideau de larmes s'était dissipé et que les mèches avaient été écartées du visage, il se rendit compte qu'ils étaient assis trop près l'un de l'autre et s'éloigna un peu, mal à l'aise.

Elle lui jeta un regard railleur.

— On ne meurt pas en héros. On meurt en mort.

Comme il ne trouvait pas quoi répondre à une telle affirmation, d'apparence très simple, mais qui contenait en elle les germes d'une dangereuse controverse, il prit son courage à deux mains et déclara :

— Il y a tout de même une différence certaine.

Elle se releva et se dirigea vers la cuisine. Markovitch se hâta de la suivre. Presque toute la vaisselle et les vivres ayant servi de projectiles, ne restait plus sur le plan de travail qu'un poulet un peu gras.

— Tu vois ce poulet que je préparais avant ton arrivée. Eh bien, penses-tu qu'il fera la différence si on le mange en boulettes ou en escalopes ?

— Ce n'est pas la même chose, car...

— Pareil pour mon homme ! le coupa-t-elle. Mon imbécile, fainéant, infidèle, chaud lapin et gros porc de mari, tu crois qu'il fera la différence si on l'enterre en héros ou en salopard ?

Et elle lui jeta le poulet à la figure.

Perplexe et couvert de détritus alimentaires, Markovitch se présenta au consulat américain dans le but de trouver d'éventuels proches de son ami le parieur (dont la judéité n'était toujours pas prouvée). Il dut attendre presque deux heures avant qu'on l'informe que cet homme n'existait pas.

— Qu'est-ce que ça veut dire, qu'il n'existe pas ?

— Il ne figure pas dans nos registres.

— Eh bien, cherchez dans d'autres registres.

— Il n'y en a pas d'autres.

Markovitch eut beau décrire le combat glorieux de son valeureux compagnon devant la citadelle, ainsi que les bouleversantes conditions de sa mort héroïque, rien n'y fit.

— Ce monsieur est peut-être un héros, admit le consul en rajustant ses lunettes sur son nez, mais il n'est pas américain.

De plus amples vérifications ne donnèrent pas

davantage de résultats. Si bien qu'il finit par se poser lui aussi des questions quant à l'existence de ce parieur américain à la judéité incertaine. Il ne tenait pour sûre qu'une seule chose : c'était un joueur compulsif.

Désespérant de tirer quoi que ce soit des divers organismes officiels, il décida de miser sur l'humain. Certes, les organismes officiels sont plus ordonnés que les humains – les choses de la vie y sont classées par ordre alphabétique –, mais il arrive parfois que dossiers, archives et rayonnages ignorent ce que des gens bien réels connaissent et se rappellent. Il arrive que l'on puisse identifier quelqu'un non pas grâce à son numéro de carte d'identité, son adresse ou son code postal, mais à son odeur, à sa façon de parler, à sa manière de serrer la main d'un ami ou de gifler un ennemi. C'est pourquoi Yaacov Markovitch abandonna consuls et fonctionnaires pour se tourner vers les tripots. Si quelqu'un était susceptible de se souvenir d'un parieur américain à la judéité incertaine, cette personne ne pouvait se trouver que dans de tels lieux.

Il s'appelait André et était né en France. De l'Amérique, il ne connaissait apparemment que des photos. Markovitch obtint ces renseignements d'un individu de grande taille, qui portait une gabardine élimée et refusa de donner son nom. Ce ne fut d'ailleurs qu'au bout de trois nuits à traîner dans les cercles de jeu qu'il obtint ces bribes de renseignements : qui fréquentait ces endroits semble sourd à tout, sauf au bruit du dé sur le tapis. Ceux qu'il approchait levaient vers lui des yeux vitreux et restaient lèvres closes. Furieux et à bout de nerfs, il finit par monter sur une chaise branlante.

— Je cherche des informations sur un très bon ami à moi, cria-t-il à pleins poumons. C'était un joueur, comme vous tous ici présents. Je le croyais américain, mais maintenant je n'en suis plus très sûr. Il m'a dit s'appeler Jacob, mais de ça non plus je ne suis pas très sûr.

Autour de la table, les hommes levèrent brièvement les yeux et retournèrent aussitôt à leurs occupations. Entendant la chaise craquer, Markovitch se hâta de sauter à terre, et c'est à cet instant qu'il fut interpellé par l'individu de grande taille portant une gabardine élimée, dont le visage se définissait davantage par ce qui lui manquait : il avait trois dents en moins, des joues creuses, des yeux dépourvus d'expression.

— Pourquoi vous intéressez-vous à l'Américain ?

La méfiance de la voix lui révéla enfin pourquoi tous ceux qu'il avait accostés avaient ignoré ses questions : on l'avait certainement pris pour quelque créancier sans cœur qui en voulait à leur collègue de passion.

— Sachez que mes intentions sont bonnes, précisa-t-il.

Devant l'air toujours peu convaincu de son interlocuteur, il faillit même dévoiler la raison de sa venue mais, fort de l'expérience acquise auprès de la veuve du marchand de Jaffa, il préféra ne pas être celui par qui la mauvaise nouvelle arrivait.

— C'est un ami très proche.

Ces mots n'eurent pas l'effet escompté. Soudain furibond, l'homme s'empourpra tandis que ses narines se dilataient à chaque inspiration, menaçantes.

— Un ami très proche, vraiment ? Alors pourquoi ne vous a-t-il rien dit de son nom ni de son pays natal ? le défia l'étrange individu, le regard hostile et les joues gonflées de colère.

Markovitch comprit alors que ce drôle de type était tout simplement jaloux.

— Ne vous méprenez pas, s'empressa-t-il d'expliquer, nous étions frères d'armes. Nous avons combattu ensemble.

Une expression de perplexité bouleversée se peignit alors sur le visage de l'homme en gabardine qui, en moins de temps qu'il ne faut pour le dire, le prit à la gorge et le plaqua violemment contre le mur du tripot. Pas un joueur ne leva les yeux. Markovitch avait de plus en plus de mal à respirer, les doigts maigres de son agresseur se resserraient autour de son cou, des taches bleues et violettes dansaient devant ses yeux, mais il distingua au milieu du brouillard l'éclat d'une grosse chevalière en or, sertie d'un rubis taillé en losange. Malgré l'évanouissement imminent, il se souvint d'avoir vu la même bague au doigt du parieur à la judéité incertaine. L'homme en gabardine colla son visage contre le sien :

— Qu'est-ce qui me prouve que tu étais vraiment avec lui au combat et que les renseignements que je te donnerai ne lui nuiront pas ?

C'est les lèvres tremblantes et dans ce qu'il croyait être son dernier souffle que Markovitch chuchota :

— Rien ne peut plus lui nuire.

Il sentit aussitôt la pression se relâcher et, après avoir retrouvé une respiration plus normale, il découvrit que le dangereux personnage à poigne de fer se répandait en sanglots sur la table voisine. Il s'approcha, incertain, l'autre tira la chaise qui se trouvait là, lui indiqua de s'y asseoir, il hésita un court instant, passa sa main sur son cou encore douloureux et obéit.

— C'était un ange, et d'une telle innocence ! murmura le malheureux. Un ange pur et innocent.

Markovitch ne le contredit pas. Bien qu'il ait beaucoup aimé son camarade, les qualificatifs de « pur et innocent » n'étaient pas les premiers qui lui seraient venus à l'esprit pour le décrire, d'autant que l'inconnu continuait et rajoutait aussi des « si tendre » et des « si candide ». Il réfléchit : un brin de jugeote et son cou meurtri lui commandaient de s'écarter au plus vite. Mais son sens du devoir ainsi que sa curiosité naturelle le suppliaient de rester. S'armant de courage, il se résolut à poser une question.

— Vous l'avez rencontré à son arrivée d'Amérique ?

— D'Amérique ? Jamais il n'a posé son charmant petit pied en Amérique !

— Mais alors d'où venait-il ?

— De Paris. Chaque matin de notre vie commune, André n'a cessé de se lamenter et de rêver à un croissant digne de ce nom.

Au prix de bien des efforts, Yaacov Markovitch essaya de rassembler les différentes pièces de l'énigmatique puzzle laissé par son compagnon d'armes – qui se révélait à présent aussi peu américain que lui. Il finit par y renoncer et demanda :

— Pouvez-vous m'expliquer pourquoi, s'il est né en France, il prétendait venir d'Amérique ?

— Pour échapper à ses créanciers français. Une meute de loups affamés, voilà ce qu'ils étaient !

L'homme en gabardine releva la tête et donna sur la table un coup de poing si rageur qu'un des verres de vin tomba et se brisa dans un bruit qui ne fit trembler que Markovitch.

— Ces ordures l'ont traqué à travers toute l'Europe, si bien que, pour avoir la vie sauve, il a dû se résoudre à quitter le continent.

— Pourquoi n'est-il pas allé en Amérique ?

— Parce que tout le monde s'y réfugie ! Lui a préféré fuir en Eretz-Israël. Il faut être fou pour fuir en Eretz-Israël, n'est-ce pas ?

— Mais pourquoi se faire passer pour un Américain ?

L'homme sortit une bouteille d'alcool de sa veste et en prit une grande lampée.

— Avez-vous déjà parié ?

— Non.

— Avez-vous déjà désiré une chose tellement fort que vous n'auriez pas pu l'abandonner, fût-ce au prix de votre vie ?

— Oui.

Son interlocuteur le dévisagea puis lui tendit la flasque.

— Moins de deux heures après avoir débarqué ici et s'être débarrassé du mal de mer qui faisait trembler ses mains, André s'est assis à une table de jeu et a pris une paire de dés. Vous n'êtes pas sans savoir combien ce pays est petit. Tous les possédés du jeu évoluent dans un misérable mouchoir de poche. La rumeur de l'arrivée d'un ressortissant français se serait très vite répandue, les créanciers auraient rappliqué et il se serait retrouvé au bout d'une corde accrochée à un pilier de la mosquée de Jaffa, une balle de pistolet dans la bouche.

— C'est donc pour cela qu'il a prétendu être américain ?

— Avant d'être pris dans les rets de Dame Chance, il était professeur de langues. Extrêmement doué et promis à un brillant avenir. Spécialiste d'anglais et de grec ancien. Lorsqu'il a décidé de s'inventer une fausse identité, il a hésité entre joueur américain ou philosophe grec, mais vu qu'il adorait Hollywood et détestait les tragédies grecques… le choix a été vite fait.

Tout en parlant, l'homme faisait tourner sa bague. Le rubis en forme de losange était à l'évidence très acéré et pouvait facilement trancher une gorge. Markovitch ravala sa salive et se creusa les méninges pour trouver quelque chose d'aimable à dire :

— Il semblerait que la rivalité des parieurs s'est transformée entre vous en une véritable amitié.

— Jamais je ne me suis assis à la même table que lui, répondit l'autre après avoir secoué négativement la tête.

— Alors, où vous êtes-vous rencontrés ?

L'endeuillé lui indiqua le mur contre lequel il l'avait plaqué quelques instants plus tôt et se mit à parler tout en caressant tristement sa bague :

— Ici, contre ce mur exactement. Avant qu'André ne débarque, on avait fait appel à mes services pour que je m'occupe d'un jeune Américain qui fuyait ses créanciers et que j'ai cherché pas mal de temps, dans les différents tripots, jusqu'au soir où j'ai cru l'avoir débusqué parce qu'il lançait les dés avec maestria en récitant des dialogues tirés de films de Humphrey

Bogart. Quand il s'est levé pour partir, je l'ai pris au collet, près de l'envoyer dans le monde où tous les dés sont figés sur le six. Il s'est alors mis à me supplier en français et a réussi à me convaincre qu'il n'était pas mon homme.

Une larme tomba droit sur le rubis acéré.

— Ou plutôt si, mais dans un sens différent. Nous avons vécu ensemble toute une année. Pour son anniversaire je lui ai offert la même bague que celle-ci – qu'il puisse se défendre en cas de besoin. Si mignon, cet André ! Il a longuement ri, et ensuite il a dit que jamais il ne pourrait égorger quelqu'un avec un cadeau venant de moi. Il était aussi gracile qu'un enfant.

— Pourquoi est-il parti ?

Les mots avaient à peine été prononcés que Markovitch s'en mordit les lèvres. La curiosité, mère de tous les vices, avait pris le pouvoir sur sa langue, sur sa prudence habituelle et sur le sens commun qui l'avaient jusqu'alors protégé. Il vit les doigts de son interlocuteur se crisper sur la pierre rouge et sentit son regard hostile.

— Il n'est pas parti. On l'a obligé à fuir.

— Bien sûr, bien sûr, se hâta-t-il de compatir.

— Un jour, en revenant d'un voyage d'une semaine, j'ai trouvé l'appartement vide. Pendant que je m'occupais d'un jeune dévoyé qui se cachait à Saint-Jean-d'Acre, trois hommes ont débarqué de France. André, qui les a vus arriver, a juste eu le temps de détaler. Certains dirent qu'il avait quitté le pays, d'autres qu'il s'était engagé dans l'armée. Moi, j'ai toujours su qu'il reviendrait. Je me suis occupé des trois fumiers qui étaient venus l'embêter et je suis parti à sa recherche.

— Vous vous êtes enrôlé ?

— Grand dieu, non ! Troquer ma bague contre un fusil ? Renoncer au crime artisanal et intime pour un travail à la chaîne froid et inhumain ? Non et non. Disons que je suis resté un petit épicier au milieu de l'industrie guerrière. Personne ne citera mon nom le jour où l'on distribuera des médailles, mais je jure qu'avec cette bague j'ai tué plus d'Arabes que n'importe quel soldat. Sans compter un officier qui s'était mal conduit envers moi.

À cet instant, Markovitch décida de lui raconter les exploits militaires de son bien-aimé, l'assaut téméraire qu'il avait lancé contre la citadelle avant de mourir en se vidant de son sang. À la fin de son récit, il remarqua que l'homme, qui l'avait écouté avec attention tout en caressant machinalement sa bague, s'était fait des petites coupures au bout des doigts et que de minuscules gouttes de sang mouchetaient la table, ce qui ne sembla pas l'émouvoir tant il était happé par le visage qui se dessinait dans son souvenir.

— Après la mort de tous vos compagnons, vous avez commencé à sillonner le pays ? Un chœur de pleureuses à vous tout seul ?

— Je voulais m'assurer qu'il y ait au moins deux yeux pour pleurer chacun d'eux.

— Que leur importent les larmes puisqu'ils sont morts ?

— Elles les lavent de la poussière qui recouvre leurs noms.

L'homme recula et tira une unique cigarette des profondeurs de sa veste.

— Et pour chacun vous avez trouvé les larmes que vous cherchiez ?

— Oui. La mère du boiteux de Safed croit que son fils est à présent installé à la droite de l'ange Ouriel. Et même si ses yeux sont tournés vers le ciel, ses larmes tombent sur le sol. La veuve du buveur de Jaffa m'a jeté à la figure des couteaux, des œufs et un gâteau, mais, avant de lancer sur moi le poulet qu'elle préparait, elle a pleuré. Quant à vous, qui aviez l'intention de me trancher la gorge avec votre bague, vous m'avez épargné pour pleurer mon ami le parieur. Je crains juste que maintenant vous ne retourniez l'arme contre vous.

Le veuf tira une grande bouffée de sa cigarette et sembla lui aussi remarquer pour la première fois les traces qui maculaient la table.

— Non, dit-il, je ne me trancherai ni les veines ni rien d'autre, j'attends toujours l'arrivée de ce parieur américain à la judéité incertaine dont je dois m'occuper.

Tout avait été dit. Au moment où Markovitch s'apprêtait à se lever, l'homme le fixa d'un regard perçant.

— Ne m'avez-vous pas avoué tout à l'heure que vous désiriez, vous aussi, une chose tellement fort que vous n'auriez pas pu l'abandonner, fût-ce au prix de votre vie ?

— C'est vrai.

— Dans ce cas, pourquoi ne vous êtes-vous pas précipité auprès de... Il s'agit d'une femme, je suppose ? La guerre a duré si longtemps que chaque jour supplémentaire vous la fait perdre un peu plus.

— Un homme peut-il perdre ce qu'il n'a jamais possédé ? lâcha-t-il avec un sourire amer.

Dans le silence qui s'ensuivit, l'inconnu fit soudain apparaître – d'où ? impossible à deviner – une épaisse enveloppe.

— Prenez.

Markovitch obtempéra et, lorsqu'il l'ouvrit, il y trouva ce que les énigmatiques inconnus en gabardine mettent généralement dans une enveloppe : de l'argent. Sauf qu'en général ils n'en mettent pas autant. Celle qu'il avait entre les mains était pleine à craquer.

— L'unique chose que je désirais, ces billets ne pourront pas me la rendre. Qui sait ? Peut-être vous offriront-ils ce que vous désirez.

Sur ces mots, l'étrange individu se leva, indiquant par là que la conversation était terminée. Ce fut ainsi que Yaacov Markovitch rentra chez lui en homme riche.

10

À l'instant où Yaacov Markovitch atteignit les abords du village, Bella se tenait, immobile, à l'extrémité de son champ. La raison : elle cherchait depuis un bon moment une rime hébraïque au vers d'un des poèmes laissés par Rachel Mandelbaum. Chaque fois qu'elle se heurtait à un problème de traduction particulièrement ardu, elle se levait de sa chaise et commençait à marcher de long en large dans son salon. Ses pas faisaient tourbillonner sa jupe autour de ses jambes et, dans le souffle d'air ainsi discrètement induit, il arrivait que la bonne formulation se révélât soudain. Malheureusement, la plupart du temps, l'hébreu se montrait rétif. Alors elle ouvrait la porte, sortait de la maison et recommençait à marcher, cette fois dans la cour, autour du parterre de fleurs. L'odeur de la terre humide apaisait généralement les mots, qui daignaient enfin venir se positionner là où elle en avait besoin. Mais parfois l'odeur de la terre humide restait aussi inefficace que la vue des fleurs, ce qui l'obligeait à enjamber le muret de pierres et à se mettre à arpenter le champ derrière la maison. Il y avait une relation directement proportionnelle entre la distance qu'elle parcourait et le degré de résistance qu'opposait la langue hébraïque à se couler à la place de l'allemand. Il était cependant très rare qu'elle doive s'aventurer jusqu'au bout du champ. Une seule fois elle avait été obligée d'atteindre l'orée du village pour enfin s'écrier « Nostalgie ! » et revenir en une cavalcade enthousiaste directement à son bureau.

Parfois, aussi, au beau milieu d'une chasse à la rime idéale, Bella se figeait brusquement, l'oreille et l'œil aux aguets elle scrutait l'horizon, les champs, le chemin qui menait à la maison de pierres, et ne reprenait lentement son travail, le bout du nez frémissant et encore un peu inquiet, qu'après s'être rassurée et persuadée que ses sens l'avaient trompée et qu'elle était toujours sans conjoint. Chaque fois qu'elle tournait la tête vers le chemin, Zvi faisait de même. Qu'espérait-il voir venir, il l'ignorait, mais la tension des gestes de sa mère, cette corde intérieure qui se raidissait soudain, l'engageait à lever les yeux vers la colline. Certains jours où elle était très absorbée par sa traduction, mais où il en avait assez de jouer, il sortait et examinait ce chemin pour tenter de percer le mystère. Peut-être qu'enfin apparaîtrait ce que sa mère guettait. Debout, il attendait sans savoir quoi. Il n'avait pas encore quatre ans, mais était devenu très habile dans l'art de l'attente. Le présent n'était pour lui que le corridor par lequel il fallait passer pour atteindre son objectif véritable, quoique inconnu. Ainsi, et de manière tout à fait involontaire, Bella transmit à son fils le virus de l'expectative dont elle souffrait depuis sa jeunesse.

Le jour du retour de son père, Zvi marchait à

quelques pas de sa mère, très intéressé par les insectes qui grouillaient dans le champ. Il avait appris depuis longtemps que lorsqu'elle faisait ainsi les cent pas en remuant silencieusement les lèvres, le front plissé par une intense concentration, il ne devait la déranger sous aucun prétexte. Elle se tenait donc immobile au bout du champ, tentant d'amadouer les mots par toutes sortes de gentils murmures et de serments, de les séduire avec des belles promesses, mais… peine perdue ! Devant ses yeux ne dansaient que des lettres, une multitude de lettres, toutes plus rebelles les unes que les autres. Et même si, au milieu de tous ces caractères hébraïques, elle distingua une silhouette qui descendait la colline, elle n'y prêta pas vraiment attention. De plus, l'homme avançait très droit, d'une démarche tout en puissance contenue qui ne pouvait en aucun cas convenir à Yaacov Markovitch. Elle recommença à essayer d'amadouer l'hébreu. Au bout de quelques minutes, elle comprit que cette fois elle n'arriverait à rien et tapa rageusement du pied, ce qui provoqua aussitôt la mort de la coccinelle dont Zvi venait de s'enticher. Mais l'enfant ne pleura pas : les coccinelles avaient beau être ravissantes, elles ne constituaient qu'un succédané bon marché qui l'aidait à passer les minutes durant lesquelles il n'était pas en position d'attente, visage tourné vers la colline. Il leva à nouveau la tête pour scruter le chemin – et là, il distingua l'homme qui approchait. Il se hâta de lancer un coup d'œil à sa mère, mais celle-ci (tout à la fois furieuse de son échec et un peu amusée) se dirigeait déjà vers la maison. Il en déduisit que cet homme n'était pas ce que sa mère guettait avec tant d'inquiétude et qu'il passerait, lui aussi, devant le muret de pierres sans s'arrêter. Comme tous les autres.

Pourtant, Zvi resta là à examiner l'étranger qui s'approchait et, à chacun de ses pas, c'était comme si s'ouvrait une toute petite fenêtre dans la poitrine du garçonnet, car cette démarche lui rappelait quelque chose dont il ne pouvait, pourtant, absolument pas se souvenir. Lorsque l'homme se trouva à quelques mètres, ses yeux d'enfant s'emplirent de larmes : encore un qui poursuivrait sa route, les coccinelles et les jouets continueraient à n'y rien changer, à le renvoyer à l'attente et à l'espoir, attente et espoir dont il ne connaissait même pas le but, mais qui le poussaient, jour après jour, à scruter ce sentier et cette colline. Pourquoi y avait-il tellement de gens qui dévalaient la pente et jamais personne pour s'arrêter chez eux ? Et voilà que soudain l'homme obliqua vers la maison. Zvi se secoua aussitôt et courut se jeter dans les bras surpris de Yaacov Markovitch.

Bella, qui était déjà rentrée, entendit, par la porte restée ouverte, son fils qui galopait. De là où elle se trouvait, elle ne pouvait pas voir ce qui enthousiasmait tant l'enfant. Sûrement un oiseau. Ou un chat peut-être ? Peu importe, son fils voudrait déjeuner dès qu'il s'en serait lassé, elle se prépara donc à mettre le couvert et ce fut ainsi, avec deux assiettes à la main, que son mari la vit au moment où il pénétrait à l'intérieur, Zvi dans les bras.

Au bout de quelques jours, le garçon l'appelait papa, à la grande surprise de l'intéressé qui n'avait jamais prononcé ce mot devant lui et était absolument certain

295

que Bella ne l'avait pas fait non plus. Où donc avait-il été pêcher ces deux syllabes qui le mettaient en joie chaque fois qu'elles étaient formulées, deux syllabes dont la chaleur irradiait dans son corps meurtri de soldat revenant de la guerre ?

— Il a dû entendre un des gamins du village appeler ainsi son père, suggéra-t-il à Bella, qui confirma de la tête.

Elle avait décidé de ne pas lui offrir autre chose qu'un masque d'ivoire et elle s'efforçait de le garder même pendant son sommeil. Zvi, quant à lui, dormait de moins en moins. À peine était-il couché qu'on entendait ses petits pieds tambouriner sur le sol et courir vers le canapé où somnolait Markovitch, pour vérifier s'il était toujours là. Bien des fois, l'adulte était réveillé au milieu de la nuit par le frôlement des menottes qui, fascinées, lui caressaient le visage. Oui, ce visage si fade de l'avis général, qui s'effaçait de la mémoire dès qu'on en détournait les yeux, ce visage était pour Zvi une source inépuisable de joie et de curiosité. Il examinait les yeux un peu enfoncés, les sourcils trop fins, les sillons creusés aux commissures de la bouche, le bombé du front. Et Markovitch s'y abandonnait avec félicité, même si le petit lui pinçait le nez ou lui enfonçait un doigt maladroit dans l'œil. Il avait même l'impression que, avant le début de ces investigations enfantines, il ne connaissait pas lui-même son visage, et il percevait chaque contact, chaque pincement, chaque égratignure ou chatouillis comme une preuve supplémentaire de sa propre existence.

Bella suivait de sa chambre les élans nocturnes de son fils. Elle entendait, le cœur serré, ses petons trottiner vers le salon. Elle qui avait longtemps espéré que le petit cesse de troubler son sommeil par des angoisses et des questionnements sans fin, voilà qu'elle attendait chaque nuit qu'il la dérange. Pourquoi sa frimousse toute ronde n'apparaissait-elle plus dans l'entrebâillement de sa porte, pourquoi ne lui lançait-il plus : Je peux ? avant de se précipiter sur son lit sans lui laisser le temps de dire non. Pourquoi ne venait-il plus, comme avant, lui réclamer une chanson ou une histoire ? lui raconter son rêve, pour s'endormir avant même de lui avoir révélé la fin ? Le plaisir que le garçon retirait à jouer avec le visage qu'elle haïssait tant éveillait en elle un sentiment puissant, qu'elle mit beaucoup de temps à identifier : la jalousie. Elle, jalouse de Yaacov Markovitch ? C'était si ridicule, si détestable, qu'elle s'appliqua encore davantage à ne pas le regarder. Il s'en rendait compte, mais ne pouvait se résoudre à détourner les yeux de cette femme qui était vraiment – toujours et encore – la femme la plus belle qu'il ait vue de sa vie. Pourtant, elle n'était plus si parfaite. La grande cicatrice qui s'étalait sur sa paume gauche était horrible, et même lui ne parvenait pas à y trouver de la beauté. À plusieurs reprises, il tenta de savoir comment la chose était arrivée, mais chaque fois il reçut un regard glacé en guise de réponse. Il décida donc de poser la question à Feinberg. Mais devant la maison de son ami, il tomba sur une porte fermée à double tour.

Dix jours auparavant, Sonia était allée trouver le numéro deux de l'Organisation dans son bureau. Il était plongé dans un livre lorsque, levant soudain les yeux, il l'avait vue là, devant lui. Comme si elle l'avait toujours été. Comme si, auparavant, il n'avait pas levé les yeux des milliers de fois dans l'espoir de la voir, exactement ainsi, et n'avait pas été obligé de se contenter de la solitude de la pièce. Il retourna à sa lecture puis regarda une nouvelle fois devant lui pour s'assurer qu'il ne fantasmait pas. Non. Elle était bel et bien là, même après cette deuxième tentative. Un peu plus ronde. Très déterminée. Et elle plantait ses iris gris, un peu trop écartés, droit dans les siens. Un court instant, il se dit qu'enfin il avait gagné, qu'il était arrivé à se désintoxiquer de son amour pour elle : la voir ainsi dans son bureau ne lui procurait que de la surprise. Son cœur ne s'accélérait pas. Son sang continuait à couler paresseusement dans ses veines. Sa température ne se modifiait pas. À part un croassement de corbeau, pas un oiseau ne pépiait dans la rue. En résumé, la présence de Sonia dans cette pièce ne semblait avoir aucune incidence sur son environnement. Mais, comme ces bombes à retardement dont il s'était servi pendant la guerre, une fois que la mèche de Sonia se fut intégralement consumée, le cœur de Froïke commença à vrombir telle une hélice d'avion rouillée, propulsant son sang dans ses veines. Sa température bondit d'un coup et tous les oiseaux de Tel-Aviv (les moineaux sur les trottoirs, les pigeons sur les places, les merles sur les fils électriques, les passereaux sur les pelouses, les mouettes sur la jetée et un perroquet dans une maison close) se mirent à chanter en chœur.

Malgré cette chorale, il se tourna vers elle et lui demanda ce qui l'amenait. Elle lui annonça qu'elle venait le prier de sauver son mari. Il crut que le vacarme lui avait brouillé l'ouïe.

— Sauver Feinberg ?

Tu veux vraiment que je sauve Feinberg, ce même Feinberg qui dort avec toi toutes les nuits, qui te serre dans ses bras tous les matins et a le droit de te caresser la joue chaque fois (oui, oui, chaque fois) qu'il en a envie ? Voilà ce qu'il aurait voulu lui dire. De quoi exactement faut-il sauver un tel homme ? Quel malheur pourrait bien s'abattre sur lui ?

Sonia s'assit sur la chaise de bois face à lui, prit une grande inspiration et commença à parler. Elle lui exposa ce qui était arrivé à son mari pendant la guerre, lui raconta qu'il était parti tout fier et revenu tout brisé, qu'il ne dormait plus, ni la nuit ni le jour, qu'il se frottait la peau avec des éponges et des cailloux, qu'au moindre bruit il tendait une oreille de chien battu, qu'il se torturait à cause d'un terrible secret dont elle n'osait rien lui demander, mais qui le poursuivait sans répit.

— J'ai cru que l'arrivée du gamin le sauverait, dit-elle.

Il se redressa, frissonnant, mais alors elle lui parla du fils d'amis qu'on leur avait confié parce que sa mère s'était suicidée et que son père était devenu fou de chagrin. Elle lui avoua que pendant quelques jours elle avait nourri l'espoir que la présence de ce deuxième enfant l'aiderait enfin à le soigner de son étrange mal. Mais cette consolation avait fait long feu, c'était juste une accalmie, un unique rayon de soleil qui n'avait laissé derrière lui qu'un hiver encore plus glacé.

— J'ai maintenant deux gamins sur les bras. Je ne

peux pas, en plus, m'occuper de Zeevik. D'autant plus que je ne sais pas comment.

Le lieutenant-commandant plongea son regard dans les yeux de Sonia. Il s'attendait à y voir des larmes, mais n'y trouva que deux blocs de granit, gris et secs.

— Que veux-tu que je fasse ?

— Tu te souviens de la fois où il est venu te trouver en compagnie de Markovitch et t'a demandé de lui sauver la vie ? Tu l'as envoyé en Europe. Renvoie-le là-bas.

— En Europe ?

— C'est la terre d'ici qui l'empoisonne.

Il lui fit remarquer que la terre européenne n'était pas particulièrement renommée pour ses vertus thérapeutiques et lui conseilla plutôt d'envoyer son mari dans une maison de santé. Elle éclata de rire. Non, elle n'enfermerait pas un tel homme en compagnie de femmes squelettiques et d'artistes hallucinés, de même qu'elle n'enverrait jamais un tigre blessé se soigner dans une basse-cour. Non par souci de protéger les animaux de la ferme, mais à cause de l'ennui total qui risquait d'anéantir le fauve.

— Il doit chasser une proie à sa mesure, quelque chose qu'il puisse haïr pour pouvoir recouvrer sa capacité à aimer. Et surtout il doit réapprendre la différence entre les deux.

Froïke prit le temps de réfléchir. La chasse avait justement été ouverte et, à plusieurs reprises, il avait envisagé de proposer à son ami de rejoindre une de leurs cellules qui sillonnaient l'Europe pour traquer les nazis en fuite. Et s'il avait chaque fois repoussé cette idée, c'était parce qu'il avait conscience que ce n'était pas pour venger le peuple juif qu'il désirait envoyer Feinberg dans les forêts allemandes, mais pour deux yeux gris, un doux parfum d'agrume et un enfant dont il n'avait jamais vu le visage, mais dont la seule évocation suffisait pour que se dresse sous son crâne tout un régiment de points d'interrogation. Aujourd'hui, la situation était différente puisque la demande venait de Sonia. À son grand étonnement, il s'entendit lui répondre :

— À une condition.

Elle haussa les sourcils, étonnée. Elle n'avait pas envisagé une seconde que cet homme puisse exiger quelque chose en retour. Lui non plus, d'ailleurs.

— Que tu viennes travailler ici, à Tel-Aviv. J'ai besoin d'une secrétaire. Tant que ton mari sera en Europe, tu n'as aucune raison de rester au village.

— Mais je n'ai pas où habiter et…

— Je te louerai un appartement.

— Dont tu as l'intention de garder une clé, j'imagine ?

— Je te promets de ne pas venir frapper à ta porte, sauf si tu m'y convies.

Elle le dévisagea et sourit.

— Pardonne-moi, Éfraïm. J'ai cru un instant, à tort, que tu essayais de profiter de la situation.

Il la sermonna : cette condition, il l'avait fixée autant pour elle que pour lui. Certes, il la voulait tous les jours à ses côtés (et toutes les nuits, et tous les intervalles violacés entre le jour et la nuit, et aussi tous ceux entre la nuit et le jour) mais n'était-elle pas, elle aussi, fatiguée rien qu'à la pensée de devoir recommencer à attendre Feinberg sur la grève, un enfant dans chaque

301

bras, matin, midi et soir ? D'autant que les enfants, il fallait les nourrir, ils avaient besoin d'un cadre stable, et une femme pouvait-elle se débrouiller seule, sans moyen convenable de subsistance ?

— Car entre nous, Sonia, s'il est facile de mourir d'amour, il est très difficile de ne vivre que d'amour et d'eau fraîche.

— D'accord, concéda-t-elle. Je viendrai. Mais autant te prévenir tout de suite : je ne resterai pas une seconde dans ce bureau tel qu'il est, cette pièce croule sous la poussière, le soleil n'y entre pas, c'est un vrai trou à rat.

Plus elle lui lançait de reproches à la figure, plus le sourire du lieutenant-commandant s'élargissait. Et elle était partie depuis longtemps qu'un parfum d'orange flottait toujours dans la pièce.

11

Lorsque Yaacov Markovitch arriva devant la maison des Feinberg, Sonia se trouvait déjà à Tel-Aviv et Zeev en mer, jouissant des bienfaits de l'iode marin. Le roulis l'apaisait. Rien ne sied mieux à celui qui veut fuir ses pensées que le mouvement perpétuel. Chaque fois que la vision des cadavres de la mère et de son enfant cognait au hublot, il se hâtait de la jeter par-dessus bord, rassuré par le fait que le bateau poursuivait sa route sur les flots. Le souvenir revenait sans cesse frapper à sa mémoire et sans cesse Feinberg le rejetait à la mer. Jusqu'à ce que, petit à petit, les intervalles entre deux assauts s'espacent et lui permettent de rester des heures entières sans avoir à soutenir l'image de cette mère morte étreignant la terre et de ce bébé mort étreignant sa mère. Il commença à sortir de sa cabine. D'abord pour quelques minutes. Il regardait le soleil, l'eau, la tête des gens, puis retournait dans sa tanière. Assez rapidement, il trouva le soleil bien beau, la mer bien belle, et les visages des gens autour de lui bien agréables. Alors, il décida de demeurer un peu plus longuement sur le pont et, au bout de quelque temps, il y passa la plus grande partie de ses journées.

Ayant compris qu'il avait enfin réintégré la société des humains, il se demanda s'il recommencerait aussi à parler. Tellement de temps s'était écoulé. Parfois, lorsqu'il entendait quelque petit malin raconter une blague éculée, il sentait sa langue se contracter dans sa bouche tant elle voulait forcer le barrage de ses lèvres, mais il résistait : il avait trop peur d'avoir oublié comment on s'adressait aux autres. Jusqu'à cette soirée où, quelques verres et deux jeunes filles enjouées aidant, les derniers bastions de son mutisme tombèrent d'un coup. Il écoutait un imbécile qui, à la table voisine, massacrait une de ses blagues favorites. Il explosa :

— Mais non, pas comme ça ! Tu lui enlèves toute sa truculence !

Et il se mit en devoir de raconter ce qui venait d'être saboté, déclenchant aussitôt l'hilarité des demoiselles. Il le fit si bien que même le type, d'abord furieux, éclata de rire. C'est comme la bicyclette, songea-t-il, le corps garde tout en mémoire. Il regagna sa couchette, serein, le cœur content, et pendant des heures ne pensa plus à la femme ni à son bébé.

Cependant, plus l'Europe approchait, plus il redevenait anxieux. Comme s'il se sentait protégé sur les flots mais craignait, dès qu'il toucherait terre et que cesserait le roulis, de voir les souvenirs qu'il avait jetés par-dessus bord fondre de nouveau sur lui. C'est pourquoi il bondit hors du bateau dès qu'ils accostèrent, et il se mit à marcher d'un pas si vif que ceux qui étaient venus l'accueillir furent obligés de se mettre à courir derrière lui. De tous les membres du commando spécial, Zeev Feinberg était le seul à ne pas avoir vécu la guerre sur le vieux continent, si bien que ses compagnons avaient douté a priori de son ardeur à la tâche, l'implication personnelle étant primordiale dans ce genre de missions. Ils constatèrent bien vite qu'ils se trompaient. Leur nouveau chef ne s'arrêta pas un instant. En un mois, le groupe avait quadrillé la moitié du territoire, entreprenant des recherches de village en village, de bourgade en bourgade, dans une dynamique incessante. Même lorsque leur chasse était couronnée de succès et qu'ils mettaient la main sur un criminel notoire, il ne laissait personne se reposer sur ses lauriers.

« Allez, on continue, il y en a d'autres. »

Oui, tous admiraient la détermination de Feinberg et aucun ne soupçonnait que ce qui poussait le colosse moustachu n'était pas le but à atteindre, mais la peur. L'homme traquait parce qu'il était traqué et, grâce à cela, rares furent les cibles qui lui échappèrent.

Les seuls moments de bonheur, il les trouvait les jours où leur course-poursuite atteignait une vitesse prodigieuse. Chaque fois qu'il écrasait l'accélérateur, il savait (malgré ses coéquipiers qui lui hurlaient de ralentir) qu'il aurait quelques minutes de répit, sans la mère et son bébé. Dans la voiture lancée à toute allure dans cette zone transitoire, en suspens dans un entre-deux spatial et temporel, il pouvait enfin se concentrer sur Sonia. Il se demandait si elle se rendait de nouveau sur le rivage pour l'insulter en termes si grossiers que la mer s'empourprait jusqu'à l'écume de ses vagues. Il essayait de deviner les mots qu'utilisait sa diablesse adorée, imaginait des propos salés à lui en chatouiller la moustache. Il voyait ses yeux incandescents et souriait... puis s'assombrissait soudain à la pensée que le jour où il la retrouverait était encore loin. Pendant tout ce temps, ses compagnons, admiratifs autant qu'effrayés, ne comprenaient pas pourquoi il brûlait ainsi la terre d'Allemagne.

Il n'y avait qu'un membre du commando qui n'avait pas peur de la manière dont Feinberg conduisait. Janusz, un petit homme maigre, d'une trentaine d'années, et qui ressemblait davantage à un employé de banque qu'à un vengeur. Il n'avait pas de nom de famille et, lorsqu'on l'interrogeait à ce sujet, il répondait que les nazis avaient assassiné tous les siens, qu'il n'avait plus de famille et donc plus de nom de famille – ce que les autres n'acceptaient pas : même si la famille a disparu, le nom demeure. Pour le souvenir. Alors Janusz empoignait la ceinture de son pantalon et rétorquait :

« Le souvenir, je sais comment l'entretenir. »

Cette ceinture s'était déjà illustrée autour du cou de vingt soldats allemands avant même que Zeev Feinberg ne rejoigne le groupe. Le reste du temps, la lanière de cuir se reposait sur les hanches de son propriétaire, qui en avait besoin pour maintenir dans son pantalon une chemise qu'il boutonnait jusqu'au col. Il avait conclu un accord avec les responsables de l'opération : à chaque nazi qu'il livrait aux autorités, il avait le droit d'en tuer un. Ainsi, le tout jeune État d'Israël en tirait une vengeance institutionnelle, lui une vengeance personnelle. Évidemment, avaient précisé ses supérieurs, un tel accord devait rester top secret en cas d'arrestation. Mais rien à craindre : avec son allure dégingandée, sa chemise boutonnée jusqu'au cou et sa ceinture râpée, Janusz ne risquait pas d'être soupçonné d'un quelconque délit, sauf peut-être de fraude fiscale.

Ses compagnons ne l'avaient pas vraiment intégré. Il ne buvait pas, ne racontait pas de blagues, ne leur tapait pas sur l'épaule à chaque victoire et préférait prendre ses repas seul. A contrario, tous traitaient Feinberg en prince : premier à la chasse le jour, premier à la nouba la nuit. Car, lorsque la traque quotidienne touchait à sa fin, il avait si peur de l'immobilité que ses jambes l'obligeaient à danser. Ainsi les entraînait-il à sa suite dans les théâtres des grandes villes aussi bien que dans les auberges de campagne, peu importe où pourvu que le lieu offrît la possibilité de remuer les pieds et de calmer l'esprit. Janusz ne s'y montrait jamais, mais en fin de soirée – après que tous les hommes avaient regagné leur lit en titubant – il attendait le moustachu devant la porte de sa chambre et tous deux s'octroyaient une promenade nocturne. Ils marchaient en silence et seul le martèlement de leurs talons résonnait dans les rues désertes. Ils allaient ainsi pendant des heures, sans échanger le moindre mot, chacun fuyant ce qu'il avait à fuir. Jamais l'un n'avait demandé à l'autre à quoi il voulait échapper.

Une nuit, tandis qu'ils déambulaient dans une ruelle obscure, Janusz se figea. Surpris, Feinberg se tourna vers lui – jamais ils ne s'arrêtaient avant quatre heures du matin, or il n'était que deux heures – et remarqua aussitôt qu'il fixait un homme qui venait de traverser une rue un peu plus loin en poussant un landau.

— Hermann Hongart, murmura le maigrichon avant de s'élancer à sa poursuite.

Feinberg n'eut pas le temps de dire quoi que ce

soit, juste de courir pour essayer de le rattraper. Ils étaient en pleine ville, à découvert : capturer quelqu'un en un tel moment signifiait aller au suicide. Qu'ils se contentent de le suivre ensemble cette nuit, le lendemain ils reviendraient lui régler son compte. Mais Janusz ne s'arrêta que pour lui dire :

— Je préfère mourir avec lui, ici, que de laisser cet assassin vivre une nuit de plus, lâcha-t-il, les yeux brillants et la voix tremblante, avant de reprendre sa course, obligeant son compagnon à faire de même.

Ils virent alors l'homme sortir du landau un enfant qu'il commença à bercer, lui chuchotant des mots que Feinberg, même sans les discerner, comprenait parfaitement. N'avait-il pas, lui aussi, bien des nuits auparavant, procédé de la même façon avec son fils ? Que de salive n'avait-il pas usée en prières et promesses pour obtenir du petit qu'il cesse de pleurer et sombre enfin dans un sommeil bienfaisant ! L'homme modifia sa position, les cris du bébé s'apaisèrent un peu, il put le reposer dans le landau et reprendre sa marche, imité par les deux suiveurs. Ce fut alors que Janusz commença à raconter :

— Hermann Hongart était l'officier le plus gentil du ghetto. Tellement charmant ! Et cultivé. Il citait souvent Goethe. L'après-midi, quand la fatigue et la faim nous clouaient les lèvres, il déclamait, avec un grand sourire, à tous ceux qu'il croisait : « Sur tous les sommets / Est le repos. / Dans tous les feuillages / Tu sens / Un souffle à peine ; / Les oiselets se taisent dans les bois, / Attends un peu, bientôt / Tu reposeras aussi ! » Mon père admirait Goethe, lui aussi connaissait des tas de poèmes par cœur. Il disait toujours que

l'amour de la poésie était le gage d'une grande géné-
rosité. Alors, quand il a entendu Hermann Hongart
réciter Goethe, il a pensé que peut-être cet homme
serait notre salut.

Cachés derrière un marronnier, ils observaient
l'Allemand qui, à la lumière d'un réverbère, venait
d'allumer un cigare et le savourait, la main gauche
posée sur le landau. Son port altier et son beau visage
lui donnaient une allure sculpturale.

— Lorsqu'ils ont commencé les sélections, mon
père lui a envoyé Sarah. Elle avait dix ans. Belle
comme un ange. Elle aussi pouvait réciter tout Goethe.
Nous, on avait déjà une allure abominable, mais Sarah,
même dans le ghetto, avait gardé des joues bien roses.
Peut-être à cause du froid. Et la faim rendait ses yeux
encore plus bleus. Je ne plaisante pas, on y voyait
un fleuve. Personne n'aurait pu faire de mal à un
tel ange et certainement pas quelqu'un qui aimait la
poésie, puisque, si on aime la poésie, on a forcément
du cœur !

Tout en parlant, Janusz avait enlevé sa ceinture. Un
pan de sa chemise boutonnée jusqu'au cou sortit du
pantalon.

— Nous l'avons envoyée pour qu'elle implore notre
grâce. Elle portait une robe blanche, un ange, je te
dis. Elle n'est revenue que le lendemain matin, la robe
maculée de sang. C'est tout juste si elle pouvait marcher. Mon père s'est mis à hurler. De rage. Ou de
chagrin. Ou de culpabilité. Ma sœur n'a plus voulu
quitter son lit et a été ramassée lors de la sélection
suivante.

Soudain, Janusz s'écarta du marronnier et s'élança vers l'homme qui fumait toujours sous le lampadaire. De son poste d'observation, Zeev vit le criminel nazi, dont le visage était à moitié éclairé, regarder, étonné, la silhouette qui approchait et, avant qu'il ait eu le temps de comprendre ce qui lui arrivait, la ceinture lui enserrait le cou. La moitié éclairée de son visage passa du rose poupin au rouge, du rouge au violet, puis du violet au gris. Feinberg abandonna alors lui aussi son poste pour s'approcher de Janusz, petit employé de banque malingre qui continuait à serrer si fort qu'on aurait cru que la tête de sa victime allait se détacher du corps, et s'arrêta à quelques pas de la scène. Surtout ne pas déranger. C'est à cette distance qu'il vit Hermann Hongart, amateur de Goethe et de fillettes de dix ans, s'écrouler à terre. C'est de là aussi qu'il entendit, juste après, retentir les pleurs du bébé.

Janusz semblait sourd aux sanglots qui montaient du landau. Peut-être percevait-il l'écho d'autres sanglots. Mais, après avoir serré une dernière fois sa ceinture autour du cou de l'homme, il dressa l'oreille. Pendant un long moment, il resta à contempler le nourrisson. Puis, tel un automate, il dégagea la lanière et y fit une petite boucle.

— Non !

Zeev Feinberg se rua sur lui juste avant que le bébé ne se retrouve avec le nœud coulant autour du cou.

— Ne porte pas la main sur l'enfant ! cria-t-il en tendant les bras vers le paquet de langes qui reposait dans le landau.

Tout petit et tout maigre qu'il était, l'autre bondit et l'immobilisa.

— Il doit mourir, ce n'est que justice, n'essaie pas de m'arrêter.

Lorsqu'il regarda les yeux qui le défiaient, Feinberg n'y trouva aucune haine, aucune soif de vengeance. Juste du désespoir. Un désespoir sans fond. Il comprit que, si de tels yeux laissaient vivre ce bébé, plus jamais ils ne trouveraient le sommeil. Mais s'il laissait agir Janusz, c'était lui qui ne trouverait plus jamais le sommeil. Ils continuèrent donc à se battre. Impossible de dire combien de temps dura leur corps-à-corps sous le lampadaire, près du bébé en pleurs et de la dépouille tiède d'Hermann Hongart. Une heure peut-être. Une chose était sûre, le plus fort avait trois dents cassées et n'arrivait pas à avoir le dessus. Il sentait qu'il allait perdre connaissance lorsqu'il entendit des pas. Janusz, assis sur lui, s'obstinait à le tabasser sans pitié, mais derrière sa maigre épaule Feinberg vit un homme en uniforme allemand qui approchait en courant. Une seule balle siffla dans la nuit. Le faux comptable et vrai vengeur s'écroula sur le flanc.

Le moustachu reprit son souffle. Affolé et cramoisi, un policier grassouillet se dressait au-dessus de lui :

— Qu'est-ce qui se passe ?

— J'étais sorti faire une petite promenade nocturne, déclara alors Zeev après avoir jeté un rapide coup d'œil aux deux corps sans vie, quand j'ai vu ce fou furieux en train d'étrangler l'homme allongé là-bas. J'ai essayé d'intervenir, mais il m'a attaqué, moi aussi. Il m'aurait certainement achevé si vous n'étiez pas intervenu.

— Et le bébé ?

— C'est le mien.

Le bonhomme affolé et grassouillet se pencha sur le corps d'Hermann Hongart à la recherche de papiers d'identité, Feinberg en profita pour se lever d'un bond et lui assener un coup de poing qui l'assomma. Après être resté quelques secondes à contempler le policier évanoui, le nazi étranglé et l'ancien déporté abattu, il souleva le bébé et prit la fuite.

C'était une fille. D'environ un an et demi. Cheveux d'or, yeux bleus et sourire à pleurer. Aux autres membres du commando, il raconta qu'il s'agissait d'une parente qu'il était allé récupérer dans un orphelinat en compagnie de Janusz. Sur le chemin du retour, ils avaient croisé par hasard un ancien officier nazi. Janusz avait eu le temps d'accomplir sa mission avant d'être abattu par un policier allemand avec lequel lui, Zeev Feinberg, avait dû se battre avant d'arriver à s'enfuir. L'histoire n'était pas vraiment crédible, mais la conviction avec laquelle elle fut débitée réduisit les doutes au silence. Pour un certain temps du moins.

L'argent qu'il avait dépensé jusque-là en boisson et en danses partait désormais en nourrices pour la petite. Au fil des étapes, lorsqu'ils descendaient de voiture dans un village aux toits rouges et aux buissons taillés, il la serrait de plus en plus fort dans ses bras, tant grandissaient les voix qui lui chuchotaient de la lâcher. Sans mot dire, il passait en revue le visage des paysans et essayait de détecter les mains qui, certes, tenaient une houe, mais auraient volontiers appuyé sur la détente. Les Allemands lui renvoyaient un regard fermé et inquiet qui s'évertuait à ne signifier qu'une chose : Je ne savais rien !

Tu parles, songeait le chef du groupe en nettoyant son pistolet, évidemment qu'ils savaient ! Et cette fillette, dont il ne connaissait pas la mère, mais dont le père était Hermann Hongart, officier du ghetto, savait, elle aussi. Car si ses parents savaient, bien sûr qu'elle aussi savait, peu importe qu'elle n'ait été, à l'époque, qu'un ovule et un spermatozoïde qui ne s'étaient pas encore rencontrés.

À la lumière de la veilleuse, il contemplait les petits bras roses de l'enfant dans lesquels coulait du pur sang aryen et il pensait à tous les bras devenus bleus et gris uniquement parce que dans leurs veines coulait un mauvais sang. Et lorsqu'il éteignait la lampe, il était convaincu que le lendemain il reprendrait la route sans elle. Avec ses cheveux d'or et ses yeux bleus, elle éveillerait certainement la compassion de quelque paysan. Pourtant, l'aube venue, il l'emmaillotait soigneusement et repartait avec elle. En fait, jamais il ne se sentait plus fort qu'au moment où il serrait dans ses bras cette petite aryenne orpheline de père. Même liquider des nazis ne lui procurait pas une telle sensation de puissance. Lorsqu'ils abattaient un officier SS au milieu de ses choux, la vengeance ne durait que quelques secondes, le temps de voir se refléter dans les yeux de l'homme à genoux leurs silhouettes soudain auréolées de tous les pouvoirs. Mais de savoir combien de supplications et d'hommes à genoux ces yeux-là avaient vus transformait leur victoire en défaite avant même que le sang ait séché. En revanche, avec la petite fille dans les bras, Feinberg tenait un sentiment de triomphe qui ne se dissipait pas. Car on ne se sent jamais aussi fort qu'en accordant la grâce à celui dont on l'implorait précédemment.

Il ne sortait plus la nuit avec ses camarades mais restait enfermé dans sa chambre, à faire les cent pas, le bébé dans les bras pour essayer de l'apaiser. Il comprit rapidement pourquoi Hongart se trouvait dehors à une heure si tardive et arpentait les sombres ruelles : la gamine ne cessait de pleurer que lorsqu'elle était bercée au grand air. Et lui qui avait pris l'habitude de déambuler jusqu'au petit matin en compagnie de Janusz continua, mais avec une enfant dans les bras. Et si, dans quelque ruelle obscure, la mère et le bébé défunts surgissaient, il se tournait vers eux en brandissant cette petite fille, et ils disparaissaient. Il avait enfin trouvé son expiation.

12

Et pendant que Feinberg courait après les nazis sur les ruines de l'Europe, Sonia s'était installée à Tel-Aviv. Elle avait laissé ses enfants à la garde de Léa Ronn, qui avait accepté (moyennant une somme négligeable) de les nourrir, les laver, les coucher et peut-être aussi de jouer un peu avec eux (à vrai dire, Bella aurait été une bien meilleure nounou à ses yeux, mais elle était obsédée par son travail de traduction, or mots et marmots ne font pas bon ménage). Si elle ne les avait pas emmenés avec elle à Tel-Aviv, c'était parce qu'elle savait que sa tâche requérait une disponibilité totale – et tant qu'à les laisser aux bons soins d'étrangers, mieux valait que ce soit en terrain connu. Et puis elle avait une autre raison pour ne pas arracher les enfants au village : Zvi Markovitch. Les dents de son fils et de celui de Bella avaient percé le même jour. Ils avaient eu la varicelle le même jour et en guérirent le même jour. Ils s'endormaient et se réveillaient à la même heure, et, si l'un se mettait à pleurer, sa mère savait immédiatement que des pleurs allaient aussitôt ébranler les murs de la maison située au bout de la rue. Pour toutes ces raisons, elle s'en alla seule vivre dans la métropole, où, pendant les cinq premiers jours de la semaine, elle était minée par la mauvaise conscience et une nostalgie dont elle ne se débarrassait (à grand renfort de jeux et de gâteries) qu'en rentrant le week-end.

Ses débuts à Tel-Aviv, elle les consacra à réorganiser de fond en comble le bureau du numéro deux de l'Organisation. Elle rangea, classa, vida, jeta, lava, briqua et faillit mourir d'ennui. Au moins, au village, il y avait les vastes champs qu'elle pouvait englober du regard chaque fois que la routine devenait insupportable. Tandis que là, dès qu'on levait les yeux, on se heurtait à des piles de dossiers. Des dossiers par centaines. Des milliers de feuilles. Rien que de la paperasse qui n'attendait qu'elle. Mais il y avait pire que les dossiers : le thé. Le haut responsable recevait de nombreux visiteurs et tous buvaient du thé. L'un le prenait fort, l'autre léger, avec du citron ou avec du lait, dans un verre ou exclusivement dans une tasse en porcelaine. Le jour où le trentième visiteur lui expliqua avec moult détails comment elle devait remuer la petite cuiller pour que le sucre fonde bien, elle ne put retenir sa langue :

— Si je puis me permettre une question, combien de tasses de thé monsieur boit-il par jour ?

Surpris, l'homme prit le temps de la réflexion avant de répondre :

— Cinq, peut-être six. Tout dépend du temps qu'il fait.

— Et le sucre y est-il toujours incorporé à l'avance ?
— Absolument.
— Supposons maintenant que ce comportement soit

partagé par la plupart des hommes de Tel-Aviv. Supposons également qu'il y ait dans cette ville cinquante mille hommes qui boivent cinq verres de thé par jour, ce qui fait, si je ne m'abuse, deux cent cinquante mille verres de thé bus quotidiennement. Le sucre dans ces deux cent cinquante mille verres de thé est mélangé par des secrétaires, des épouses, des sœurs, des filles. Essayons maintenant d'imaginer ce qui arriverait si vous le faisiez vous-mêmes. En discutant, par exemple. Je ne nie pas qu'au début ce serait difficile, mais vous seriez étonné de découvrir avec quelle rapidité l'être humain s'adapte. Maintenant, faites le compte et dites-moi vous-même combien de petites mains auraient pu être utilisées à d'autres tâches ?

Le visiteur dévisagea Sonia avec intérêt tandis que le lieutenant-commandant manquait de s'étrangler tout en se demandant pourquoi, par tous les diables, sa secrétaire personnelle s'était sentie obligée de prononcer ce discours justement devant le commandant en chef de l'Organisation lui-même ! Ignorant bien sûr à qui elle s'adressait, Sonia continua à afficher une tranquille assurance, défiant gentiment son interlocuteur de ses yeux gris, un peu trop écartés mais non moins amusés. Le numéro deux s'apprêtait déjà à signifier à l'impertinente de quitter la pièce (sur un ton qu'il espérait plein de reproche) lorsqu'il s'aperçut que le numéro un de l'Organisation la regardait avec le même amusement :

— Nom de Dieu, Froïke, comment oses-tu employer cette femme comme secrétaire ?

À ces mots, le lieutenant-commandant frissonna. Ses sentiments pour Sonia l'avaient-ils égaré lorsqu'il avait cru discerner de l'amusement dans les yeux de son chef ? N'était-ce pas plutôt une juste colère devant un tel manque de respect ? Il n'était pas de ceux qui s'affolent facilement, mais un heurt avec la haute autorité ne le réjouissait pas outre mesure. Tandis qu'il tentait de trouver la réponse susceptible de concilier son amour pour sa secrétaire et son amour pour ses fonctions, son invité fulminait toujours :

— Il la cloître dans un bureau, l'oblige à classer des documents et à rédiger des notes ! Mais enfin, comment peut-on cacher un tel diamant derrière une pile de dossiers moisis ?

Rouge de confusion, le numéro deux cherchait encore ses mots, mais le numéro un s'était déjà détourné de lui pour s'adresser à la jeune femme :

— Ton nom ?

— Sonia.

— Sonia comment ? Je ne peux pas leur dire de n'inscrire que « Sonia » en haut du papier.

— Sonia Feinberg. De quel papier exactement monsieur parle-t-il ?

— De ton papier à lettres. Sonia Feinberg, chargée de l'insertion des femmes dans le monde du travail. Chère madame, te voilà à présent cadre de l'Organisation. Je te félicite.

En plus d'un papier à en-tête, Sonia se vit attribuer un bureau, une secrétaire et un abonnement gratuit à toute la presse. Son bureau resta désert, personne ne vit sa secrétaire, quant aux journaux, ils s'empilèrent, dédaignés, sur le pas de sa porte. C'est que, à peine nommée, Sonia se rendit sur le terrain, préférant arpenter les rues et les marchés pour parler aux femmes, interrogeant les jeunes aussi bien que les vieilles. Là où elle ne pouvait aller, elle envoyait sa secrétaire avec des instructions précises (noter ce que les sondées savaient faire, ce qu'elles rêvaient de faire et ce qu'elles faisaient en réalité) qui devaient se transformer en rapports qu'elle-même lisait jusqu'au petit matin et annotait de sa belle écriture ronde, parfois d'une main tellement enthousiaste qu'elle en déchirait la feuille.

Le soir, elle attendait Froïke devant son bureau et tous deux sortaient se promener ensemble. Elle en profitait pour lui détailler ses projets, il écoutait avec attention, persuadé que s'il trébuchait et s'étalait dans le caniveau elle n'en aurait pas conscience et continuerait à avancer en dissertant, ses yeux gris fixés sur quelque point au loin. C'est que, par-delà les gaz d'échappement des autobus et le réseau de fils électriques, elle voyait poindre une société israélienne juste et égalitaire, une société dont elle parlait sans le cynisme dont, pourtant, elle ne se privait pas à l'égard de tout le reste : pour elle, les réunions n'étaient que des rassemblements de mâchouilleurs de biscottes ; elle refusait de rédiger des comptes rendus qu'elle qualifiait d'accouplements contre nature entre homme et papier ; impatiente dès que les concertations avec des supérieurs s'éternisaient, elle n'arrivait pas à dominer l'agitation de ses pieds sous la table et, bien que personne n'osât lui faire la moindre remarque, elle emplissait la salle du bruit de ses coups de talons nerveux contre le sol. Ses subalternes redoutaient ses paroles et ses supérieurs distinguaient en elle une qualité rare, dont l'évidence s'imposait, mais que personne ne parvenait à définir avec précision.

Au bout de deux mois, le nom de Sonia se retrouva sur toutes les lèvres. Seul le lieutenant-commandant le murmurait aussi dans son sommeil et, si pour tous ces deux syllabes symbolisaient une détermination sans concession, pour lui elles formaient un doux nid où se lover. Car à la différence de tous les autres, qui ne la connaissaient qu'à travers ses discours en place publique et ses reparties cinglantes en réunion, lui avait eu droit à ses soupirs et ses gémissements au lit. Il connaissait son rire en cascade et ses tendres minauderies. Une lionne qui ronronne. Et bien que trois ans se soient écoulés depuis leur dernière étreinte, il aurait été capable, si seulement on le lui avait demandé, de se remémorer chaque minute de cette nuit passée ensemble.

Parfois, au cours de leurs promenades, Sonia sentait le regard qu'il coulait sur son corps. Elle avançait alors un peu plus vite pour dominer la rougeur qui envahissait ses joues. Il ne s'agissait pas d'embarras (sentiment stupide dans lequel les femmes se complaisent inutilement), mais d'une soudaine bouffée de chaleur qu'elle voulait lui cacher. Car, lorsqu'il se posait sur elle, le regard du lieutenant-commandant était chargé d'un tel désir qu'il laissait presque une empreinte sur sa peau. Elle en frissonnait de plaisir. Cela faisait si longtemps qu'un homme ne l'avait pas contemplée ainsi ! D'abord, il y avait eu la naissance de Yaïr et des nuits de sommeil agité, ponctuées par les pleurs agaçants du bébé ; ensuite, Zeev était parti à la guerre et elle s'était retrouvée seule dans son grand lit ; enfin, lorsqu'il en était revenu et avait repris sa place, elle s'était retrouvée plus seule encore. Il était parti pour l'Europe en n'étant que l'ombre de lui-même, et elle se raccrochait à l'espoir qu'en reviendrait l'homme qu'il avait toujours été. Bref, d'être resté ainsi confiné dans une solitude permanente, le corps de Sonia avait presque oublié qu'il n'était pas uniquement fait pour manger et dormir, pas uniquement fait non plus pour discourir et bâtir des projets révolutionnaires, mais aussi pour l'amour. Et c'était ce que le regard du numéro deux de l'Organisation venait lui rappeler, à ce corps. Tout ce que le travail, la déception, les regrets lui avaient fait oublier.

Cependant, et même si elle accélérait le pas, Froïke, en fin guetteur qu'il était, voyait la rougeur envahir les joues de Sonia, et mille colibris se mettaient alors à voleter en lui. Mais il se maîtrisait : si elle découvrait qu'il était conscient du désir qu'il lui inspirait, elle s'écarterait assurément. De plus, il attendait depuis si longtemps un instant d'intimité qu'il ignorait comment il réagirait si tout à coup ses doux vœux se réalisaient. Ainsi donc, tous deux poursuivaient leurs promenades le long de l'avenue que les figuiers protégeaient du clair de lune, tandis que la silhouette de Zeev Feinberg planait au-dessus d'eux, à l'instar de ces chauves-souris qui jaillissaient soudain d'entre les branchages et fendaient la nuit de leurs cris aveugles avant de disparaître.

Un soir qu'ils marchaient ainsi, Sonia remarqua deux jeunes filles qui s'étaient mises à chuchoter à la vue du lieutenant-commandant. Ce n'était pas la première fois qu'elle constatait que les femmes, quelles qu'elles fussent, changeaient d'attitude lorsqu'il approchait. Où qu'il aille, il avançait auréolé du récit de ses exploits et, même s'il se taisait, cela avait sur les gens le pouvoir du fameux air de flûte de Hamelin. D'ailleurs, moins Froïke lui-même y attachait d'importance, plus leur effet s'en trouvait décuplé. Sonia se détourna des demoiselles souriantes et se focalisa sur son compagnon. Ils s'arrêtèrent sous un réverbère, dont l'éclairage lui permit de distinguer les premiers fils argentés qui parsemaient sa chevelure.

— Dis-moi, Éfraïm, pourquoi ne te maries-tu pas ?

Contrairement à son habitude, il ne se hâta pas, cette fois, de lever les yeux vers elle. Lorsqu'ils reprirent leur marche, elle l'observait toujours et lui fixait toujours le trottoir. Une minute passa avant qu'il ne s'arrête et ne se tourne enfin vers elle.

— Pourquoi donc devrais-je me marier ?

— Tu ne voudrais pas avoir une femme ? Un enfant ? lui demanda-t-elle, surprise de constater qu'elle frissonnait.

Il la considéra longuement :

— J'ai une femme. Et un enfant.

Avant même de comprendre ce qui lui arrivait, elle éclata en sanglots. Il resta cloué sur place. Jamais auparavant il ne l'avait vue pleurer. Il avait même parfois pensé que ces yeux-là, à peine trop écartés pour entrer dans les critères de la beauté, étaient dépourvus de glandes lacrymales. Et voilà qu'elle était là, devant lui, et que des larmes salées ruisselaient le long de ces belles joues tant aimées.

— Tu le savais ? reprit-elle.

— Je m'en doutais.

— Et tu n'as rien dit ?

— Qu'aurais-je pu dire ?

Ses sanglots redoublèrent d'intensité, au point que quelques habitants de l'avenue apparurent à leur fenêtre. Lorsque Sonia était en colère, elle s'y abandonnait totalement ; quand elle aimait, elle s'abandonnait totalement à son désir. Ce soir-là, elle s'abandonna totalement à ses pleurs. Du haut de son balcon, quelqu'un finit par interpeller les passants en leur demandant d'appeler la police. Le lieutenant-commandant préféra quitter les lieux et entraîna sa compagne dans les petites rues voisines. Au bout de quelques minutes à marcher dans ce dédale, il se rendit compte que ce n'était plus lui qui dirigeait leurs pas. Sonia, malgré ses larmes, les menait chez elle. Elle introduisit la clé dans la serrure d'une main tremblante. C'était bien. Lui aussi tremblait. À l'intérieur régnait un parfum doux et agréable. Comme si on avait planté toute une orangeraie entre les quatre murs de ce studio. Il dut enjamber l'énorme pile de journaux accumulés sur le seuil pour accéder au salon.

— Assieds-toi, dit-elle. J'apporte des photos.

Il lui attrapa la main avant qu'elle ne s'éloigne.

— C'est inutile, Sonia. Si tu n'es pas prête à me présenter cet enfant, à quoi bon des photos ? Et si tu es prête, si tu acceptes de l'amener ici, si tu me permets de le voir et de lui caresser la tête, je n'ai pas davantage besoin de photos.

Il se tut, gardant encore la main de Sonia dans la sienne un long moment. Il lui aurait pris l'autre main et peut-être plus encore si soudain des coups n'avaient pas été frappés à la porte.

La secrétaire entra dans la pièce avec toute une série de documents. Le matin même, Sonia lui avait laissé pour consigne de convertir tous les rapports qu'elle avait rédigés de son écriture enthousiaste en respectables caractères d'imprimerie et de les lui apporter sans tarder. Alors voilà, ils étaient prêts, elle en avait eu pour des heures, mais avait mis un point d'honneur à tout terminer dans la journée.

— C'est que les idées de madame la chargée de l'insertion des femmes sont vraiment inspirantes, et avec de l'inspiration les doigts pianotent plus vite sur les touches de la machine. Avant, je travaillais chez un avocat assez connu. Héritages, legs, de temps en temps un bail immobilier. Je tapais avec une de ces lenteurs, vous ne pouvez même pas imaginer ! J'en profite pour vous saluer, monsieur le lieutenant-commandant, et vous souhaiter une bonne nuit.

Dès que la secrétaire eut quitté l'appartement, Sonia éclata de rire.

— C'est une gentille fille, même si elle est parfois un peu agaçante. Et elle a des jambes splendides.

Froïke approuva distraitement, mais ajouta qu'il n'avait pas vraiment remarqué les jambes de la demoiselle.

— Tu aurais dû. Avant d'être secrétaire, elle était mannequin. Pour bas de soie. Jusqu'à l'arrivée des nouvelles immigrantes allemandes, ses jambes étaient considérées comme les plus longues de Tel-Aviv. Preuves à l'appui.

— Moi, si je devais regarder des jambes, ce serait les tiennes.

— Les miennes ? On dirait deux courgettes, soufflat-elle avec mépris en se tapotant les mollets. D'un homme aussi observateur que toi, j'aurais attendu mieux.

Elle allait ajouter quelque chose, mais ravala brusquement ses mots : les yeux de Froïke s'étaient fixés sur ses jambes et elle rougit instantanément parce qu'ils les transformaient en autre chose que de simples membres servant à se mouvoir, ils en faisaient un objet de désir. Et ce désir éveilla le sien... Feinberg n'était-il pas parti depuis des jours et des jours ? Bien sûr, elle se souvenait avec précision de l'odeur de son homme, du poids qui l'écrasait lorsqu'il se couchait sur elle, du doux gémissement qu'il lâchait en la pénétrant... pourtant à cet instant elle était prête à l'échanger contre un autre corps, qui aurait un autre poids et une autre odeur, lâcherait un autre gémissement de plaisir, un corps qui aurait l'avantage d'être là, ici et maintenant, et qui puisse la délivrer d'une trop longue solitude.

— Viens, dit-elle.

Elle lui tendit la main.

Le drap exhalait un léger parfum de savon. La couverture était un peu trop lourde. Entre les deux, Sonia et Froïke étaient allongés, nus et enlacés. Depuis un long moment. Trop coupables pour aller plus loin. Trop excités pour se détacher. Et bien qu'ils fussent plaqués l'un à l'autre au point qu'on n'aurait pu glisser entre eux ne serait-ce qu'une épingle, le nom de Zeev Feinberg les séparait, un nom qui n'avait pas été prononcé à haute voix mais retentissait dans la pièce à chacune de leurs respirations. Alors ils restaient ainsi, dans cet entre-deux qui n'était ni adultère ni innocence, ils s'enlaçaient mais ne bougeaient pas.

Lui se représentait mentalement tout ce qu'il aurait voulu faire à Sonia si seulement il avait osé bouger. Et elle, elle imaginait tout ce qu'elle aurait aimé faire au lieutenant-commandant si seulement sa conscience le lui avait permis. Pendant des heures, chacun erra dans ses propres fantasmes – un défilé de rêveries si voluptueuses que les ébats charnels de la réalité leur parurent soudain bien rapides, bien pâlots, et même un peu ennuyeux. Le matin se leva et le couple, qui avait bu son désir jusqu'à plus soif, n'avait concrètement rien à se reprocher.

Le vendredi suivant, ils se rendirent ensemble au village. Ils firent le trajet en silence, chacun pensant à son fils. Mais si pour Sonia l'image était claire, pour Froïke un nuage opaque ne laissait entrevoir que des traits morcelés. Lorsqu'ils se garèrent devant la cour de Léa Ronn, le premier enfant qu'il vit, debout à côté du grenadier, donna un coup de fouet à son cœur, qui se mit à battre la chamade. Malgré les rondeurs juvéniles qui brouillaient encore la physionomie du bambin, impossible de se tromper sur la ligne de la mâchoire, copie conforme de la sienne. Quant aux joues rebondies et parsemées de taches de rousseur comme celles de sa mère, qui pouvait leur résister ? Il allait se précipiter hors de l'automobile au moment où Sonia lui dit que le garçonnet près du grenadier s'appelait Yotam, c'était le fils de Rachel Mandelbaum, la suicidée, et d'Abraham Mandelbaum, devenu fou de chagrin.

Elle n'avait pas terminé sa phrase que jaillit de la maison un petit bonhomme dont le visage disparaissait totalement sous une masse de boucles rebelles.

— Yaïr !

En un clin d'œil, elle avait bondi hors de la voiture et serrait son fils dans ses bras. L'enfant, dont la chevelure anarchique masquait les traits, lança un rire clair qui retentit dans toute la cour. Prise de scrupules, Sonia le reposa et alla embrasser l'autre garçon, plus grand, qui n'avait pas bougé et la regardait avec des yeux éperdus.

— Yotam !

Sauf que le bouclé n'était pas prêt à se laisser ainsi détrôner, et il se mit à hurler. Alors elle souleva les deux garçonnets en même temps et, malgré la lourde charge qui lui courbait un peu le dos, se laissa gagner par la joie des retrouvailles. Debout sur le pas de sa porte, Léa Ronn observait la scène, lèvres pincées : bon, que pouvait-on bien attendre de cette irresponsable qui s'en allait à Tel-Aviv en abandonnant ses enfants et qui, quand elle revenait, les laissait crier comme des malappris au lieu de leur flanquer la bonne paire de baffes qui les réduirait immédiatement au silence. Mais lorsqu'elle reconnut l'homme qui attendait, assis dans le véhicule, sa grimace contrariée se mua en un large sourire. Le numéro deux de l'Organisation ! En personne ! Quel honneur ! Quel honneur et...

Elle n'eut pas le temps de rendre un hommage vibrant à cette haute personnalité : elle en était encore à chercher les mots les plus adéquats lorsqu'il remit le moteur en marche et démarra. En trombe. Elle pensa qu'il était pressé. Sonia, elle, savait qu'il fuyait.

Tout en fonçant vers Tel-Aviv, Froïke ne cessait de dessiner dans son esprit la silhouette de l'enfant, deux bras, deux jambes et une chevelure bouclée sous laquelle il y avait un visage qu'il n'avait pas vu. Qu'il n'avait pas osé voir. Car il avait compris, au moment où le petit, soulevé par sa mère, se mettait à rire, que s'il avait écarté les boucles, s'il l'avait regardé dans les yeux, il n'aurait pas réussi à s'en détacher.

Quelques jours après le départ précipité du lieutenant-commandant, Sonia revint à Tel-Aviv avec les deux enfants. Le week-end passé en compagnie de Léa Ronn lui avait révélé que mieux valait qu'ils se traînent derrière elle plutôt que de rester aux mauvais soins de cette soupe à la grimace. En ville, elle engagea une nounou pour s'en occuper et renonça à ses promenades nocturnes pour être auprès d'eux dès son travail terminé. Si bien qu'elle ne rencontrait plus le lieutenant-commandant qu'à l'occasion des assemblées générales du mouvement. Tous deux esquissaient un sourire poli et allaient s'asseoir, le plus loin possible l'un de l'autre. Lui pour ne pas sentir le parfum d'orange qu'elle dégageait, elle pour ne pas être submergée par l'odeur de désespoir qui émanait de lui.

13

La semaine qui suivit son passage éclair au village, alors qu'il regagnait son bureau à la fin d'une réunion soporifique, le numéro deux de l'Organisation fut surpris de trouver Yaacov Markovitch devant sa porte. Cela faisait bien longtemps que les deux hommes ne s'étaient pas croisés. Leurs bouches échangèrent des amabilités et leurs yeux se jaugèrent : le léger tremblement au-dessus de la lèvre du lieutenant-commandant, preuve de quelque tumulte intérieur, n'échappa guère à son visiteur. Quant au lieutenant-commandant, il remarqua tout de suite que son visiteur serrait les poings, qu'il garda fermés pendant tout leur entretien. Cette attitude ne signifiait qu'une chose : Je n'ai pas l'intention de partir sans avoir obtenu ce que je suis venu chercher. Lorsque chacun d'eux eut complété mentalement la fiche de renseignements de son vis-à-vis, ils purent enfin abandonner leur conversation oiseuse. L'agriculteur s'interrompit au milieu de l'énumération des dégâts engendrés par la sécheresse, serra encore davantage les poings et demanda :

— Avez-vous des nouvelles de Zeev Feinberg ?

Le frissonnement de la lèvre de son interlocuteur se renforça.

— Je l'ai envoyé en Europe. Ce qu'il fait là-bas dépasse nos espérances.

— Quand reviendra-t-il ?

— Quand ça lui chantera.

Markovitch réfléchit un long moment avant de reprendre :

— Ce n'est pas normal.

L'autre haussa légèrement le sourcil droit, ce qui donna à son visage une expression d'étonnement amusé non dénuée d'un zeste de mépris. Adolescent, il avait passé des heures à s'entraîner devant le miroir. Peut-être avait-il déjà deviné à quel point cette aptitude lui serait utile lorsque des années plus tard il tâcherait de déstabiliser ses contradicteurs.

— Pas normal ? Qu'un homme veuille venger son peuple massacré, ça ne te semble pas normal ?

Markovitch se recroquevilla sur sa chaise. Malgré lui, le souvenir de la première fois où il s'était retrouvé assis dans cette pièce lui revint en mémoire. Comme il était honteux et désespéré à l'époque ! Face à la puissance bouillonnante des deux amis, il avait senti qu'il était, par son existence même, un affront à la virilité et à la gent masculine dans son ensemble. À présent, devant ce sourcil en accent circonflexe, voilà qu'il se sentait de nouveau minable, lui, le simple agriculteur qui osait venir importuner plus puissant que lui pour des broutilles. Rassemblant toutes ses forces, il réussit à reprendre :

— J'ai rencontré Feinberg le jour où la guerre a éclaté. Savez-vous de quoi il m'a parlé ? De son fils, qui avait déjà appris à marcher. De l'odeur de son caca. Oui, oui, vous avez bien entendu : de l'odeur du caca de son bébé.

Le lieutenant-commandant haussa davantage le sourcil, signe qu'il se demandait où diable l'autre voulait en venir. Markovitch déglutit et s'obstina :

— Un homme comme lui, pour qui la guerre n'était qu'un bruit de fond accompagnant doucement son quotidien, ne s'en va pas dès la fin du combat pour aller traquer des nazis. Il rentre chez lui et reprend sa vie là où il l'a laissée. S'il a fui le village, c'est qu'il avait une bonne raison.

— Et alors ? En quoi cela te regarde-t-il ?

— Je suis son ami, comme vous l'étiez à l'époque. Markovitch se pencha en avant.

— Je ne sais pas ce qui s'est passé depuis mon départ à la guerre. On jacasse beaucoup au village, mais on en dit très peu. J'ai pourtant l'impression qu'il est arrivé quelque chose. Quelque chose de mauvais. Et qu'est-ce que je découvre ? Que Sonia est à Tel-Aviv et Feinberg en Europe, une situation qui vous convient peut-être, mais qui me semble très inquiétante.

Le numéro deux de l'Organisation prit une grande inspiration. Sa lèvre tremblait tellement qu'il fut obligé de la cacher derrière sa main. L'entêté ne le quittait pas des yeux et, lorsqu'il reprit la parole, il ne paraissait plus si terne que ça :

— Envoyez-moi en Europe, moi aussi, et je reviendrai avec lui.

— Nous sommes une organisation qui œuvre pour la reconquête de ce pays, pas une agence de voyages.

Markovitch se leva et se dirigea vers la sortie sans

que son hôte fasse le moindre geste. Froïke entendit la porte claquer et les pas s'éloigner dans la rue. Il resta assis un long moment à imaginer ce drôle de type qui avait fait tout le chemin jusqu'à Tel-Aviv et s'en retournait bredouille. Sauf qu'au même moment ce drôle de type ne rentrait pas chez lui, mais se dirigeait vers le port. Arrivé devant les bateaux, il tira de sa poche la grosse enveloppe que lui avait donnée l'homme en gabardine et acheta un billet pour le vieux continent. L'enveloppe s'en trouva un peu allégée, quant à lui il se hissa à la dernière minute sur le pont d'un bâtiment qui s'apprêtait à appareiller. Il avait juste eu le temps, une seconde avant d'embarquer, de payer un jeune garçon pour qu'il envoie à Bella un télégramme avec ces mots : « Je suis parti chercher Feinberg. »

Markovitch perdit ses repères dès que son pied se posa sur le sol européen. Malgré la haine qu'il avait décidé de vouer à ces sombres contrées, il ne pouvait s'empêcher de songer que c'était dans cette noirceur-là que Bella lui avait été révélée. Qu'il s'était révélé à lui-même. Il avait espéré trouver l'Europe brisée, détruite, peut-être ainsi aurait-il pu lui pardonner. Il pensait débarquer sur des monceaux de ruines, or, ce qu'il voyait, c'étaient des routes goudronnées et des rues pavées avec, au milieu, une multitude de gens. Il chercha sur les visages qu'il croisait les traces de ceux qui n'étaient plus là. En vain. Tandis qu'il arpentait les trottoirs en pierres taillées sur lesquels des crânes avaient été brisés, il n'entendait que les sautillements de fillettes jouant à la marelle. Ce constat l'emplit de rage à l'encontre de ce pays dépourvu de mémoire.

L'emplit de jalousie aussi. Il se mit alors au défi de marcher pendant vingt-quatre heures à travers Berlin sans penser, ne serait-ce qu'une fois, à la guerre. De se promener toute une journée dans les ruelles sans porter sur ses épaules le poids des six millions de témoins partis en fumée. De se délester, ne serait-ce que pour quelques heures, de la lourde trinité que formaient son peuple, son pays et son passé. Il eut beau faire, il n'y parvint pas. « C'est comme si j'essayais de me promener toute une journée sans l'odeur de mon corps, songea-t-il. Car c'est bien l'odeur de mon propre corps qui me poursuit ici, même si elle a irrémédiablement changé car, ce qui nous colle à présent à la peau, c'est la puanteur des victimes. »

Les jours suivants, il se surprit à emprunter les transports en commun sans payer, puis il commença à entrer dans les boutiques d'alimentation où, sans la moindre préméditation, il glissait dans sa poche toutes sortes de sucreries et de gâteaux. À plusieurs reprises il lui arriva aussi de heurter – volontairement – des passants dans la rue, attitude certes stupide mais bien agréable. Une fois par jour il s'attablait dans un café, laissait maladroitement tomber sa tasse de fine porcelaine et, lorsque la serveuse irritée s'accroupissait à ses pieds, il ne ressentait pas la moindre honte, au contraire : un doux frisson le parcourait, non pas à cause des seins que lui révélait le profond décolleté, mais de sa posture avilissante tandis qu'elle rassemblait les débris éparpillés sur le sol. Un dimanche, il se précipita au marché, poussé par quelque mauvaise intention à l'égard d'un étal de verroterie préalablement repéré. C'est alors que le miracle se produisit : il se mit à neiger. Markovitch alla se réfugier dans le hangar voisin et là, il découvrit un grand espace qui abritait des quantités de caisses de lampes, d'assiettes, de tasses, des sculptures de verre et toutes sortes d'objets entassés les uns sur les autres. Au milieu de ce capharnaüm déambulaient les clients qui avaient osé braver le froid, et ils soulevaient tel ou tel article pour l'observer de plus près. Verre, assiette, chandelier – chaque pièce émettait un délicieux tintement cristallin dès qu'elle heurtait sa voisine. Et comme, en ce matin neigeux, il y avait foule sous le toit du hangar, les tintements montaient de toutes parts. Personne ne parlait. Seule la verroterie chantait sous les flocons qui tombaient avec la grâce d'une ballerine.

Ce fut la magie de la neige voletant au son de ce carillon qui réveilla Yaacov Markovitch. Il changea d'avis, abandonna toute velléité de briser les bibelots exposés et marqués, au dos, de l'année de leur fabrication. Il cessa de s'indigner de ce que des objets pourtant si fragiles aient survécu à leurs propriétaires. Ce jour-là, il arrêta ses représailles mesquines pour se concentrer sur le but de son voyage : Zeev Feinberg. Et il se sentit enfin délivré du charme de cette satanée Europe, débarrassé à la fois de la gêne éprouvée lors de sa première visite et des pulsions revanchardes qui l'avaient assailli à peine débarqué. Il entreprit de sillonner le territoire de long en large, sans passion et sans colère, poussé par un seul désir : retrouver son ami.

Lorsqu'il le revit, le contenu de l'enveloppe que lui avait donnée l'homme en gabardine avait bigrement diminué. C'était la première fois qu'il remarquait à quelle vitesse l'argent filait, peut-être parce que, jusqu'ici, il n'en avait jamais possédé autant. À ce qu'il avait dépensé en transport, nourriture et logement, il avait dû ajouter bien d'autres frais : dans l'Allemagne d'après guerre, les femmes étaient douloureusement belles et irrésistiblement bon marché. Elles avaient toutes, gravée sur le visage, une expression d'hébétude mêlée de tristesse, comme si elles n'avaient pas encore totalement intériorisé leur défaite. Markovitch les approchait avec douceur, presque avec crainte, et laissait toujours sur l'étagère davantage que le prix convenu. Dès que la culpabilité l'assaillait, il se hâtait d'aller la noyer entre de tendres bras. Idem avec la colère. Il découvrit ainsi rapidement que tous les sentiments humains – culpabilité, colère, chagrin, nostalgie – battent en retraite devant l'assouvissement de la chair. Enveloppé d'un drap, écrasant un corps de femme qui se cramponnait à lui, il oubliait pour quelques instants ce qu'il voulait oublier. Jamais ne lui vint à l'esprit que ces précieuses minutes de répit se gravaient avec une terrible précision dans la mémoire de celles qui les lui offraient. D'autant qu'il les payait beaucoup plus que ce qu'elles méritaient.

Petit à petit, il réussit à récolter des informations sur un groupuscule de Juifs menés par un géant à moustache – Feinberg à n'en pas douter. Lorsqu'il apprit qu'outre son arme cet individu se baladait avec une petite fille aux cheveux blonds, sa conviction vacilla. S'il s'obstina à retrouver leur trace, c'est parce qu'il ne renonçait pas à l'espoir de tomber tout de même sur son ami, et aussi parce qu'il n'avait pas d'autre piste. Il finit par localiser le commando quelque part à la frontière autrichienne, dans un hameau si reculé que même ses habitants en avaient oublié le nom. Zeev Feinberg et ses compagnons y étaient depuis quelques jours, à la recherche de renseignements, si ténus fussent-ils, susceptibles de les mener à leur prochaine cible. Mais la rumeur de l'arrivée de la bande de Juifs vengeurs avec un bébé aux cheveux blonds s'était répandue si vite que personne ne desserra les dents. Comme la fillette ne ressemblait à aucun des hommes du groupe, on commença à se poser d'inquiétantes questions. Comment croire qu'elle était la fille du moustachu, malgré les affirmations qu'il répétait aux oreilles de toutes les serveuses de leur unique café ? Il y en eut bien sûr un pour murmurer que la Pâque juive approchait, qui sait si ces tueurs de Messie, n'ayant pas réussi à mettre la main sur un enfant chrétien, ne s'étaient pas rabattus sur un bébé ? Et un autre pour rétorquer en sermonnant le premier que les temps avaient changé : ces gens désormais se baladaient armés, et chacun avait intérêt à veiller sur sa progéniture au lieu de spéculer seulement sur le sort de celle des autres. Quant aux membres du commando, conscients des bruits malveillants qui circulaient sur leur compte, ils auraient rapidement déguerpi si la petite n'avait pas eu soudain de la température, les obligeant à s'attarder. Feinberg mit ce temps à profit en ratissant les villages alentour dans l'espoir d'y glaner quelques indices, de flairer une allusion lâchée du bout des lèvres, et la nuit il rejoignait les autres à l'auberge. Après avoir salué de la tête le patron et ses réticences, il montait récupérer la blondinette gardée par une nourrice, l'enveloppait dans plusieurs couvertures et l'emmenait se promener dans la nuit, sous les regards des habitants qui les accompagnaient comme autant de lucioles.

Le soir où Yaacov Markovitch débarqua en ces lieux, Feinberg marchait comme d'habitude lorsqu'il sentit soudain sur sa nuque autre chose que les lucioles. Quelqu'un le suivait, trop loin pour qu'il puisse l'identifier, trop proche pour qu'il puisse s'en débarrasser sans un geste suspect. Il continua à bercer le bébé d'une main tandis que, de l'autre, il cherchait son pistolet. Dans son dos, la silhouette accéléra. Il arma et se retourna d'un coup, canon pointé… droit sur les mains tendues en avant de son vieil ami.

— Grand dieu, Markovitch ! J'ai bien failli te faire exploser la cervelle.

Que de temps s'était écoulé depuis leur dernière rencontre à la veille de la guerre ! Ils tombèrent dans les bras l'un de l'autre (enfin, Zeev n'y mit qu'un bras, l'autre étant occupé). Markovitch brûlait d'envie de savoir qui diable était emmailloté sous les couvertures, mais il ravala ses questions en ce moment particulier, car, si l'enveloppe donnée par l'homme en gabardine lui avait permis bien des étreintes en Europe, aucune ne lui avait procuré autant d'émotion que celle-là. Il savait à présent qu'il n'avait pas entrepris son voyage pour rien.

Zeev Feinberg s'écarta, le scruta et conclut :

— Te voilà devenu un homme.

Markovitch était toujours aussi maigre et ses yeux toujours aussi délavés, pourtant impossible de se tromper sur le changement survenu. Quand et comment cela s'était-il produit, Feinberg ne pouvait pas le savoir, mais une chose était sûre : celui qui se tenait aujourd'hui devant lui n'était plus celui qu'il avait croisé à la veille des combats. Une différence si flagrante que c'était à se demander s'il s'agissait bien de la même personne. Pensée qu'il chassa aussitôt – n'était-il pas le mieux placé pour savoir qu'on ne revient jamais de guerre comme on en est parti ?

— Et toi, toi qui étais un vrai homme, qu'es-tu devenu ? rétorqua Markovitch.

Rembruni, l'autre tarda à répondre.

— Je suis devenu un vagabond.

— Quoi ? Mais tu as une maison, une femme et un enfant !

Tandis qu'il parlait, Feinberg se détourna pour fixer un point au loin. Dans les immeubles de l'autre côté de la rue, on se préparait à dormir. Les lumières se tamisaient, les rires tarissaient. Les habitants du hameau se séparaient de leurs broutilles diurnes pour aller retrouver le fatras de leurs rêves nocturnes. Les yeux rivés aux fenêtres, le moustachu annonça alors d'une voix tremblante :

— Je ne peux pas rentrer au village. Je ne peux pas. J'ai réussi à éteindre Sonia. Je ne croyais pas qu'il existait au monde quelque chose qui soit capable d'éteindre une telle femme. Eh bien, si : moi. J'ai éteint ma Sonia et notre foyer, qui est devenu une tombe. Quant à mon fils, me croiras-tu si je te dis qu'il est resté à côté de moi pendant des jours sans que je le remarque ? Qu'il a pleuré sans que je le prenne dans mes bras ?

— Mais maintenant, maintenant, tu as l'air d'aller bien ! Pourquoi ne pas rentrer ?

— Dès que je cesserai d'être en mouvement, tout me rattrapera.

Ces derniers mots, Yaacov Markovitch ne les perçut qu'à travers les battements du sang qui frappaient à ses oreilles. Son meilleur, son seul ami avait quitté une femme et un enfant, le village et ses orangeraies, et l'avait quitté lui aussi, pour parcourir l'Europe, un pistolet dans une main et, dans l'autre, un bébé dont il restait encore à déterminer la provenance... Et il n'avait aucune intention de revenir ?

— Tu n'es pas un vagabond, juste un beau salaud. Tu te vautres dans ta culpabilité et ton désespoir comme un cochon dans sa fange et tu laisses les autres en supporter la puanteur. Tu as pensé à Sonia ? À Yaïr ? Et d'ailleurs, c'est qui, cette petite ?

Zeev Feinberg le regarda, ahuri. Jamais il n'aurait cru Markovitch capable d'une telle rage. Il eut même peur de recevoir des coups, les souhaita presque, préférant la violence physique à ces mots chauffés à blanc et dont chaque syllabe lui brûlait la peau. Mais son ami ne leva pas la main sur lui (même si, peut-être, il l'envisagea brièvement). Incapable d'en supporter davantage, Feinberg se mit à hurler d'une voix de stentor qui ébranla toute la rue :

— Comment oses-tu me juger, toi, alors que tu retiens prisonnière une femme qui ne peut pas t'aimer ? Moi, quand j'ai compris que je n'étais plus capable d'aimer, je suis parti. Qui es-tu pour me juger ?

Quelques visages pointèrent aux fenêtres, alertés par les deux hommes qui s'invectivaient dans une langue inconnue. Markovitch n'eut pas le temps de répondre : la petite s'était réveillée. Elle se mit à brailler si fort qu'ils firent plus de quatre allers-retours sur toute la longueur de la rue avant qu'elle se rendorme.

Pendant ce temps, ils n'échangèrent pas le moindre mot. Lorsqu'ils s'arrêtèrent enfin, Markovitch reprit la parole :

— Tu m'as demandé comment j'osais te juger ? Crois-moi, mon ami, mieux vaut mon jugement que celui que tu portes sur tes propres actes. Car c'est ce que tu ne cesses de faire, non ? Tu es ton juge et ton procureur, mais il n'y a eu aucun avocat. Tu t'es toi-même condamné, lynché et exilé. Je ne suis pas venu ici pour te juger, mais pour te libérer. Je ne sais pas ce que tu as fait, mais aucune faute ne peut être si terrible.

Son ami resta muet. Ils firent encore deux allers-retours avant de regagner l'auberge. Arrivé devant la réception, le moustachu lança un simple « bonne nuit » et monta dans sa chambre.

— Bonne nuit, répondit Markovitch dans son dos, non sans se demander s'ils se reverraient ou si, à son réveil, le lieu serait désert.

Le lendemain matin, Zeev Feinberg attendit que la peur, la culpabilité ou la routine le sortent de son lit, le mettent comme d'habitude d'aplomb sur ses jambes et le lancent dans sa chasse à l'homme. Aucun muscle ne bougea. Il resta donc couché. À midi, lorsque ses compagnons frappèrent à sa porte, il leur annonça que son voyage avec eux était terminé. Qu'il rentrait chez lui.

Et il rejoignit Markovitch dans sa chambre.

— Je pars avec toi. Mais on ramène la petite.

Ils gagnèrent la grande ville le jour même. Flanqué de son ami et portant le bébé, Feinberg alla trouver le faussaire qui l'avait aidé à de nombreuses reprises durant ces mois de traque. Il lui demanda de préparer les papiers nécessaires pour prouver que le bébé était bien sa fille. Par-dessus ses lunettes à verres épais, l'homme le dévisagea longuement. Pendant toute la guerre, les Juifs étaient venus vers lui, des enfants serrés dans les bras, et l'avaient supplié de transformer d'un coup de baguette magique ou de tampon ces petits êtres en *goys*. Et voilà que maintenant un Juif apparaissait, serrant dans ses bras une petite *goy*, et le suppliait de la transformer d'un coup de baguette magique ou de tampon en Juive ! Feinberg s'agita, s'énerva, s'échauffa, sa moustache frémit et il laissa sa colère se déverser : Quoi ? Comment osait-il douter de la judéité de cette malheureuse enfant ? Elle était orpheline, mais non moins juive. Et si un cœur juif battait dans sa poitrine de faussaire, il l'aiderait sans plus tarder à la ramener en Israël.

— Monsieur, celui qui gagne sa vie en mentant reconnaît un mensonge à mille lieues à la ronde. Cette petite n'est pas plus juive que vous n'êtes aryen.

— C'est vrai, soupira Feinberg. Mais pour moi, vous allez en faire une Juive.

L'homme secoua la tête :

— Toutes les fausses déclarations et les faux papiers que j'ai fabriqués ont eu pour seul but de sauver des Juifs. Pourquoi voulez-vous que je m'apitoie sur le sort de l'une des leurs ?

— Parce que vous sauverez un Juif.

— Qui donc ?

— Moi.

Quatre jours plus tard, Feinberg, Markovitch et

le bébé quittèrent l'Europe. Les passagers du bateau s'accordèrent tous à dire que jamais ils n'avaient vu de père aussi dévoué que le colosse moustachu envers sa petite Naama.

14

Voilà donc Zeev Feinberg et Yaacov Markovitch à nouveau ensemble sur les flots. La première fois qu'ils avaient embarqué, célibataires, ils fuyaient le couteau d'Abraham Mandelbaum. La deuxième, ils étaient mariés, et l'un attendait avec impatience de divorcer pour retrouver Sonia, tandis que l'autre sentait mûrir – ou plutôt pourrir – en lui la décision de ne pas se séparer de Bella. Pour cette troisième traversée, ils étaient tous les deux pères, Markovitch d'un fils qui, il le savait, n'était pas de lui, Feinberg d'un fils qu'il avait laissé sur une rive et d'une fille qu'il ramenait de l'autre rive. Mais au lieu d'avoir le loisir de méditer sur le hasard ou les surprises que leur avaient réservées ces années, au lieu de se gargariser des événements passés et de s'interroger sur de futurs bouleversements, les deux hommes ne savaient plus où donner de la tête. S'occuper de Naama s'avéra cent fois plus ardu que toutes leurs missions antérieures. Face aux crises de larmes, aux vomissements et aux langes qui s'entassaient, ils étaient complètement dépassés. Le célèbre sens pratique de Feinberg s'émoussa au bout de quatre nuits sans sommeil : de peur, la petite hurlait au plus léger tangage. Ses pleurs eurent aussi raison de la vaillance et du dévouement de Markovitch qui, malgré son tempérament placide, faillit la jeter par-dessus bord tant la monotonie de ses jérémiades devenait insupportable. Avant d'embarquer, les deux compères s'étaient persuadés qu'ils trouveraient parmi les passagères une nourrice, une nurse ou même simplement une femme que l'instinct maternel attirerait vers une si jolie blondinette. Malchance ou mauvais sort, aucune de ces options ne se présenta. Certes, on ne manquait pas de femmes sur le pont, mais aucune n'allaitait et aucune n'était nurse. Les mères avaient assez à faire avec leur propre progéniture qui pleurait, vomissait ou courait dans tous les sens en faisant un raffut qui rendait tout le monde fou. Quant aux jeunes filles, elles se conduisaient en jeunes filles, c'est-à-dire qu'elles bavassaient, gloussaient et couchaient plus ou moins discrètement avec untel ou untel, tout en fantasmant sur le pays qui les attendait au bout du voyage. Pourquoi renoncer aux bavassages, gloussements, coucheries et fantasmes pour s'occuper d'une braillarde inconsolable ?

Feinberg et Markovitch avaient donc décidé de se partager les vingt-quatre heures, l'un se reposait pendant que l'autre suait. Cette répartition du travail, au demeurant très efficace, avait pour seul inconvénient de rendre impossible toute réelle conversation entre eux. Et lorsque – rarement – ils arrivaient à se retrouver pour une petite heure ensemble en fin de journée, une fois Naama endormie sur le pont à côté d'eux, elle se réveillait dès qu'ils commençaient à parler et leur discussion tournait court. Au moment de la relève, ils n'échangeaient que des informations pratiques (combien de fois elle avait fait ses besoins, à quelle heure elle avait mangé, sans oublier les deux sourires adressés au matelot qui se promenait un perroquet sur l'épaule). Markovitch crut qu'il ne trouverait jamais le moment de poser à Feinberg la question qui lui brûlait les lèvres : Qu'est-ce qui a bien pu t'obliger à fuir aussi loin ? Feinberg, lui, n'avait jamais le temps de demander à Markovitch : Comment Bella t'a-t-elle accueilli à ton retour ? Et bien qu'ils aient tous les deux sincèrement envie d'avoir une vraie et longue conversation, ils remerciaient finalement le bébé de leur offrir ces contretemps. Car ils savaient que, dès que la petite fille se calmerait, chacun serait acculé à exhiber devant l'autre sa blessure et ses souffrances. Et à regarder la blessure et les souffrances de l'autre.

Plus ils approchaient d'Israël, plus Markovitch était inquiet. La nuit, il pensait à Bella. Que lui dirait-elle lorsqu'il débarquerait ? En espérant qu'elle lui dise quelque chose ! Combien de mots une femme pouvait-elle emprisonner en elle ? Allongé sur sa couchette, il se remémorait avec quelle indifférence elle l'avait accueilli à son retour de guerre. Non, ce n'était pas de l'indifférence, car il avait bien vu l'effort qu'elle faisait pour l'ignorer. Une telle attitude n'était pas une preuve d'indifférence mais de haine. Et cette pensée le consolait un peu, lui qui savait que le contraire absolu de l'amour n'est pas la haine, mais la froideur. Pendant des années, personne n'avait fait grand cas de sa présence. C'était ce désintérêt qui le détruisait. Au contraire, la haine de Bella lui donnait de plus en plus de poids. Malgré l'angoisse et la crainte qui l'assaillaient chaque fois qu'il pensait au village et à sa maison de pierres, il préférait la rancune incandescente de sa femme au regard froid et distant de tous les autres.

En parallèle à l'inquiétude grandissante de Markovitch, l'exaltation de Zeev Feinberg atteignait elle aussi des sommets. Il allait bientôt revoir sa Sonia. Et il savait très bien où il la retrouverait : plantée sur le rivage, à le maudire et l'insulter avec des mots assassins, formulés par cette langue qu'elle avait si bien pendue. Rien qu'à l'imaginer ainsi, tout entière fulminante et vindicative, un vif désir montait en lui. Pour la première fois depuis longtemps. Il eut du mal à ne pas s'en ouvrir à son ami, mais il ne voulait pas lui retourner le couteau dans la plaie avec les descriptions de ses futurs ébats amoureux alors que le malheureux naviguait vers les glaces du pôle Nord. Markovitch, pour sa part, préférait ne pas mentionner le nom de Sonia devant Feinberg, de peur de soulever des questions sur les faits et gestes de celle-ci, des questions auxquelles il ne saurait comment répondre. C'est ainsi qu'ils naviguèrent, jour après jour, l'un avec ses attentes, l'autre avec ses angoisses, enfermées à double tour au fond d'eux-mêmes, si bien que les mots qu'ils échangeaient étaient aussi légers que des bulles de savon :

— Il fait très beau, ce matin.

— Il faudrait peut-être lui mettre un gilet en plus ?

— Dis-moi, elle a déjà mangé aujourd'hui ?

Etc., etc.

Cependant, juste avant d'arriver, alors que les côtes du pays commençaient à émerger dans les brumes matinales, Markovitch attrapa Feinberg dans un coin et lui demanda avec insistance de lui révéler le secret du bébé. Les autres secrets pouvaient attendre mais, elle, impossible de faire comme si on ne la voyait pas ! Alors d'où venait-elle ? Pourquoi son ami s'en était-il chargé ? Ce n'était pas par mauvais esprit qu'il posait la question, non, mais après l'avoir langée, lavée, nourrie, habillée, il s'estimait en droit de savoir. Le moustachu essaya d'éluder, invoqua tour à tour une faim subite, une soif terrible, un mal de mer soudain, mais Markovitch n'en démordit pas. Comprenant qu'il ne parviendrait pas à s'en débarrasser, Feinberg s'accouda au bastingage.

— Une de mes cousines a eu une liaison avec un jeune Allemand. Elle est morte en couches et le papa s'est évaporé. C'est uniquement par sens du devoir que je ne l'ai pas laissée là-bas.

Il se tourna vers son ami, s'attendant à le voir essuyer une larme compatissante, mais ne croisa qu'un regard glacé, presque moqueur :

— Si tu as l'intention de t'en tenir à ce mensonge, je te conseille de t'exercer mieux que ça.

Markovitch partit se coucher, furieux et vexé de ce manque de confiance. Furieux contre la petite fille auprès de laquelle il avait tenu à mi-temps le rôle de père et de mère, mais dont il ignorait l'identité. Furieux contre ce voyage qui s'achevait et qui ne lui laissait d'autre issue que de rentrer chez lui. Maintenant que les armes s'étaient tues, que le vagabondage sur les routes d'Israël avait pris fin, qu'il avait mené à bien la traque pour ramener Feinberg, ne lui restait plus qu'à redevenir un homme parmi les autres. Semer, récolter et semer de nouveau, rentrer le soir à la maison et être accueilli par le dos de la plus belle femme qu'il ait vue de sa vie. Elle ne se retournerait pas. Ne lui adresserait pas la parole. Il sèmerait, récolterait et sèmerait encore. Peut-être planterait-il un figuier. Ou une vigne. Il lui apporterait ses plus beaux fruits, les plus sucrés, mais les mangerait-elle qu'elle ne se retournerait pas davantage vers lui. Il sèmerait, récolterait et sèmerait de nouveau. Le figuier grandirait, la vigne aussi. Certains jours, il souhaiterait entendre enfin le sifflement des balles transpercer l'air, une guerre de plus, quelque chose qui serait capable de briser l'immuable silence entre elle et lui. Mais un tel sifflement ne viendrait pas. Il sèmerait, récolterait et sèmerait encore. Les soirs d'été, il s'assiérait seul sous sa vigne ou son figuier, écrasé par le poids de la culpabilité.

Il médita là-dessus pendant des heures et, comme cela arrive souvent dans ce genre de situations, sa méditation se mua en sommeil agité. Il fut réveillé par de violents coups frappés contre sa porte : le bateau avait jeté l'ancre depuis un bon moment, tous les passagers avaient débarqué, aurait-il l'obligeance de libérer la cabine ? Affolé et confus, il descendit rapidement sur le quai, se mit à chercher Feinberg, scruta les badauds dans l'espoir de voir la pointe d'une grosse moustache ou l'étincelle dorée d'une boucle de cheveux de Naama. En vain. Soudain, il aperçut, entourée de ses quatre enfants, la femme plantureuse qu'il avait remarquée pendant la traversée (avec son ami, ils n'avaient cessé de suivre d'un regard admiratif la manière sereine et habile dont elle gérait ses quatre terreurs). Il se précipita vers elle et lui demanda si elle avait vu son compagnon.

— Le colosse avec la blondinette ? Comment le

louper ! Il est descendu le premier en doublant tout le monde. Enfin, il avait une bonne raison pour ça : sa femme. Vous le savez sans doute, il a dit que sa femme l'attendait depuis des mois. C'était d'un tel romantisme que tout le monde l'a laissé passer.

Markovitch ne put réprimer un sourire. Il n'en voulait absolument pas à Feinberg d'être parti sans lui, car c'était exactement cet homme-là qui lui avait manqué, cet homme-là qu'il voulait ramener d'Europe. Et lorsqu'il l'avait retrouvé ombre de lui-même, il n'avait cessé de prier pour le voir redevenir celui d'autrefois, cent vingt kilos de vitalité. Et même si le moment où son ami mesurerait le fossé qui séparait ses attentes de la réalité serait terrible, le soulagement l'emporta sur l'inquiétude : tout était rentré dans l'ordre, Zeev Feinberg traversait de nouveau le monde comme une flèche. Et pas un instant Markovitch ne douta que, s'il n'y avait pas eu le bébé, le moustachu aurait sauté par-dessus bord avant l'arrivée au port et nagé vers la plage, poussé par le feu de son amour pour Sonia.

15

Jamais le temps ne s'écoula aussi lentement que le jour où Zeev Feinberg débarqua, l'esprit plein de sa Sonia. Les minutes s'étiraient telle de la cire gluante. Sur la route à moitié goudronnée, les roues de l'autobus slalomaient si laborieusement que par deux fois il faillit sauter à bas de ce mulet à moteur souffreteux pour achever le chemin à pied. Il regardait sa montre toutes les deux secondes et, ce qu'il y voyait l'emplissant de colère, il s'en détournait avec rancœur, comme d'un ami qui ne ferait aucun effort pour lui venir en aide. La petite observait son nouveau pays les yeux écarquillés. S'il avait été un tant soit peu attentif, Feinberg aurait remarqué qu'elle avait cessé de pleurer dès l'instant où le bateau avait jeté l'ancre. Accrochée à son cou, Naama était captivée par la vitre du bus, autant qu'autour d'eux les passagers étaient captivés par cette adorable fillette blonde.

L'autobus finit tout de même par arriver à la plage où il avait retrouvé Sonia au terme de son précédent voyage. Bien qu'ils fussent à une bonne heure de tout lieu habité, il bondit de son siège et, sous les regards des voyageurs stupéfaits, malgré les questions du chauffeur, il descendit de cette bête de somme motorisée. Le bébé sous un bras et son sac de voyage sous l'autre, il entreprit d'avancer (c'était pénible, tant ses pieds s'enfonçaient dans le sable des dunes) vers l'étroite bande de bleu qu'il voyait au loin et qui, à chaque pas, grandissait en même temps que son excitation. En approchant du rivage, par-delà le bruit du vent qui s'intensifiait, il crut entendre la voix de sa femme qui lui lançait ses plus belles injures. Il se mit à courir. Dans le ressac, il reconnut le rire franc et communicatif de Sonia. Encore un instant et il la verrait. Il la verrait debout sur la plage, déesse cananéenne, aux hanches fermes et au fier menton dressé. Et sa bouche ! C'était de sa bouche qu'il se languissait le plus. Dynamite et chocolat, dont les mots furieux ricochaient sur les vagues en galets lisses et parfaits. Dire qu'elle ne savait même pas qu'il approchait derrière elle. Elle fixait la mer sans se douter que cette fois il lui revenait par les terres. Il la saisirait sans avertissement préalable et interromprait son flot enragé avec un baiser. Quelle surprise ! Quelle joie ! Et si jamais elle était toujours en colère, il tomberait à genoux devant elle, comme la première fois, et la laisserait déverser sur lui toutes les injures qu'elle voudrait, pluie bénie pour un sol désolé.

Mais sur la plage, personne. Les mouettes s'envolèrent dans un bruissement d'ailes. Les crabes battirent en retraite. Il resta un long moment sans bouger, les pieds dans l'eau, puis se retourna d'un coup sec et refit le chemin en sens inverse. Quel idiot d'avoir cru que sa Sonia l'attendrait au même endroit ! Ce n'était plus une jeune fille, mais une mère de famille, et on ne peut imposer aux enfants de passer les journées plantés sur un rivage. Ils doivent manger, jouer, se laver, dormir. Plus il y pensait, mieux il comprenait son erreur. Ce n'était pas face à la mer qu'il la trouverait, mais chez lui, dans sa maison. Dans leur maison. Dans la cuisine. Il allait bientôt pouvoir sentir les effluves familiers du pain qu'elle brûlait et de la confiture qu'elle confectionnait pour en masquer l'odeur. Les draps exhaleraient son parfum d'orange. Et Yaïr. Il aurait certainement beaucoup grandi, son garçon, mais Zeev devrait veiller à ne pas broyer ses petits os délicats en l'étreignant. À cette pensée, il se mit à courir. Il avait tellement hâte de le revoir !

Mais en arrivant, il découvrit sa maison fermée. Il resta un long moment devant la porte close jusqu'à ce que Haya Nodelman, qui habitait juste en face, le remarque :

— Feinberg ! Tu es revenu ! Hé, Zahava, regarde qui est là !

Il soupira. Lui qui avait espéré que le premier visage croisé serait celui tant aimé de Sonia, voilà qu'il lui faudrait d'abord affronter une armée de voisines trop curieuses. Avant qu'il ait eu le temps de concocter un plan de repli, il se retrouva encerclé – de femmes principalement. On aurait dit que toutes les portes du village s'étaient ouvertes sauf la sienne. Haya Nodelman, Zahava Tamir et Léa Ronn : pas une ne voulait rater le revenant et toutes tenaient à le saluer. Dès qu'elles aperçurent la petite fille qu'il portait dans les bras, leur intérêt sincère (certes amical, mais non moins fouineur) se mua en assaut tenace.

— Qui est-ce ?

— Comment s'appelle-t-elle ?

— D'où vient-elle ?

Depuis la réflexion désobligeante de Markovitch, Feinberg avait eu le temps de peaufiner son histoire et il répondit aux pipelettes sans se démonter : il avait trouvé le bébé dans un orphelinat en Allemagne, ses parents étaient juifs et il n'avait pas eu le cœur de la laisser là-bas. Cette fois, l'explication remporta un vif succès, soit parce qu'elle était davantage crédible, soit parce que ces dames, ayant reçu l'attention qu'elles estimaient mériter, se fichaient de la véracité de ses dires. Après avoir répondu à toutes leurs questions, il osa enfin leur poser la sienne :

— Où est Sonia ?

D'un coup, les papotages cessèrent. Pas un instant elles ne s'étaient imaginé qu'il ignorait ce qu'avait fait sa femme durant son absence.

— Elle ne t'a pas dit qu'elle s'installait à Tel-Aviv ? s'étonna Haya Nodelman, qui s'étrangla presque de plaisir.

— Tu ne sais donc pas qu'elle a été nommée à un poste de direction ? roucoula Zahava Tamir.

— Première adjointe au commandant de l'Organisation ! trompetta Rivka Shaham.

Feinberg se hâta de rétorquer que sa mission lui avait interdit tout contact avec Israël. Les femmes hochèrent la tête avec une expression de sollicitude affectée.

— Maintenant que tu es de retour, sûr qu'elle aussi va rentrer, lança l'une d'elles.

Les deux autres approuvèrent énergiquement, elles qui espéraient ce retour autant pour Feinberg que pour elles-mêmes. Le fait qu'une femme puisse se lever un beau matin et accéder à une si haute fonction perturbait indéniablement leur sommeil. Il était grand temps que cette Sonia revienne carboniser son pain, brûler ses plats et oublier son linge sur la corde. Peut-être alors le village serait-il enfin débarrassé de ce pivert qui, depuis qu'elle était partie, ne cessait de leur picorer le cœur, les obligeant à se demander si leurs vies, à elles aussi, pourraient un jour prendre une tournure similaire.

Furieuse, Sonia s'en prit à l'employé des postes et le fit rougir jusqu'aux oreilles.

— Les lettres, mon petit gars, sont destinées à être lues. Si une lettre n'atteint pas son destinataire, c'est comme si elle n'avait pas été écrite. Je serais bien curieuse de savoir, parmi celles que je t'ai confiées cette semaine, combien sont arrivées à bon port et combien sont restées coincées au fond de cette sacoche que tu trimbales !

Le postier lui renvoya un regard noir. Il ne niait pas que parfois il traînait un peu avant sa tournée, à cause du mauvais temps ou de la lecture de magazines particulièrement captivants en vente au kiosque d'à côté. Mais être ainsi rappelé à l'ordre par une femelle ? Hors de question. Debout dans le bureau de cette sorcière aux yeux gris, il cherchait encore quoi lui répondre lorsque, à son grand soulagement, on frappa à la porte. La responsable des affaires féminines allait enfin retourner à ses affaires féminines, et il pourrait, lui, retourner à ses propres activités (lesquelles, à en juger par la nouvelle revue qu'il venait d'acheter et avait fourrée au fond de sa sacoche, traitaient aussi d'affaires féminines, mais sous un angle différent).

Sonia n'avait pas bougé et gardait les yeux fixés sur le jeune incompétent.

— Entrez et posez les dossiers sur la table, je les étudierai avant ce soir, lança-t-elle, toujours sans se retourner.

La porte fut ouverte tandis qu'elle reprenait ses invectives là où elle les avait laissées :

— Si je compte le retard cumulé par...

Là, elle s'interrompit car ce qu'elle entendit ne correspondait pas du tout au martèlement de talons de sa secrétaire. Trois pas suffirent. Personne ne s'étonnera d'apprendre que Sonia avait une oreille musicale exceptionnelle, on peut même dire absolue. Son grand-père paternel, un accordeur de piano, avait l'ouïe si fine qu'il pouvait déterminer l'année de fabrication de l'instrument après un seul accord, et la dernière œuvre interprétée sur son clavier au bout de trois. Sa petite-fille avait incontestablement hérité d'une partie de ce don car, sinon, comment expliquer qu'elle n'eut besoin que de trois pas pour savoir que Zeev Feinberg se tenait derrière elle ?

Elle ne se retourna pas immédiatement, tant elle avait peur de découvrir le visage de l'homme qui venait d'entrer. Son pas n'avait pas changé, ce qui était déjà bon signe, mais qu'en était-il de ses yeux ? Et de sa moustache ? Tant qu'elle gardait le dos tourné, elle pouvait s'accrocher à la silhouette de son mari telle qu'elle voulait s'en souvenir, impressionnante statue de bronze dont elle avait effacé les altérations de la guerre. Si elle bougeait, elle allait devoir affronter sa présence réelle, et là-dessus elle n'avait aucun contrôle. Voilà pourquoi elle s'attardait encore, et peut-être se serait-elle attardée bien davantage si tout à coup Zeev Feinberg n'avait pas fait trois pas de plus pour lui effleurer l'épaule.

Le soupir qu'elle lâcha résonna dans tout le bâtiment. Les secrétaires cessèrent de taper à la machine et levèrent la tête. Les chefs de service cessèrent leurs bavardages et tendirent l'oreille. Les responsables du ménage cessèrent de nettoyer et se figèrent, qui un balai à la main, qui avec un chiffon. Le postier contrit oublia un instant la revue qui l'attendait dans sa sacoche. Personne n'avait jamais entendu un tel soupir, alliage de soulagement, de passion, de culpabilité et de nostalgie. Car, à l'instant où il toucha son épaule, Sonia sut que son homme lui était revenu, revenu pour de vrai. Pas le fantôme de celui qu'elle aimait, mais bien celui qu'elle aimait, en chair et en os, avec ses mains solides. Et les gros doigts chauds qu'il avait ! La poigne puissante ! C'était avec ces doigts-là, rieurs et curieux, qu'il l'avait prise la première nuit. C'était avec ces doigts-là qu'il avait continué à la prendre toutes les nuits suivantes et avec ces mêmes doigts qu'il avait essayé de se protéger de ses griffes le jour où elle avait appris que, en dépit de toutes ses promesses, il avait recommencé ses bêtises et folâtrait avec Rachel Mandelbaum. Malgré le sang qui coulait des blessures qu'elle lui infligeait, il avait continué à s'agripper à elle avec ces doigts-là, lui promettant de revenir au village dès que le boucher se serait calmé. Il avait tenu parole. Elle l'avait attendu sur le rivage et il lui était revenu.

À présent qu'elle avait cessé d'attendre et ne continuait à porter son alliance (un vieux souvenir, pas plus) que par habitude, il lui était à nouveau revenu.

Sonia Feinberg finit tout de même par se tourner vers Zeev Feinberg. Il avait les yeux encore plus bleus qu'auparavant et la moustache plus arrogante. Avec en dessous les mêmes lèvres charnues et si bien dessinées. Il y avait presque quelque chose d'embarrassant à penser qu'une bouche aussi sensuelle appartînt à un visage masculin. Peut-être était-ce la raison pour laquelle il veillait autant à la cacher sous ses turbulentes bacchantes ?

Et ce furent ces lèvres qui s'étirèrent en un sourire espiègle.

— Me voilà, dit-il.

Il n'eut pas le loisir de terminer qu'elle se plaquait contre lui de tout son corps, se frottait la tête à sa moustache, ses lèvres et son cou, lui mordillait les lobes d'oreilles tandis qu'il emplissait ses poumons du parfum qu'elle dégageait. Bouche bée, le postier contrit resta à contempler ce spectacle le temps qu'il lui fallut pour comprendre qu'il avait intérêt à s'éclipser discrètement du bureau de la première adjointe chargée de la condition des femmes. Certes, celles qui l'attendaient couchées dans la revue au fond de sa sacoche n'égalaient pas la flamme et le désir affichés par Sonia, mais elles avaient l'habitude de s'exhiber et invitaient tout un chacun de leurs sourires suggestifs… alors que la responsable risquait, elle, de se départir du sien si elle découvrait qu'il avait assisté à ces retrouvailles.

Zeev et Sonia restèrent longtemps seuls dans le

bureau à s'enlacer, à se renifler, jusqu'à ce que soudain elle s'arrête net.

— Mon Dieu, je suis en retard pour la réunion de quatre heures ! s'écria-t-elle en s'élançant vers la porte.

Il la retint par le bras (moelleux et potelé comme de la brioche de shabbat, piqué de taches de rousseur comme de petits raisins secs !).

— Quoi, Sonietshka, tu me laisserais maintenant ? Dis-leur de se débrouiller sans toi.

Elle se dégagea et répliqua en souriant :

— Comment veux-tu ? C'est moi qui dirige les débats.

Et avant qu'il puisse protester, la jupe caressa le battant de la porte en signe d'au revoir. Il se retrouva seul dans le bureau spacieux de la chargée de l'insertion des femmes.

Quelques minutes plus tard, la secrétaire entra, une tasse à la main.

— Madame a dit que monsieur prenait son café bouillant au point de se brûler la langue.

Il avala une gorgée de la boisson, mais lui rendit aussitôt la tasse :

— Ne le prenez pas mal. Ce n'est pas votre faute, mais personne ne sait laisser brûler le café aussi bien que Sonia.

— Madame a dit aussi, reprit la brave femme en haussant les épaules, que lorsque monsieur aurait fini son café il pourrait libérer la nourrice en allant retrouver son fils ainsi que l'autre garçon au 48 rue Trumpeldor. Elle vous y rejoindra dès que sa réunion sera terminée.

Les derniers mots de la secrétaire atteignirent le

dos de Feinberg qui se ruait déjà hors du bureau. Il dévala les trois étages, faillit trébucher sur le postier qui jetait un œil furtif sur sa revue, remercia la standardiste qui avait joué avec Naama pendant le temps passé là-haut et, la fillette installée sur ses épaules, il partit retrouver son fils.

16

Sur le seuil, la nounou qu'avait trouvée Sonia toisa le visiteur d'un regard inquisiteur.

— Pardon, mais vous êtes qui ? lui demanda-t-elle avec une sécheresse qui indiquait clairement le peu de cas qu'elle ferait de sa réponse, fût-il le roi d'Angleterre ou le Créateur.

— Zeev Feinberg, le mari de Sonia.

— Vraiment ?

La femme revêche ne cacha pas son étonnement en louchant vers la fillette toute blonde pendue à son cou.

Agacé, il fronça les sourcils. Elle le dévisagea avec placidité. Elle s'occupait de petits grognons depuis trop d'années pour se laisser déstabiliser par un hurluberlu. Avec son petit visage fripé et ses lèvres couronnées d'une moustache qui n'avait pas grand-chose à envier à celle de son interlocuteur, elle ne s'était jamais mariée et ne l'avait jamais regretté. Les hommes lui semblaient n'être que des machines à fabriquer les bébés et, comme son métier lui permettait de passer son temps entourée de bébés, elle n'avait nul besoin de la machine qui les fabriquait. Aimant beaucoup plus les enfants que les adultes, elle préférait s'en occuper jusqu'à leur bar-mitsva plutôt que d'en produire un qui, certes, commencerait par être adorable, mais qui tôt ou tard perdrait son charme pour devenir un vrai homme avec de grandes mains et des pieds malodorants – de ceux qui se moquent sans scrupule des femmes à moustache.

— Je suis venu chercher mon fils.

— Vraiment ?

— Écoutez bien, la nounou, déclara Feinberg qui trépignait d'impatience, je suis le mari de Sonia. Je viens de rentrer d'Allemagne et je sais que mon fils est dans cet appartement. Alors vous allez me laisser le voir immédiatement !

— Qu'est-ce qui me prouve que vous êtes son père ? riposta-t-elle sans bouger.

À bout de nerfs, il rugit, et sa voix retentit dans la cage d'escalier.

— Évidemment que je suis son père ! Vous croyez que je me balade dans la rue et que je ramasse n'importe quel gosse qui traîne sur le trottoir ?

La nourrice se tourna vers Naama.

— Et elle, qui est-ce ? Certainement pas la fille de Sonia.

Là, il réfléchit un instant avant de répondre, et cette hésitation suffit à la convaincre qu'elle devait lui claquer la porte au nez et s'enfermer à double tour. Il se mit à tambouriner si fort qu'il aurait démoli tout l'immeuble si elle n'avait pas entrouvert.

— Écoutez, la nounou, c'est une longue histoire, mais, croyez-moi, je suis bien le père de mon fils. Si vous consentez à aller le chercher, il me reconnaîtra tout de suite.

Sur ces mots, il vit soudain Yaïr trottiner au bout du couloir à la poursuite d'un ballon qui lui avait échappé.

— Yaïr ! Yaïr !

En entendant qu'on l'appelait, le petit leva les yeux et vit, debout sur le palier, un homme avec une grosse moustache, cramoisi de colère, le regard désespéré, et qui criait son nom à tue-tête. Affolé et oubliant aussitôt le ballon, il éclata en sanglots. La nourrice disgracieuse se précipita vers lui, le prit dans un bras tandis que, de l'autre, elle claquait de nouveau la porte au nez de Zeev Feinberg.

Avant de pénétrer chez lui, Yaacov Markovitch enfila son manteau, persuadé que la froideur de Bella serait bien plus glaçante que le vent hivernal. Mais dès qu'il eut passé le seuil, il découvrit que la maison était chauffée et qu'il y faisait très bon. Il lui fallut encore quelques instants pour comprendre que cette chaleur n'était pas normale, qu'elle avait quelque chose d'excessif : Bella brûlait de colère et les murs brûlaient avec elle. Sauf que cette fois, à la différence de toutes les autres, cette colère n'avait rien à voir avec lui.

— Tous ont refusé, tous, sans exception. Rien que des refus.

Assise sur un tabouret dans un coin du salon, elle avait les yeux humides et le front sillonné de rides contrariées. Le retour de Markovitch après deux mois d'errance ne changeait rien pour elle, hormis le fait qu'à présent elle avait un interlocuteur alors qu'auparavant son écœurement vibrant ne s'adressait qu'à la commode en pin.

— Comment ont-ils pu refuser ? Des porcs, qui auraient refusé des joyaux si on leur en avait proposé.

Il écouta pendant quelques minutes les invectives de sa femme contre les ordures, les chiens et la vermine qui rejetaient l'or, les diamants et les perles, avant d'oser lui demander de quoi elle parlait.

— Des poèmes de Rachel, Markovitch ! Ils ont refusé le manuscrit. Personne ne veut les publier.

À cet instant seulement, il comprit ce que sa femme traduisait avec tant de passion lorsqu'il était rentré de la guerre. Pour le reste, ce fut elle qui lui expliqua (elle était tellement offensée par l'attitude des éditeurs qu'elle en oublia son serment, elle qui s'était juré de ne répondre que par un silence assourdissant à toute tentative d'approche de la part de l'homme qu'elle voulait bannir à jamais de sa vie).

— J'ai passé mes jours et mes nuits à traduire. Crois-moi, tu n'as jamais rien lu d'aussi beau. D'ailleurs, toutes les maisons d'édition que j'ai contactées en conviennent.

— Dans ce cas, pourquoi ne les publient-elles pas ?

Elle bondit de son siège.

— Tu me demandes pourquoi elles ne les publient pas, c'est bien ça ? Oui, vraiment, pourquoi ?

Incapable de décider si la question était purement rhétorique, Markovitch préféra prendre le temps de la réflexion, mais elle coupa court à ses tergiversations :

— Parce qu'elle n'est pas un bon exemple.

— Qu'est-ce que ça veut dire ?

Au lieu de répondre, Bella se mit à tourner dans

la pièce, papillon de nuit frénétique, de l'armoire à la table, de la table à la fenêtre. Si grande était sa colère qu'elle craignait de voir le plancher s'enflammer sous ses pieds si elle cessait.

— Ils ont dit qu'une femme qui se suicide précisément le jour où l'État juif est proclamé, qui écrit dans la langue des *goys* et qui, par égoïsme et lâcheté, laisse derrière elle un petit orphelin, oui, ils ont dit qu'une telle femme n'était pas un bon exemple.

Elle s'arrêta à quelques centimètres de Markovitch, ses yeux jetaient des éclairs.

— Ils ne publieront jamais ses poèmes.

Et elle éclata en sanglots. Il aurait voulu la prendre dans ses bras, mais n'osa pas. Alors elle resta debout, à verser de grosses larmes, majestueuses et offensées, à renifler et à répéter encore et encore :

— Les ordures, ils ne publieront jamais ses poèmes.

Englué dans son embarras, il la vit lever la main gauche pour s'essuyer le visage, frissonna devant la cicatrice qui fripait la peau, mais ne dit rien. Il ne pouvait oublier qu'elle s'était entêtée à ne pas lui révéler d'où venait cette blessure, de même qu'elle s'était entêtée à ne rien lui révéler la concernant.

Cette fois, elle intercepta son regard et eut un triste sourire :

— C'est avec cette main que j'ai retiré des flammes le cahier de Rachel Mandelbaum. Abraham l'avait lancé dans le feu, et la pensée qu'il puisse être perdu m'a été intolérable.

Tout en parlant, elle effleura sa brûlure.

— Et malgré tout, voilà, ils sont perdus pour l'éternité. Un poème que personne ne lit se transforme en poussière. Si j'avais laissé Abraham Mandelbaum détruire ce cahier, les gens auraient vu de la fumée au moins un court instant.

Yaacov Markovitch glissa la main dans la poche de son manteau. L'enveloppe que lui avait donnée l'amant du parieur était encore là, entre les replis de l'épais tissu. Beaucoup plus légère que le jour où il l'avait reçue, mais malgré tout encore pleine de billets. Il la lui tendit.

— Prends.

Elle resta longtemps à fixer avec des yeux écarquillés d'étonnement le contenu qu'elle en sortit.

— Si aucun éditeur ne publie les poèmes de Rachel, c'est nous qui le ferons.

Lorsqu'il prononça ce « nous », une telle bouffée de chaleur le submergea qu'il en rougit. Elle posa l'enveloppe sur la commode, lui prit la main entre les deux siennes et la garda jusqu'au moment où Zvi fit irruption dans la pièce et se précipita vers lui en criant :

— Papa !

Les semaines qui suivirent furent les plus belles de la vie de Yaacov Markovitch. Depuis le combat au pied de la citadelle, il n'avait plus ressenti une telle communion avec une autre personne. Et que cette autre personne ne fût nulle autre que Bella, jamais il n'aurait osé ne serait-ce que l'espérer. Ensemble, ils classèrent les poèmes de Rachel Mandelbaum par thèmes. Ensemble, ils réfléchirent à celui qui ouvrirait et celui qui clôturerait le recueil. Ensemble, ils allèrent en ville discuter avec imprimeurs et typographes. Tout ce temps, Zvi les accompagnait et ne cessait de regarder alternativement sa mère et celui qu'il appelait papa, comme s'il craignait que, s'il ne passait pas rapidement de l'un à l'autre et inversement, l'un ou l'autre n'en profite pour lui échapper. Pourtant, son inquiétude était vaine : ni l'un ni l'autre n'avait l'intention de lui faire faux bond. Bella voyait la publication des poèmes de Rachel Mandelbaum de plus en plus proche ; quant à Markovitch, c'était Bella qu'il voyait de plus en plus proche. Il préférait toujours les ouvrages de botanique aux recueils de poésie, l'élagage des grenadiers le bouleversait bien davantage que n'importe quelle métaphore, mais les vers de Rachel lui étaient plus chers que tout, car ils l'unissaient enfin à la main qui les avait traduits, une main balafrée dans un corps parfait.

Rapidement, ils découvrirent que la poésie était une affaire coûteuse et qu'il leur fallait des fonds supplémentaires. Bella proposa alors de s'adresser à Sonia. La responsable de l'insertion des femmes dans le monde du travail serait assurément heureuse de contribuer à la publication de poèmes écrits par une femme aussi talentueuse que Rachel Mandelbaum. Ils se rendirent donc à Tel-Aviv. Leur amie les reçut chaleureusement mais, après les premières effusions et les exclamations ravies, elle leur expliqua qu'elle ne pourrait pas les aider.

— Rachel s'est pendue alors que son fils jouait dans la cour. Vraiment, vous ne vous attendez pas, tous les deux, à ce que le bureau chargé de la condition féminine l'érige en symbole de quoi que ce soit !

Bella dévisagea Sonia avec stupéfaction. Avait-elle oublié l'époque où les trois amies se retrouvaient au bord du ruisseau, sous le figuier ? Avait-elle oublié l'odeur des miches de pain que Rachel confectionnait – une pour manger sur place et une pour Sonia, qui se désolait toujours du béton carbonisé qu'elle tirait de son four ?

— Mais enfin, rétorqua la responsable, dont les yeux gris s'étaient durcis, pensez-vous que la femme n'a que ça à faire, du pain ? Moi, je me bats pour qu'elles deviennent professeurs, médecins, peut-être ingénieurs, et toi tu viens me demander de subventionner des poèmes ?

— Pas n'importe quels poèmes ! Si seulement tu les lisais !

— Certainement pleins de douceur et de finesse. Et bien sûr, très très tristes. Ça finit toujours par la solitude, la stérilité ou le suicide passionnel. Voilà l'étoffe de nos poétesses. Si seulement elles frappaient un peu sur les autres au lieu de se battre la coulpe en permanence !

Bella ouvrit et referma la bouche, incapable d'émettre le moindre son tant elle était ébahie de constater à quel point Sonia avait changé. Était-ce vraiment la même qui avait pris sur elle de s'occuper du fils de Rachel Mandelbaum ? La même qui n'avait cessé de la soutenir, elle, Bella, du jour où elle était arrivée au village ? Lorsqu'elle réussit enfin à parler, elle se rendit compte que sa voix tremblait. Elle tenta pourtant de convaincre son amie que la poésie était aussi une forme de lutte, qu'une femme comme Rachel qui, après avoir nettoyé le sang du carrelage de la boucherie, se mettait à écrire, prenait un stylo avec des mains calleuses de trop de couture, de lessives, de ménage et arrivait à puiser en elle la force de composer un poème sincère, en dépit du ronron des berceuses et des pleurs de son bébé, qu'une telle femme était une combattante... En vain. Sonia s'entêta.

— Je ne destine pas mes femmes à ce genre de combats, lui assena-t-elle.

Assises face à face, elles restèrent quelques instants à se jauger de leurs yeux gris identiques. Puis Bella se leva de sa chaise avec une lenteur impériale. Yaacov Markovitch se hâta de se lever à son tour. Il avait écouté leurs échanges, vifs, acerbes, et comme il ne comprenait pas exactement de quoi il était question il avait préféré ne pas s'en mêler. Cependant, il s'était parfaitement aperçu que les deux femmes, qui s'étaient retrouvées avec émotion, se quittaient désunies.

Avant de sortir, il osa demander à Sonia où il pourrait trouver Feinberg.

— Au 48 rue Trumpeldor, lui répondit-elle, le visage dur et fermé.

17

À cinquante mètres de l'immeuble, Yaacov et Bella Markovitch savaient déjà à quelle porte frapper : les hurlements de Zeev Feinberg retentissaient dans toute la rue.

— Attention, je suis un brigand très méchant ! Je suis un pirate redoutable !

Tandis qu'il attendait qu'on vienne leur ouvrir, Yaacov Markovitch ne put s'empêcher de sourire en entendant les enfants crier de joie et de peur. Il dut d'ailleurs toquer à plusieurs reprises avant que son ami ne lance dans un bougonnement mécontent :

— Ça va, j'arrive, j'arrive !

Lorsqu'il eut enfin réussi à tourner la clé dans la serrure et qu'il se trouva face à ses visiteurs, son mécontentement se mua en un total ravissement :

— Yaacov ! Bella ! Quelle bonne surprise !

Encore sous le choc du refus de Sonia, Bella esquissa un faible sourire. Sur le visage de son mari monta en revanche une expression amusée : Zeev Feinberg avait sur les épaules non pas un ni deux, mais trois enfants. À droite était installée Naama, boucles blondes

retenues par un ruban ; à gauche, Yotam Mandelbaum, yeux bruns comme sa mère et cheveux noirs
comme son père, mais arborant une mine réjouie qui
ne ressemblait ni à l'un ni à l'autre. Entre les deux,
carrément à cheval sur la nuque épaisse et tirant de
ses petites mains les cheveux de son père comme s'il
s'agissait de rênes, Yaïr criait :

— Allez, hue dada, hue dada !

Feinberg envoya les enfants jouer au salon, non sans
avoir auparavant prié Yotam de surveiller Yaïr, Yaïr
de surveiller Naama et Naama – mais que comprenait-
elle ? - de surveiller une poupée de chiffon presque
aussi grande qu'elle. Puis il alla mettre la bouilloire
sur le feu tout en gardant un œil sur sa marmaille.
Markovitch attendit que Bella aille retrouver les enfants
dans le salon pour lui demander en chuchotant :

— Dis-moi, comment Sonia a-t-elle accueilli la
petite ?

— Oh, tu la connais, répondit-il en haussant les
épaules. Elle a un cœur tellement grand qu'on pourrait
y mettre toute la ville, banlieue incluse. Quand elle a
compris que c'était ce que je voulais, elle l'a acceptée
sans hésiter.

Feinberg n'était pas du genre à déformer la vérité,
et son rapport à la réalité était, la plupart du temps,
fiable. D'ailleurs, en l'occurrence, il ne mentait pas.
Simplement, il décrivait les événements comme s'il
les avait vus à travers une vitre couverte de buée,
masqués par une couche opaque. Sonia, effectivement, ne l'avait pas pressé de questions au sujet de
la fillette, elle n'avait pas exigé de savoir d'où elle
venait ni pourquoi il l'avait ramenée. Et c'était jus-

tement ce manque d'intérêt qu'il jugeait inquiétant. Qu'elle n'ait rien demandé, qu'elle ne lui ait fait aucune scène (à vrai dire, elle n'avait pas posé une seule question !), ne cessait de le tarauder. Bien sûr, lorsqu'il était encore en Europe, il avait espéré que sa femme accepterait la présence de l'enfant sans l'accabler d'interrogations inutiles. Bien sûr, il s'était persuadé qu'il n'avait aucune envie de ressasser ce qui s'était passé cette fameuse nuit sur le pont avec Janusz, pourtant il avait compté sur Sonia pour lui arracher son secret. Car, au fond de lui-même, il désirait ardemment lui raconter pourquoi il avait fui et pourquoi il était revenu. Combien de fois ne s'était-il pas imaginé poser la tête sur ses cuisses et lui parler du bébé qu'il avait tué et du bébé qu'il avait sauvé !

Or, si Sonia n'avait posé aucune question alors qu'elle était dévorée de curiosité, c'était parce qu'elle craignait d'ébranler l'équilibre fragile qui lui avait rendu son homme. Elle s'était donc rapidement convaincue que peu importait d'où venait cette blondinette puisqu'elle était arrivée dans les bras de son mari. Lorsque, réveillée au milieu de la nuit par de doux gémissements, elle se penchait, seule, au-dessus du lit de la petite, ou lorsqu'elle la langeait en s'interrogeant sur son identité, elle se disait aussitôt que Feinberg s'occupait bien d'un enfant dont il ignorait l'origine. Ainsi va le monde. Ainsi vont les gens qui s'y meuvent et doivent trouver comment, entre vérité et mensonge, traverser le champ de mines qu'est la vie.

Précisons tout de même que Sonia se réveillait

rarement en pleine nuit pour s'occuper de la fillette. En général, elle dormait profondément après sa journée de luttes et de réunions. C'était Feinberg qui se levait dès qu'elle remuait et qui, encore somnolent, désertait le matelas chaud pour entrer dans le salon, qu'ils transformaient chaque soir en chambre d'enfants. Il changeait Naama qui braillait, calmait Yaïr que le bruit avait réveillé et qui était prêt à s'y mettre aussi, et remerciait intérieurement Yotam qui restait les yeux clos et la respiration régulière malgré le tumulte ambiant. Les semaines qui avaient suivi son retour, il avait tiré un étrange plaisir dans ces déambulations nocturnes, persuadé qu'il renouait ainsi le contact avec Yaïr. Effectivement, après une semaine, le fils avait cessé de pleurer en sa présence, se contentant de le dévisager avec une attention méfiante. Une semaine supplémentaire de câlins et autres gâteries, et le fils daigna sourire au père. Enfin, au bout de trois semaines, le fils restait collé au père autant que le père au fils.

Les coups frappés l'avaient surpris alors qu'il s'en donnait à cœur joie : il avait été alternativement brigand, pirate et géant, et tout ça avant dix heures du matin. En ouvrant la porte, il s'était néanmoins senti mal à l'aise – un malaise qui s'accrut au moment où il servit le thé à son invitée et où il croisa son regard.

— Alors comme ça, Sonia dirige le monde et toi tu pouponnes ? lui lança-t-elle.

Ignorant que les deux femmes venaient d'avoir une altercation, il ne comprit pas que la pique ne lui était aucunement adressée.

— Ce n'est que provisoire. Très provisoire, répondit-il.

Ils prirent le thé, mangèrent des petits gâteaux et se séparèrent très chaleureusement. La porte une fois refermée sur les invités, les enfants se précipitèrent sur lui pour reprendre les réjouissances, mais il les accueillit avec un froncement de sourcils contrarié. Il ne se sentait plus ni pirate ni brigand, mais plutôt homme dépossédé de quelque chose. Il commença à s'interroger sur toutes ces nuits où sa femme dormait tranquillement pendant qu'il se levait pour jouer les nounous. À la naissance de Yaïr, jamais il n'avait envisagé de quitter son lit tant il était clair (aussi bien pour lui que pour elle) qu'elle se chargeait de veiller la nuit tandis qu'il se chargeait de ramener le pain quotidien. D'un seul coup, il oublia le plaisir qu'il avait à s'amuser avec les enfants, la douceur du contact de leur peau sous ses doigts au moment de les laver, la satisfaction avec laquelle il regagnait son lit après avoir réussi à les rendormir tous. Il sentit les murs de l'appartement se refermer sur lui. Il devait sortir. Il avait besoin de se bagarrer, de se défouler, d'attirer le regard de nombreuses paires d'yeux et d'entendre de nombreuses lèvres murmurer : Quel homme ! Il le fallait, mais c'était impossible, il avait lui-même renvoyé la nourrice le jour de son arrivée, dès que Sonia était rentrée et avait enfin pu attester qu'il était bien celui qu'il affirmait être. Bouleversé devant les sanglots de Yaïr, qui ne comprenait pas ce que cet étranger faisait chez lui, il avait décidé que désormais il resterait avec les enfants. Lui et personne d'autre, et elle avait acquiescé, congédiant aussitôt la moustache devenue inutile. Pourquoi d'ailleurs en aurait-il été autrement ?

Le jour de la visite des Markovitch, lorsque Sonia revint, elle trouva toutes ses affaires pliées et emballées.

Assis sur le canapé au milieu des valises, son mari l'accueillit en se levant et en déclarant :

— Il est temps de rentrer au village.

Elle le considéra avec étonnement. La nuit était déjà tombée.

— Maintenant ?

— Non, les enfants dorment. On partira demain à la première heure, dit-il d'une voix basse mais déterminée.

Dans la pénombre de l'appartement, les yeux de Sonia étincelèrent comme ceux d'une panthère. Le tigre qui, de retour d'Europe, s'était installé chez elle menaçait à présent de dévorer tout ce qu'elle avait construit. Elle examina les trois valises.

— Je ne peux pas partir demain matin, lui répondit-elle après un court silence.

— Dans ce cas, tu nous rejoindras dans l'après-midi, répliqua-t-il sans ciller.

— Non, j'ai du travail, Zeevik, et c'est quelque chose qui ne se plie pas dans une valise.

Ils parvinrent à un compromis que tous deux acceptèrent autant qu'ils le détestèrent. Il rentra au village retrouver ses champs et le travail physique qui lui rendit ses muscles. D'une réunion d'agriculteurs à l'autre, il étoffa ses discours et réintégra de plein droit la gent masculine, à la différence près qu'il n'y avait personne chez lui la moitié du temps. Dans sa maison ne l'attendaient ni repas chaud, ni parfum de femme, ni rires d'enfants. Sonia passait trois jours par semaine à Tel-Aviv. Le matin, elle confiait les petits aux mains expertes de la nourrice à moustache et courait au bureau. Durant ces trois jours, elle le maudissait pour son entêtement et il la maudissait pour le sien. La responsable de la condition féminine continuait à tout diriger, organiser et planifier de main de maître, mais ne cessait de se languir du contact de la main de son géant de mari. Pendant ce temps, le géant de mari maniait virilement la houe, mais ne cessait de penser à l'épaule de sa femme, toute piquée de taches de rousseur. Le mercredi, jour où elle regagnait le village en compagnie des enfants, il l'accueillait avec une irritation distante. Elle lui renvoyait une fierté péremptoire. Le froid qui soufflait entre eux se dissipait progressivement au cours de la nuit, et les lueurs de l'aube du jeudi les surprenaient dans une étreinte ou déjà épuisés de plaisir. Le vendredi se passait sous le signe de la tendresse et de la joie, mais, dès le samedi, les prémices de la séparation commençaient à se faire sentir et les rendaient agressifs et irascibles. Les deux garçons et la petite fille eurent tôt fait de comprendre que, ce soir-là, ils avaient intérêt à jouer dans la cour, car dans le salon ça se bagarrait ferme, avec éclats de voix et souvent d'assiettes. Au point qu'il fallut racheter de la vaisselle, ce qui déclencha de nouvelles disputes : il insista pour qu'elle s'en occupe à Tel-Aviv, elle rétorqua qu'elle n'avait pas le temps et que, de toute façon, il était responsable de la casse. Après que le service fut presque intégralement réduit en miettes, ils se retrouvèrent à prendre leurs repas dans une assiette commune – la seule à avoir survécu. La nourriture était infecte car Sonia carbonisait toujours ses plats, et Feinberg refusait catégoriquement de se mettre à la cuisine. Pourtant, en dépit de tout ça, qu'est-ce qu'ils s'aimaient, ces deux-là !

Le recueil de poèmes de Rachel Mandelbaum fut tiré à sept cents exemplaires à couverture souple par un petit éditeur du sud de Tel-Aviv. Yaacov Markovitch déposa entre les mains de l'imprimeur l'enveloppe qu'il avait reçue de l'homme en gabardine, majorée de ses économies personnelles (le bas de laine qu'il gardait en cas de besoin). Bella soupesa puis caressa un à un les exemplaires avant d'aller les déposer chez les libraires. Deux mois plus tard, les espoirs de vente ayant été épuisés, on leur demanda de venir récupérer les ouvrages, sans quoi ils partiraient à la poubelle. Sept cents exemplaires dont la couverture souple ne fut jamais ouverte. Personne n'acheta le recueil de poèmes de Rachel Mandelbaum. Le lendemain du jour où ils étaient allés les récupérer, Yaacov Markovitch travaillait dans son champ lorsqu'il vit soudain de la fumée s'élever tout près de sa maison. Il lâcha aussitôt sa houe et se mit à courir. En arrivant chez lui, il trouva sa femme debout devant un autodafé. Sept cents exemplaires à couverture souple et les poèmes qu'ils contenaient montaient vers le ciel en volutes noires. Le brasier dura plus d'une heure. Tout ce temps, Yaacov et Bella Markovitch restèrent debout l'un près de l'autre à regarder le papier se consumer. Il aurait voulu serrer la main de sa femme, mais elle l'avait posée contre sa joue, et des larmes roulaient sur sa peau fripée et ses doigts abîmés. Lorsque le feu s'éteignit, elle tourna les talons et rentra dans la maison. Sans un mot pour lui. Il attendit un long moment face aux braises qui crépitaient encore et il les entendit murmurer : nous avons dévoré sept cents livres à couverture souple et aussi un petit « nous deux ». Ce « nous deux » que tu avais cultivé, arrosé, entouré de tes soins, qui a éclos et grandi durant trois mois de grâce, le voilà réduit en cendres à tout jamais.

Il rentra lui aussi dans la maison. Assise à la table de la cuisine, elle ne leva pas les yeux vers lui. C'était de nouveau chacun pour soi.

Et on aurait pu croire qu'aucun d'eux ne vieillirait. On aurait même pu l'exiger. Ce genre d'individus n'est pas censé vieillir. Chaque fois que le temps essaie de les attraper de sa main décharnée et destructrice, la mythologie se précipite à leur rescousse : pas eux. Eux, tu ne les auras pas. Pour l'éternité, Yaacov Markovitch continuera à s'accrocher à son amour et à sa faute, deux choses qui, elles non plus, ne s'étioleront jamais. Bella restera pour lui la plus belle femme qu'il ait vue de sa vie, et elle continuera à le haïr avec une force inaltérée. Zeev et Sonia Feinberg continueront à se disputer en criant fort et à faire l'amour en criant plus fort encore. Le lieutenant-commandant de l'Organisation continuera à être lieutenant-commandant, jamais il ne passera commandant, mais jamais non plus il ne prendra sa retraite. Oui, on aurait pu légitimement penser qu'ils ne vieilliraient jamais. Pourtant si, ils vieillirent. Oh, cela n'arriva pas brusquement, cela n'arrive jamais brusquement. On se concentre sur les broutilles du quotidien – l'éducation des enfants, le travail, un ou deux bons repas – et tout à coup on relève la tête et, ça y est, on est vieux. Il serait donc très difficile de donner la date exacte où les passants cessèrent de se retourner sur Bella dans la rue, de même que de pointer avec précision le jour où le lieutenant-commandant passa douze heures d'affilée sans songer une seule fois à Sonia. Et les historiens auront beau chercher dans leurs archives, ils ne pourront jamais savoir si ce fut au printemps ou en hiver que, pour la première fois, Yaacov Markovitch comprit qu'il avait de moins en moins d'emprise sur sa femme.

Même si cela dépasse l'entendement, toutes ces choses sont réellement advenues. Quoi ? Comment ? On parle de ceux qui tenaient les dragons par les ailes ! Qui galopaient sur les licornes ! Qui chevauchaient les lions ! Qui ont accompli plus de mille missions impossibles et ont mangé du merveilleux à tous les repas ! Il est tentant, beaucoup trop tentant, d'affirmer que leur déclin s'amorça à la fin de la guerre. Comme si l'espoir de créer un État leur avait insufflé une énergie nourricière et vitale mais qu'ensuite, le rêve étant devenu réalité, ils s'étaient retrouvés vidés de toute ressource ; comme si seul l'inaccompli pouvait tenir éternellement. Bref, les années passèrent et les sentiments, les passions, les pensées passèrent eux aussi. Des cellules neuves remplacèrent les cellules mortes (à part pour les cheveux de certains). Cependant, on continua, comme si de rien n'était, à faire semblant de croire que cellules et cheveux (sans parler des sentiments, des passions et des pensées) perduraient, immuables. Parce que, sinon, tous auraient senti que les jours les poussaient inexorablement vers un autre horizon et qu'ils étaient aussi impuissants que l'insecte couché sur le dos, transporté par une procession de fourmis noires vers sa fin tragique.

Dans quelques instants apparaîtra une feuille vierge à droite de laquelle notre récit se poursuivra après une ellipse de dix ans. Il nous faut donc en hâte mentionner quelques événements fondamentaux qui se déroulèrent durant cette période, et ce par respect envers nos personnages (faute de quoi, ils auraient l'impression d'être des pantins ballottés sans ménagement selon notre fantaisie – ce qui pourrait leur être psychologiquement très préjudiciable). De plus, la nécessité de sauter une dizaine d'années ne nous épargne en rien le malaise que génèrent les transitions trop brusques, car comment une seule feuille blanche pourrait-elle contenir une décennie entière ? Quoi, nous serions embarqués dans quelque vaisseau intersidéral qui nous aurait projetés d'un coup de baguette magique dans un autre espace-temps ? Enfin, nous attarder sur certains des événements qui se produisirent au cours des dix années manquantes est indispensable pour nous permettre de différencier ce qui est important de ce qui l'est moins (à propos, un tel exercice, s'il était pratiqué plus souvent, pourrait changer la vie de bien des gens, généralement en mieux).

Nous n'avons aucune raison, par exemple, de nous attarder sur le jour où Yaacov Markovitch rentra chez lui plus tôt que d'habitude et trouva sa femme à califourchon sur un agriculteur du village voisin, l'acte tout comme le partenaire n'ayant pas la moindre importance. Il ne s'agit là que de pions insignifiants dans la guerre que Bella menait depuis le jour où elle s'était rendu compte qu'on ne se retournait plus sur elle dans la rue, une guerre qui lui volait la majeure partie de son temps et devenait souvent plus féroce que celle qu'elle menait contre son mari. Une seule chose dépassait en puissance tous ses efforts, c'était leur inefficacité. Une inefficacité si totale qu'elle mérite d'être signalée, d'autant que Bella elle-même ne se sentit jamais aussi vide qu'au moment où cet homme la pénétra.

En revanche, ci-dessous une liste d'événements essentiels auxquels il convient de prêter la plus grande attention :

1. Par un froid matin de janvier, Abraham Mandelbaum frappa à la porte des Feinberg et demanda à récupérer son fils. Dans une main il tenait un bouquet de roses, et dans l'autre un certificat médical attestant qu'il était sain d'esprit. Sonia prit les roses, refusa de lire le certificat et appela Yotam. Père et fils emménagèrent dans un kibboutz dans le sud du pays, un endroit aussi éloigné que possible du village et de ses mauvaises langues. Trois ans plus tard, Abraham Mandelbaum eut la main arrachée lorsque son véhicule sauta sur une mine, mais cela ne l'empêcha pas de continuer à égorger (d'une seule main) les brebis.

2. Par une chaude nuit d'août, Yaacov Markovitch sortit de son lit, entra dans la chambre à coucher, contempla longuement le visage de Bella endormie et se demanda ce qu'il attendait de cette femme. Il se dit que, si elle se réveillait à cet instant pour le prendre soudain dans ses bras, il s'enfuirait sans doute à toutes jambes : la situation avait duré tellement longtemps

qu'il ignorait la réaction que provoquerait chez lui un changement aussi subit.

3. Par cette même chaude nuit d'août, Bella, couchée dans son lit, sentit le regard de Markovitch posé sur elle, mais continua à faire semblant de dormir. Si elle avait ouvert les yeux, contemplé le visage si quelconque de son mari et lui avait demandé de la libérer, il aurait certainement accepté.

Notons aussi :

4. Le soir, le premier, où Sonia et le numéro deux de l'Organisation se croisèrent sans se saluer. Sonia rentra chez elle rue Trumpeldor et éclata en sanglots. Le lieutenant-commandant, lui, resta éveillé toute la nuit.

5. Le soir, le premier, où Sonia et le numéro deux de l'Organisation se croisèrent dans la rue sans se saluer et sans en souffrir. Sonia continua son chemin, alla manger un gâteau dans un café en compagnie d'une amie et ne pensa au lieutenant-commandant que pendant le court laps de temps où celle-ci alla aux toilettes. Le lieutenant-commandant continua lui aussi son chemin, mangea une quiche chez une amie et ne pensa à Sonia que lorsque ladite amie s'endormit, la tête au creux de son épaule.

À noter encore :

6. Quelques couchers de soleil exceptionnels. Un orage. Les anniversaires de Yaacov Markovitch, qu'il célébrait dans la solitude la plus totale. Une nuit de beuverie que Zeev Feinberg passa entre les bras de Léa Ronn, Sonia se trouvant à Tel-Aviv et Yeshayahou Ronn à Tibériade. Un soir où le moustachu essaya de raconter à Markovitch la nuit qu'il avait passée avec

Léa Ronn, mais n'y parvint pas. Les dents de lait qui tombèrent chez les Markovitch et chez les Feinberg. Les pas des enfants qui se firent de plus en plus assurés tandis que ceux des adultes devenaient de plus en plus incertains.

APRÈS

1

Yaïr Feinberg était encore tout petit que sa peau sentait déjà la pêche. Nul besoin d'être biologiste pour comprendre qu'il s'agissait là d'une mutation génétique du parfum maternel, de même que le bleu de ses iris était la parfaite hybridation du gris de ceux de Sonia et de la profondeur abyssale de ceux du lieutenant-commandant. Mais si cette couleur apparut relativement tôt chez le bambin, on ne remarqua pas tout de suite son odeur. Au début, elle était si délicate que, bien qu'elle fît sourire tout le monde, on ne la percevait quasiment pas. En fait, les gens regardaient le bébé et souriaient sans savoir pourquoi et sans se poser de questions. L'émanation de son corps se renforça lorsqu'il devint petit garçon, si bien qu'en lui parlant les gens ne cessaient de regarder de tous côtés, à la recherche du fruit qui devait assurément se trouver à proximité. Lorsque Yaïr fut en âge d'aller à l'école, le village avait compris que c'étaient les pores de la peau de cet enfant qui exhalaient cette odeur de verger – inutile de chercher alentour quelque fruit que ce soit. Et si tout le monde l'aimait, on l'appréciait plus encore durant les mois où il n'y avait pas de pêches. Avec ce doux parfum et sa peau toute rose, le jeune Feinberg avait l'air d'un ange, on lui aurait donné le bon Dieu sans confession. Et comme il n'était pas un ange mais bien un enfant, il en profitait allègrement pour faire des bêtises.

Où qu'il aille allait avec lui Zvi Markovitch. Les deux garçons étaient inséparables, au point qu'on les avait surnommés les « frères siamois », même s'ils n'avaient aucun trait en commun. Yaïr était d'une grande beauté, le parfait candidat pour illustrer une affiche célébrant l'héroïque passé du village ou, à défaut, une publicité pour du talc. Le visage de Zvi Markovitch (bien que fils de la plus belle femme du village) n'avait pas échappé à la fadeur. Cette calamité le rendait si atrocement ordinaire que parfois Bella se demandait si l'enfant ne ressemblait pas davantage à Markovitch qu'à son poète de géniteur (ce genre de choses impossibles arrive plus souvent qu'on ne le croit !).

Et tandis que Yaïr Feinberg était systématiquement protégé par son charme et son parfum, Zvi Markovitch, lui, s'attirait la méfiance des professeurs – elle lui collait à la peau comme le miel colle aux doigts. Le jour où une main anonyme enferma le bouc de Shekhter dans leur salle de classe vide, c'est sur Zvi Markovitch que convergèrent les feux croisés d'un interrogatoire en règle pendant que Yaïr Feinberg se la coulait douce dans les champs ; la fois où quelqu'un répandit de la compote de prunes sur le seuil de la maison de l'institutrice, c'est Zvi Markovitch qui dut frotter la bouillie sucrée et essuyer les remontrances alors que

Yaïr Feinberg s'éloignait en agitant la main. Cet état de fait dura jusqu'au jour où Yaïr Feinberg, de retour d'une visite chez sa mère à Tel-Aviv, ne trouva pas son ami en classe. Lorsqu'il voulut savoir pourquoi, la maîtresse lui répondit que, cette fois, le petit vaurien avait dépassé les bornes : un tonneau entier de crème fraîche avait été dérobé dans la laiterie de Strenger. Comment pouvait-on laisser passer ça ? Les joues roses du petit Feinberg virèrent au rouge.

— Mais pourquoi prendre tout un tonneau de crème fraîche qui va devenir aigre en un rien de temps ?

La maîtresse opina avant de déclarer :

— C'est que ce Markovitch est un fieffé rusé ! Quelques claques de Strenger ont suffi pour qu'il admette avoir traîné le tonneau jusqu'à la source afin de le garder au froid dans l'eau et de l'empêcher de tourner. Dieu seul sait comment il a eu la force de faire ça tout seul.

— Quoi ? s'exclama Yaïr dont les joues devinrent cramoisies. Strenger l'a frappé ? Mais c'était mon idée ! Le tonneau, on l'a traîné tous les deux ensemble !

Il lui fallut insister pendant presque une heure pour arriver à convaincre la brave femme qu'il avouait un forfait auquel il avait bel et bien participé. Il se hâta ensuite de rejoindre Strenger dans sa laiterie pour lui expliquer ce qui s'était passé. La candeur si pure de son visage aux jolies pommettes rouges, le parfum de pêche qu'il exhalait et les larmes de crocodile qu'il versa lui valurent aussitôt un pichet de crème que Strenger lui offrit pour le consoler. Un pichet qu'il courut partager avec Zvi.

À quelques jours près, cette histoire de tonneau mit fin à sa période facétieuse, même si cela n'avait rien à voir avec la bêtise qu'il venait de commettre puisque, en l'occurrence, tout le monde était tombé d'accord : il ne s'agissait là que de la première et dernière espièglerie d'un petit coquin, par ailleurs si honnête et si mignon ! Non, ce qui ramena Yaïr Feinberg dans le droit chemin, c'est l'odeur de pêche. Elle était devenue si forte qu'elle le dénonçait même en pleine nuit, et il ne pouvait plus compter sur l'obscurité pour se faufiler dehors : elle le précédait comme un puissant Klaxon et le suivait tel un long sifflement. Son père en avait les sens glacés, au point de ne plus pouvoir fermer l'œil. Voilà qui n'était vraiment pas normal ! Quelque chose clochait, car enfin, qu'une femme répande autour d'elle un parfum d'orange, de cannelle ou même de clou de girofle – pourquoi pas ? –, c'était aussi attirant que réjouissant. Mais qu'un homme sente la pêche ? Qui donc avait entendu parler d'une telle plaie ? Tant que Yaïr était petit, Feinberg avait voulu croire que le phénomène disparaîtrait au fil du temps, comme les dents de lait, les rondeurs enfantines ou la foi en un Dieu de miséricorde (le genre de choses que l'homme laisse derrière lui sans ciller). Mais son garçon allait avoir treize ans dans quelques mois. Comment pourrait-il continuer à se balader dans le monde en sentant la tarte aux fruits ? Convaincu qu'il fallait tuer dans l'œuf cette singularité, le moustachu se releva un soir, réveilla Yaïr et lui ordonna de se laver. Il va sans dire que cela ne se serait jamais produit si Sonia avait été à la maison, mais ce soir-là elle se trouvait à Tel-Aviv, ce qui l'empêcha d'intervenir lorsque le père frotta la peau du fils jusqu'à quasiment l'éplucher. Ce ne fut qu'après minuit qu'il abandonna l'espoir de se débarrasser de l'odeur en un seul nettoyage, fût-il approfondi.

— Va dormir, dit-il, on continuera demain.

Ainsi fut fait. Ils reprirent leurs frottements le lendemain. Et le surlendemain. Au retour de sa mère, Yaïr avait mal partout, décapé qu'il était par les détergents et autres produits. Quant à son odeur, elle n'en fut aucunement affectée. En s'approchant, Sonia découvrit qu'il était couvert d'une poudre verte qu'une vieille Arabe de Fureidis avait donnée à son mari, assurant que ce produit enlevait tout – aussi bien les odeurs indésirables que les mauvais souvenirs.

— Mais qu'est-ce que tu fais, grand Dieu ? s'alarma-t-elle.

Avant que Yaïr n'ait eu le temps de répondre, son père s'interposa d'une voix déterminée :

— Nous le débarrassons de ça.

— De quoi ?

— De ça.

Elle dévisagea son mari. Depuis que sa semaine se divisait en deux – trois jours à Tel-Aviv, quatre au village –, elle avait parfaitement compris que, chez Feinberg, un regard yeux dans les yeux ne signifiait qu'une chose : Je t'en veux de ne pas être là. Un regard sous lequel, si elle avait pris la peine de creuser un peu, elle aurait déniché cet ancien joyau que la poussière du quotidien avait couvert d'une couche épaisse : la douleur causée par son absence. Mais présentement, l'heure n'était pas aux épanchements nostalgiques. La pâte verte et poisseuse étalée sur le corps de Yaïr nécessitait une intervention immédiate. Ce qui entraîna évidemment le premier échange furieux du couple, elle l'accusant d'être devenu fou et lui d'avoir transmis à son fils cette maudite odeur corporelle. L'intéressé en profita pour s'échapper et courir jusqu'à la source.

Dans l'eau, il se frotta longuement la peau jusqu'à ce qu'il ne reste aucun résidu vert, puis il se rapprocha de la rive et s'arrêta, le corps immergé jusqu'aux cuisses, l'esprit submergé de pensées. Son père avait parlé d'une odeur anormale, voire d'une odeur de femme. Il décida alors de plonger entièrement, attendit que chaque pore de sa peau soit purifié et que l'oxygène vienne à manquer pour ressortir la tête de l'eau. Un instant, un instant de grâce, il ne huma plus que la mousse de la source et les figues encore vertes suspendues au-dessus de lui. Mais ses poumons en exigèrent davantage, alors il ouvrit grand les narines pour prendre une profonde inspiration et comprit qu'il avait échoué – de nouveau ce satané parfum de pêche, impitoyable. Il sortit de l'eau et rentra chez lui, vaincu.

Un long moment la source resta silencieuse, ne renvoyant à la lune que son reflet hilare. Les figues se balancèrent sur les branches, gorgées de la douceur de la nuit et de celles à venir. Puis la surface frémit à nouveau. Naama Feinberg venait de plonger. Pendant tout le temps que Yaïr se baignait, elle était restée cachée dans les buissons, à voir sans être vue, à contempler ce frère aîné et aimé, si beau. Elle l'avait suivi discrètement depuis le moment où il avait quitté la maison, posant les pieds exactement dans les pas du garçon. Pour ça, elle était très expérimentée. Et pas un instant elle n'avait hésité, pas un instant elle ne s'était demandé comment réagiraient leurs parents s'ils trouvaient son lit vide. Elle savait très bien qu'ils n'iraient pas dans sa chambre. Parce qu'ils préféraient son frère. Non pas qu'elle ne soit pas choyée. Ils l'embrassaient et la serraient tendrement. Beaucoup. Mais, Yaïr, ils l'accueillaient toujours les bras grands ouverts alors que, elle, ils ne l'étreignaient que si elle en faisait la demande. Ou si elle pleurait. Ou si elle se lovait sur leurs genoux. Naama extirpait les caresses de force, comme à coups de pioche. Yaïr les recevait d'office. Les câlins l'attendaient. Un trésor de douceur tout prêt auquel il n'accordait d'ailleurs pas grande attention. Comme elle aurait voulu le haïr ! Comme elle aurait voulu haïr ces joues rebondies, ces cheveux bouclés et cette odeur qui ne lâchait jamais prise. Mais, malgré tous ses efforts, elle n'y arrivait pas. Ou pas totalement. Une moitié d'elle-même aurait pu le tuer sans hésiter, mais l'autre moitié aurait sans hésiter accepté de mourir pour lui (ce qui suffisait amplement pour qu'il reste en vie).

Naama n'avait pas tardé, après le départ de Yaïr, à ôter sa chemise de nuit pour entrer dans l'eau à son tour. Peut-être que le miracle se produirait et qu'elle réussirait à s'imprégner de son charme irrésistible, de son parfum si désirable. Elle aurait été prête à se rabattre sur n'importe quel autre parfum, celui de l'abricot ou de la prune, pourvu que sa peau cesse de dégager l'ennuyeuse banalité dont elle était affligée et se mette à ressembler enfin à celle de Yaïr et de Sonia. Même si elle savait que l'odeur du fils n'était qu'une mutation de l'odeur maternelle, pourquoi son corps à elle ne dégageait-il rien du tout ? En vain, elle s'était frottée d'agrumes. En vain, elle s'était privée de nourriture pendant toute une semaine pour n'ingurgiter que des quartiers d'orange. Sa peau restait la même. Cette nuit-là, elle se plongea dans la source froide à plusieurs reprises, prenant une grande inspiration et s'enfonçant le plus profondément possible. Comme Yaïr, elle attendit jusqu'à ce que le manque d'air triomphe de sa pugnacité et elle n'émergea qu'au moment où elle s'asphyxiait. Un instant, un instant de grâce, elle ne huma plus que le figuier et crut que cela venait de son propre corps. Mais ses poumons en exigèrent davantage, alors elle ouvrit grand les narines pour prendre une profonde aspiration et comprit qu'elle avait échoué – l'odeur de figue venait des fruits encore verts qui pendaient au-dessus de sa tête.

Pourtant, Sonia essayait d'aimer ses enfants autant l'un que l'autre. Elle essayait sincèrement. Exactement comme le gamin binoclard qui se promet de ne jamais rire des myopes ou la jeune fille trop grosse qui s'engage à ne jamais se moquer des vilains petits canards le jour où elle se métamorphosera en cygne. Car Sonia, bien avant de devenir Sonia, à l'époque où elle n'était encore que la Sonietshka de six ans, s'était juré que jamais, jamais, elle ne ferait de différence entre ses propres enfants. Sa mère avait mis au monde trois fils de belle constitution et une fillette laide, qui n'aimait que les jeux de garçons et dont les yeux gris trop écartés l'embarrassaient. Oui, Sonia se souvenait très bien de l'ahurissement qui l'avait saisie le jour où, sous le toit paternel, elle avait compris que cela existait, le fils préféré. Cette constatation avait balayé le mensonge communément partagé et auquel elle s'était toujours cramponnée – on aime autant tous ses enfants, mais d'une manière différente. Force lui avait été d'accepter que, fussent-ils tous sortis d'un même ventre, ils n'étaient pas logés à la même enseigne et, pour certains, le cordon ombilical ne se rompait jamais. En l'occurrence, sa mère, incapable de partager son amour en quatre parts égales, avait dès le début privilégié son premier-né. Puis les deux garçons suivants. Sonia venait en dernier... Sonia qui, devenue mère, préférait Yaïr. Jamais elle n'avait formulé cette évidence à haute voix. Elle ne l'avait pas laissée résonner dans son crâne, de peur qu'on ne l'entende. Pourtant, tout le monde le savait. Naama le savait. Zeev Feinberg le savait. Et Yaïr aussi.

2

Ce fut un soir de Shavouot, cette fête qui célèbre les récoltes par une procession bigarrée, que Zvi Markovitch, âgé de quatorze ans, découvrit que Yaacov Markovitch n'était pas son père. Il marchait derrière les charrettes de blé qui avançaient lentement dans la rue principale du village et tenait fièrement à la main un grand panier qu'il avait par miracle pu remplir de fraises. Son père, seul contre tous, s'était entêté à croire que le sol de la région conviendrait à cette culture. On lui avait dit qu'il n'y parviendrait pas ; que même s'il arrivait à en faire pousser quelques-unes, jamais il n'en récolterait en quantité suffisante ; que même si la récolte était honorable, elles ne seraient certainement pas assez sucrées. Notre terre, lui avait-on répété, est trop aride pour des fruits aussi sucrés. Des oranges, oui. Des pêches aussi – mais au prix d'un rude labeur, et ça poussait en hauteur, sur des arbres solides et vaillants. Alors que les fraises n'ont ni branches ni tronc. Rien que du sucre mou et rouge qui s'élève de quelques centimètres à peine au-dessus du sol. Pour qu'elle puisse donner des fraises, la terre devait être folle de son propriétaire, folle et aussi mutine. Comme en Amérique. En Californie par exemple, on arrivait à cultiver des tonnes de fraises, mais quoi d'étonnant ? Tout poussait là-bas en quantité industrielle. Ça dégoulinait de fruits, de richesses naturelles et de billets de banque. Mais ici en Israël la terre était trop avare de ses charmes, il fallait vraiment trimer pour en tirer ne serait-ce qu'une pincée de douceur.

Yaacov Markovitch avait écouté les commentaires avec attention puis il s'en était allé planter ses fraisiers sur toute sa parcelle nord, secondé par son fils qui le suivait et lui tendait un à un les plants entassés dans la brouette. Ses voisins pensèrent qu'il avait perdu l'esprit et Zeev Feinberg déboula pour essayer de l'en dissuader.

— Tu n'as qu'à en planter quelques-uns dans ton jardin, devant la maison, ou dans des jardinières, si cela te chante. Mais pourquoi gâcher tout un champ ?

Entouré de pigeons à qui il jetait des miettes, Markovitch laissa parler son ami. Dix ans avaient passé, c'était donc d'autres oiseaux, mais tout aussi friands que leurs prédécesseurs du pain en général et du sien en particulier. À le voir ainsi entouré, Feinberg lui trouva un air de ressemblance avec ces saints antiques aux pieds desquels se pâment les animaux.

— Je veux des fraises. Je veux que cette terre-là me donne des fraises. Et elle m'en donnera.

— Mais si ça ne marche pas, tu condamnes tous les membres de ton foyer à crever de faim.

Probabilité qui ne paraissait pas vraiment inquiéter les intéressés : Bella n'avait jamais demandé à Markovitch ce qu'il plantait dans ses champs, pas davantage cette fois que les années précédentes. Et lorsque les femmes du village s'enquéraient de ce qu'elle avait prévu afin de pallier les aberrations de son mari, elle éludait le sujet. Non parce qu'elle était certaine qu'il prenait les bonnes décisions, loin s'en faut ! Il lui arrivait même de penser que toute cette folie autour des fraises n'était qu'une punition qu'il cherchait à lui infliger. Mais parler avec lui de ce qu'il plantait et semait ouvrirait la voie à parler de ce qu'il cueillait et récoltait, de là à une discussion sur le goût des fruits, puis sur les profits et les frais, puis un peu de politique, un peu de culture, et hop, ils se retrouveraient mari et femme normaux. Ce à quoi jamais elle ne se résoudrait. Sa beauté l'avait désertée, s'était évaporée pendant qu'elle dormait. Elle n'avait plus lu de poésie depuis qu'elle avait jeté dans un feu les poèmes qu'un jour elle avait sauvés d'un autre feu. Sa haine envers Yaacov Markovitch, même si elle s'était un peu usée, était la seule chose qui lui restait de sa fougue d'antan.

Zvi Markovitch, pour sa part, vouait une confiance aveugle à son père. Si seulement celui-ci avait pu se voir à travers le regard du gamin, il aurait certainement été stupéfait de se découvrir si beau, avec des yeux résolus, un nez fier, un menton dressé et un front téméraire. Ses mains, dont trop souvent il ne savait que faire, brandissaient la houe comme le guerrier son fusil. Le portrait paternel se dessinait dans la tête du fils empreint d'une telle grâce qu'il est désolant de penser qu'un jour, tôt ou tard, Zvi devrait confronter l'image fantasmée à la réalité. En attendant, chaque fois qu'il entendait ses camarades de classe se moquer des extravagances fruitées de Markovitch, il se ruait sur eux et serait certainement rentré chez lui avec une ou deux dents en moins si Yaïr Feinberg, poings serrés, n'accourait pas systématiquement à sa rescousse.

Bella se trompait en prenant cette lubie pour une punition, une manière de se venger de l'hostilité permanente qu'elle affichait. Les gens ont beau vivre côte à côte pendant des années, se regarder face à face pendant des jours et des nuits, ils n'en sont pas moins atteints de cécité. Car peut-on expliquer autrement qu'une femme aussi intelligente (de l'avis général) n'ait pas compris que ces fraises n'étaient rien d'autre que la nouvelle passion adoptée par son mari pour la remplacer, elle ? En effet arrive toujours un moment où les grandes flammes se font un peu moins grandes, deviennent carrément petites, puis finissent par s'éteindre. Et Yaacov Markovitch qui, pendant plus d'une décennie, avait aimé Bella à la folie commençait à se fatiguer. Un des premiers signes de cette évolution fut qu'il recommença à se rendre chez la dame de Haïfa. Dix ans avaient passé, pourtant celle-ci avait toujours le même âge et gémissait toujours de la même manière. Évidemment, elle ne portait plus le même nom. Une nuit, au moment où il partait, elle lui avait donné une fraise, cadeau laissé par son précédent client. Il avait mordu dans la chair rouge et ses yeux s'étaient mis à briller. Le goût âpre qu'il gardait de sa partenaire s'était aussitôt transformé en une douceur sucrée et vivifiante. Tout le trajet de retour, il n'avait pensé qu'à ça. Une fraise, dont la forme lui avait aussitôt évoqué un cœur. Cette nuit-là, il avait décidé qu'il en planterait tout un champ et s'imaginait déjà marcher au milieu d'un tapis rouge et soyeux avant de les cueillir passionnément, à pleines mains.

La nuit, il sortait de son lit pour voir si ses plants allaient bien. De nature placide, il aurait à présent été capable de retourner les entrailles de tous les rongeurs qui auraient osé nuire à ses protégés. Il arpentait son champ pendant des heures, de long en large, et, comme cela arrive souvent à ceux qui déambulent seuls dans la nuit, il se mit à parler tout haut. Il parla aux jeunes plants. De son enfance et de ses parents, de la morosité de son quotidien. Il leur parla aussi de l'instant où sa vie avait basculé, de ce jour fatidique où il avait vu pour la première fois le visage de sa femme dans l'air confiné d'un salon d'une ville glaciale. Ayant commencé à parler d'elle, il fut incapable de s'arrêter et leur narra toute l'histoire de son amour déçu, célébra la peau de Bella, magnifia ses yeux, encensa ses cheveux et alla même jusqu'à leur décrire ses seins. Les plants l'écoutaient en silence et il n'en demandait pas plus. Les yeux brillants, il évoquait l'allure majestueuse de Bella, son port de tête altier ou le noble tracé du nez. Les heures passaient, il marchait et parlait, parlait et marchait. Lorsqu'il n'avait plus de force, il s'allongeait sur le dos à même le sol en veillant à ne pas écraser les précieuses tiges et susurrait la suite de son récit à la terre elle-même ; chuchotait le magnifique triangle du pubis, qu'il avait eu la chance de voir une seule fois, pour un court instant de bonheur ; chuchotait son ventre, la finesse de ses articulations. Et c'est ainsi qu'il s'endormait un peu avant le lever du jour, après avoir abreuvé le sol de ses chuchotements passionnés, le visage protégé du soleil levant par les feuilles des fraisiers.

Tout le village ne tarda pas à avoir vent des déambulations nocturnes de Yaacov Markovitch. Car si les agriculteurs s'adressaient parfois à leurs moissons ou s'amusaient à parler un peu avec leurs vaches, ce genre d'écarts restait exceptionnel. Or, dès l'instant où les fraises firent leur apparition sur ses terres, Yaacov Markovitch, lui, ne passa plus une seule nuit dans son lit. On raconta qu'il leur lisait le journal, on laissa aussi entendre qu'il leur dédiait des poèmes salaces. On murmura que plus d'une fois il avait répandu sa semence sur le sol, persuadé d'améliorer ainsi la qualité de sa récolte. Il resta sourd à toutes ces rumeurs. Ses longues années d'adversité l'avaient immunisé contre le qu'en-dira-t-on. Il ne voyait plus les hochements de tête et n'entendait pas les clappements de langue réprobateurs. Mais Zvi, lui, avait des yeux qui voyaient et des oreilles qui entendaient, si bien que son corps se couvrait de bleus. Il se battait presque quotidiennement à cause de son père, pouvait en permanence dénombrer au moins cinq ecchymoses sur sa peau, qu'il portait avec endurance et fierté, tel un soldat ses médailles (il s'était juré de ne jamais en révéler la raison à ses parents).

Soixante jours après avoir commencé à courtiser sa terre avec autant d'assiduité, Markovitch fut payé de retour. Les fraisiers, qui avaient recueilli, nuit après nuit, les rêves érotiques de ce paysan entêté, n'osèrent pas, eux, lui tourner le dos. Oui, pendant soixante nuits, Markovitch avait marché entre les tiges, les avait enlacées dans son sommeil, s'était passionnément roulé sur le sol. Voilà qu'à présent il était récompensé. La terre lâcha le premier fruit rouge tel un soupir de plaisir après un long accouplement. Lorsqu'il le vit, il n'en crut tout d'abord pas ses yeux : en son for intérieur, il avait tellement craint qu'elle aussi ne se refuse à lui. Eh bien, non, elle ne l'avait pas rejeté, au contraire, elle s'offrait à lui tout entière dans un grand oui. Oui, oui et encore oui, une fraise, puis encore une et encore une, jusqu'à ce que tout le champ ne soit plus qu'un immense gémissement rouge. Cela se passa le jour de Shavouot. Les habitants du village entendirent le halètement jouissif du champ de Markovitch, et tous dressèrent l'oreille de curiosité mâtinée d'envie, comme lorsque l'on écoute ses voisins faire l'amour. Dans la rue, Zvi arbora enfin un sourire victorieux, ravi que tout le monde finisse par reconnaître le génie paternel. Le soir de la fête, le panier qu'il avait préparé débordait des fraises les plus belles, si sucrées qu'il avait eu du mal à passer le seuil de la maison à cause de sa mère, qui n'avait cessé d'attraper des fruits au passage, et de son père, qui y glissait discrètement une main voleuse. Finalement, il avait été obligé de retourner faire le plein dans le champ avant de rejoindre la procession.

— Elles sont exceptionnelles, avait admis Bella.

Et Markovitch d'opiner. Zvi, qui ne se souvenait pas avoir jamais vu ses parents se parler avec une telle légèreté, s'était hâté de sortir avant que l'instant se dissipe.

Il rejoignit la grand-rue avec les autres jeunes du village. Tous portaient des corbeilles débordant du meilleur de leur récolte. Il était encadré d'un côté par

Naama, cheveux blonds attachés au sommet du crâne, et de l'autre par Yaïr qui, très sérieux, poussait une brouette pleine de potirons, farouchement déterminé à ne laisser aucune pêche spolier son chargement, ce qui l'avait déjà obligé à repousser bon nombre de cultivateurs animés des meilleures intentions du monde et désireux de lui en glisser quelques spécimens ici et là. Zvi avançait donc entre le frère et la sœur, les bras chargés de fraises et le cœur empli d'une sensation nouvelle pour lui : il n'aurait rien voulu changer à ce moment, et même les propos nasillards de Zahava Tamir et de Rivka Shaham, qui marchaient quelques pas derrière eux, n'arrivaient pas à en altérer la douceur.

— Regarde comme les enfants Feinberg sont beaux, on devrait envoyer leur photo à un journal. Dommage que le laideron de Markovitch soit planté au milieu !

— Mais reconnaissons qu'il a de belles fraises dans son panier.

— Bon, il était temps que ce minable entêté réussisse à cultiver quelque chose, non ? Quand on est détesté par sa femme et qu'on élève le fils d'un autre, le moins qu'on puisse faire, c'est de gagner correctement sa vie.

Zvi ne lâcha pas immédiatement son panier. Il continua à le tenir et à marcher pendant cinq bonnes minutes sur des jambes devenues soudain friables, comme ces sablés en forme de bonshommes que sa mère lui fabriquait quand elle était de bonne humeur. Il continua à mettre un pied devant l'autre, puis sentit petit à petit ses muscles se déliter sous

401

lui – pâte à gâteau en passe d'être carbonisée. Pendant ce court laps de temps, Yaïr qui marchait à côté de lui avec sa brouette de courges et Naama avec ses oranges l'avaient discrètement regardé pour essayer de déterminer s'il avait entendu. Justement au moment où ils arrivaient en même temps à la conclusion qu'apparemment leur ami n'avait rien saisi de ces propos malveillants, justement lorsqu'ils se disaient, rassurés, que par miracle ces ragots ne l'avaient pas atteint (cinq bonnes minutes venaient de s'écouler et Zvi gardait un visage impassible), oui, à ce moment précis, l'adolescent pila et lâcha son panier de fraises. Les petits fruits roulèrent sur le sol et furent écrasés par les pieds de ceux qui défilaient autour d'eux. Ici, on fit une remarque désobligeante sur la maladresse du garçon. Là, on s'exclama que cela portait chance. Zvi n'entendit personne. L'avalanche qui grondait en lui emportait tout sur son passage, des piliers en pierre et en marbre s'écroulaient les uns après les autres, éboulement de plâtre, de sable et de stuc. Un nuage de poussière recouvrit le temple qu'il avait jusque-là érigé dans sa tête en l'honneur de son père et ne laissa derrière lui qu'une immense dévastation.

Naama se précipita pour essayer de sauver quelques fraises, aussitôt imitée par Yaïr qui s'accroupit à côté d'elle. Zvi, lui, resta debout, le regard vague, à contempler le paysage qui lentement se formait à partir de bribes de phrases interceptées à la maison, de chuchotements de voisins, de sous-entendus d'instituteurs. Et soudain la vérité devint évidente, comme s'il l'avait toujours sue. Il en eut un terrible haut-le-cœur.

Il fit demi-tour et se mit à courir. Le plus loin possible des charrettes où s'entassait le meilleur des premières récoltes. Loin des potirons, des oranges et des pêches. Loin des fraises. Au premier carrefour, il s'arrêta et vomit. Il vomit une bouillie rouge, épaisse de toutes les fraises qu'il avait ingurgitées depuis le matin.La flaque sur le sol ressemblait aux tripes d'un animal éventré. Dans sa gorge le goût sucré vira à l'aigre. Il vomit encore. Et encore. Il continua à vomir même une fois sa nausée passée. Il continua à vomir même après n'avoir plus rien à vomir. Il s'acharna, enfonça deux doigts dans sa bouche et attendit jusqu'à ce que ça se déclenche, il se força à continuer encore et encore parce qu'il ne savait pas ce qu'il ferait lorsqu'il s'arrêterait. Mais il eut beau vomir, il ne parvint pas à extirper de ses entrailles les mots que Rivka Shaham avait instillés en lui et qui se cramponnaient à ses organes de leurs doigts empoisonnés. Jusqu'à ce que d'autres doigts lui attrapent la main.

— Arrête, dit Naama.

Il se dégagea et enfouit à nouveau les doigts dans sa bouche. Mais il n'eut pas le temps de vomir qu'elle avait repris sa main.

— Arrête, répéta-t-elle.

Cette fois, il ne la repoussa pas. Un chant monta d'une rue voisine. Dans un instant, le cortège serait là.

— Viens, lui ordonna-t-elle avant de le tirer par le bras.

Il se laissa faire et la suivit. La première ligne de la procession apparaissait déjà au coin de la rue. Elle accéléra le pas et ne ralentit que lorsqu'ils atteignirent l'allée de cyprès. Tout le chemin jusqu'à la source, elle ne lui lâcha pas la main. Et elle la garda lorsqu'ils s'assirent sur le sol humide, qui salit la blancheur de leurs habits de fête.

— Maintenant, tu peux lui demander.

— À qui ?

— À la source. Tout. Elle exauce tous les vœux. C'est ma mère qui me l'a dit.

— Tu te moques de moi.

— Bien sûr que non. Je te garantis que ça marche.

— Tes vœux ont déjà été exaucés ?

— Je lui ai demandé deux choses et une s'est réalisée. Ça veut dire que tu as cinquante pour cent de chances.

— Qu'est-ce que tu as demandé ?

Elle fixa l'eau avant de répondre.

— Je vais te dire celle qui a marché, pas l'autre. J'ai demandé à la source de faire mûrir les fruits du figuier.

Zvi émit un grognement méprisant :

— Mais les figues mûrissent de toute façon !

Il sentit la main toute fine se crisper dans la sienne.

— Ne dis pas ça.

Alors, il ne le dit pas. Il resta assis en silence à tenir la main de Naama et songea qu'une source capable d'exaucer les vœux était l'affirmation la plus ridicule qu'il ait jamais entendue. Il songea aussi que les adultes étaient les créatures les plus méchantes qu'il ait jamais rencontrées. Il songea encore que la main de Naama Feinberg était la chose la plus agréable qu'il ait jamais tenue.

Ce fut la seule fois de sa vie où Zvi Markovitch tint la main de Naama Feinberg. Lorsque le soleil descendit sur la source, ils se levèrent et chacun rentra chez soi. Zvi dans une maison silencieuse (Yaacov Markovitch était parti retrouver ses fraises et arpentait son champ en homme ivre tandis que Bella, qui n'en pouvait plus d'avoir entendu son mari lui parler de sa récolte pendant des heures, était sortie et espérait se libérer de la pesanteur de son foyer en marchant dans le village), Naama dans une maison bruyante (Sonia, rentrée plus tôt de Tel-Aviv pour cause de fête, était déjà en train de se disputer avec Zeev afin de déterminer qui aurait dû préparer le gâteau au fromage traditionnel. Il affirmait que c'était elle, elle rétorquait que c'était lui et le menaçait avec le récipient contenant le fameux fromage censé être transformé en gâteau – mais par qui ? Elle lançait aussi de pleines cuillerées de fromage blanc à la tête de son mari, qui laissait les gouttes blanchâtres dégouliner de sa moustache et courait après sa femme avec des gloussements de rire teintés de colère). Profitant de la dispute, Yaïr se tourna vers sa sœur et exigea de savoir d'où elle venait : il s'était penché pour ramasser les fraises et, tout à coup, s'était retrouvé tout seul. Plus de copain, plus de sœur. Il les avait cherchés pendant presque deux heures, avait interrogé tout le village, et voilà qu'elle rentrait comme si de rien n'était, sa robe blanche toute crottée et les joues en feu.

Naama regarda son frère et déclara qu'elle n'avait pas de comptes à lui rendre. Ce qui ne l'empêcha pas d'être bouleversée parce que justement il lui en demandait, des comptes, parce qu'il avait remarqué sa robe salie et son retard, toutes ces anomalies dont Sonia et Zeev Feinberg, au-dessus de leur récipient de fromage, ne se préoccupaient guère. Furieux de la réponse de sa sœur, Yaïr s'enferma dans sa chambre. Elle lui courut après, bien décidée à apaiser sa colère, et lui proposa de lire une histoire ensemble ou de jouer aux cartes avec le jeu qu'il avait confisqué au fils de Yeshayahou Ronn, le jour où ce garçon répugnant lui avait tiré les cheveux.

— Va donc jouer avec tous les garçons que tu veux, riposta-t-il avant de lui claquer la porte au nez.

Elle resta de longues minutes coincée dans le no man's land qui séparait la chambre fermée de son frère et les hostilités ouvertes de ses parents, dont les éclats joyeux lui parvenaient de la cuisine. Une violente odeur fruitée lui parvint soudain à travers la porte close, signe que Yaïr s'était dévêtu. Elle se plaqua contre le chambranle et emplit ses poumons. Le parfum de pêche se mêla à celui d'orange qui envahissait la maison chaque fois que Sonia s'y trouvait. Pêche et orange. Orange et pêche. Et la source qui, selon sa mère, exauçait les vœux. Les fruits du figuier n'avaient-ils pas mûri ? Quand sa peau mûrirait-elle ? Et soudain elle comprit qu'elle ne supporterait pas davantage que Yaïr lui ferme sa porte. Ni d'être privée de son odeur de pêche. Alors elle jura que plus jamais, quelles que soient les circonstances, elle ne reprendrait la main de Zvi Markovitch.

3

Yaacov Markovitch vendit ses fraises et en tira un gros bénéfice. Pour la première fois de sa vie, il négocia comme un chef, car se séparer de sa récolte revenait pour lui à se séparer de sa bien-aimée. Il prit l'argent et acheta un châle en soie rouge pour Bella. Au bout de quelques jours, il découvrit qu'elle l'avait transformé en torchon de cuisine. Mais, loin de hausser les épaules et d'aller comme d'habitude chercher une consolation dans sa plantation, il éprouva, à ce nouveau revers, un regain de désir pour elle. Par un fait étrange, avoir réussi à obtenir de la terre ce qu'il voulait lui conférait soudain plus de poids face à Bella. Comme si avoir vaincu la résistance de l'une lui prouvait que, s'il se lançait dans une cour suffisamment assidue, l'autre finirait elle aussi par se donner à lui. Il commença donc à se montrer aussi pressant qu'aux premiers temps de leur union, à l'époque où elle venait tout juste de s'installer sous son toit. Mais plus elle sentait qu'il la désirait, plus elle se montrait froide. Pendant quelques jours, il essaya de se rapprocher d'elle et elle recommença à le fuir. Ils étaient tellement absorbés par leurs tentatives, lui pour exprimer son désir, elle sa répulsion, que Markovitch mit deux semaines à remarquer que son fils ne l'appelait plus papa.

Deux semaines au cours desquelles Zvi put examiner ses parents tout à loisir. Et il les examina très attentivement, tel un scientifique qui suit le comportement de bestioles dans un aquarium. Il vit la parade nuptiale du mâle et les piquants de la femelle qui se hérissaient à son approche. Il vit les gouttes de venin qu'elle projetait vers lui et les cadeaux qu'il apportait. En fin de compte, ils ne différaient en rien du poulpe ou de la rascasse qu'il avait observés le jour où, avec sa classe, ils étaient allés à Haïfa visiter les laboratoires du Technion. L'un essayait d'envelopper l'autre de ses huit bras, l'autre restait venimeuse et fuyante. Mais à la différence du poulpe et de la rascasse, que rien n'empêchera de se poursuivre ad vitam aeternam dans les fonds marins ou sous les yeux ébahis d'une quarantaine de lycéens, Yaacov Markovitch et Bella commencèrent, eux, à se sentir surveillés. Perturbés par cette présence nouvelle et indéfinie, ils s'extirpèrent lentement du tourbillon qui les happait. Jamais leur fils ne les avait ainsi jaugés. Au début d'ailleurs, ils furent incapables de déterminer ce qui, dans son expression, les paralysait tant. Jusqu'à ce que, chacun son tour, ils comprennent le changement qui s'était opéré : les yeux de l'adolescent s'étaient vidés. Zvi ne levait plus vers eux qu'un regard dessillé. Yaacov Markovitch était tombé de son piédestal. Bella n'était plus cernée d'un doux halo doré. Il les voyait tels qu'ils étaient, si bien qu'ils furent eux aussi obligés de se voir ainsi. Douloureuse réalité.

Et quelque temps plus tard, Yaacov Markovitch remarqua que son fils ne l'appelait plus papa. Nul besoin d'en parler avec Bella pour savoir qu'elle aussi s'en était rendu compte. Elle adopta alors une attitude plus mesurée envers son époux, cessa de le repousser avec une grossièreté ostentatoire. Peut-être craignait-elle que son garçon, s'il affichait la même froideur qu'elle, ne soit mis à la porte, puisque le maître des lieux n'était pas son père. Là, elle se trompait : il était son père. Qui, sinon Markovitch, avait calmé ses cauchemars à quatre ans et réparé son vélo à cinq ? Qui, sinon Markovitch, avait entendu ses premiers mots, nettoyé ses égratignures, pansé ses blessures ? Oui, l'amour de Markovitch pour cet enfant était bien réel et ne dépendait en rien de ses rapports avec Bella. Et la froideur de Zvi l'inquiétait tout autant qu'elle inquiétait sa mère. Pourtant, il ne lui demanda pas ce qui s'était passé. Chaque fois qu'il le voyait, les mots restaient coincés au fond de sa gorge, lourds et confus. Jamais, auparavant, il n'avait eu besoin de parler pour régler quoi que ce soit. Peut-être d'ailleurs était-ce grâce à cela que tout s'était si bien passé entre eux jusqu'ici. Libérés des mots, leurs corps en sueur se partageaient facilement les travaux des champs. Libérés des mots, ils échangeaient un large sourire de soulagement après avoir aidé un animal à mettre bas. Libérés des mots, ils se renvoyaient un même regard lorsque le père désinfectait avec soin de ses doigts experts les plaies du fils, et seul le frémissement de ses lèvres révélait sa colère envers les agresseurs du gamin. Mais depuis Shavouot, Zvi n'était pas revenu demander à son père de s'occuper d'une écorchure ou d'un coquart. Les violences avaient subitement cessé. Il ne se battait plus contre les autres.

À présent, il se battait contre lui-même. Et les plaies qui se propageaient à l'intérieur, sous la peau, rongeaient ses chairs sans que personne s'en aperçoive. Sauf Naama.

— Pourquoi est-ce que vous vous disputez ? lui demanda-t-elle dans la cour du lycée, par un après-midi de chaleur écrasante.

— Qui ?

— Toi et toi-même.

Il émit un sifflement de mépris, prêt à s'éloigner, mais Naama, qui avait appris à décrypter les odeurs, sentit dans son haleine qu'elle ne se trompait pas. Elle y sentit aussi la vexation de la main qu'elle n'avait plus reprise. Il lui tourna le dos et rentra chez lui retrouver ses sujets d'observation.

Combien de fois Yaacov Markovitch s'était-il arrêté devant la chambre du garçon, le poing en suspens juste avant de frapper à la porte ? Mais à chaque tentative il rabaissait finalement le bras et se détournait. Le silence tissa donc ses fils et forma bientôt une toile d'araignée autour de leur maison.

Un jour que les trois adolescents étaient allongés à l'ombre des cyprès, Zvi ouvrit enfin la bouche et dit tout haut ce que, durant des semaines, il n'avait formulé qu'en son for intérieur :

— Je veux partir d'ici. Me lever et quitter cet endroit.

Le soleil tapait. La terre brûlait. L'ombre des arbres n'était qu'une suite de formes sombres sur le sol. Yaïr

Feinberg tourna la tête vers son ami avec une curiosité paresseuse, ses boucles noires tombèrent sur son front.

— Pour aller où ? demanda-t-il en écartant à peine ses lèvres roses au velouté de pêche.

Zvi hésita. Il avait tellement souffert avant d'arriver à cette conclusion que pas une seule fois il n'avait, jusqu'à cet instant, réfléchi à sa destination. Et il eut la désagréable impression de discerner une once de raillerie dans la question. Yaïr le toisait comme s'il trouvait très amusant que l'on puisse être à ce point décidé à quitter un lieu sans pour autant avoir la moindre idée de l'endroit où l'on voulait aller. Pour partir, ne suffisait-il pas d'avoir un point précis à quitter ? Pourquoi donc ce regard sceptique ?

Mais ce regard sceptique ne lui était nullement destiné. Il visait Naama, dont les yeux s'étaient mis à briller dès que Zvi avait parlé. Se lever et partir. Comment n'y avaient-ils pas pensé plus tôt ? Ils fuiraient tous les trois ensemble, et pas plus tard que cette nuit. S'ils marchaient assez vite, ils pourraient atteindre Tibériade en une semaine. Ils mangeraient des poissons et des dattes. Ils nageraient dans le lac. Là-bas, personne ne connaîtrait leur identité. Personne ne saurait que Yaïr était le fils préféré. Mais lorsqu'elle formula à voix haute son idée d'escapade, son frère éclata de rire.

— Tu veux qu'on meure d'un coup de chaud en moins de deux heures ?

— On n'aura qu'à marcher de nuit.

— Et si on prenait un véhicule ? proposa Zvi.

— Comment ?

— On n'a qu'à se faufiler dans un des camions

qui transportent la récolte et en sauter quand bon nous semblera. Ça n'a aucune importance. Et on ne reviendra jamais plus dans ce trou.

À ces mots, le regard de Naama s'obscurcit. Jamais plus ? De l'autre côté de l'allée de cyprès, les habitants somnolaient, profitant de l'heure de la sieste, sans se douter qu'une désertion se tramait. Les poules caquetaient au loin, la terre respirait lourdement.

— Non, dit-elle, on ne peut pas abandonner le village. Personne ne l'a fait à part Abraham Mandelbaum, que tout le monde traite de cinglé. Et aussi quelques nouveaux immigrants qui ont eu peur de la malaria et qui sont aujourd'hui encore la risée de nos cours d'éducation civique.

Le fil qui tendait le dos de Yaïr se rompit enfin et le garçon roula en arrière, yeux tournés vers le ciel. Parfait. Sa sœur préférait rester. Mais Zvi ne renonça pas à son idée, au contraire, il se leva et se planta devant eux.

— Pourquoi pas ? les défia-t-il.

Les deux autres restèrent allongés sur le sol et ce fut le garçon qui lui répondit :

— Parce que les agriculteurs ne quittent jamais leur terre. Sinon, ils deviendraient comme eux.

4

Le ressentiment envers « eux », Zeev Feinberg l'avait inculqué à ses enfants avec constance et pugnacité. N'avait-il pas un compte personnel à régler avec Tel-Aviv ? Depuis que Sonia avait fait de la ville sa deuxième maison, il ne pouvait plus voir aucune ville en peinture. Il avait presque oublié que, à son arrivée en Palestine, il avait lui-même un peu hésité avant de choisir la campagne. Mais le temps écoulé avait apparemment effacé tous ses points d'interrogation, et les chemins de traverse qu'il avait empruntés s'étaient tous métamorphosés en routes bien droites qui l'avaient directement mené, de son pas énergique, au village.

— Un ramassis de fonctionnaires, de gratte-papier et de marchands. Dans toute cette ville, impossible de trouver un seul homme véritable.

— En es-tu sûr ? rétorquait alors la voix amusée de Sonia, qui haussait des sourcils dubitatifs.

Le jeudi, quand elle rentrait, n'était qu'une suite de bagarres et de réconciliations. Il fallait attendre le repas du vendredi pour qu'elle soit suffisamment apaisée et puisse reconnaître dans la haine de Feinberg pour les citadins le reflet de son amour pour elle.

— Sûr et certain, Sonia ! Regarde notre fils, il est déjà bien plus vaillant qu'eux !

À ces mots, Yaïr se sentait galvanisé et son visage rayonnait. Depuis que son père avait déclaré une guerre sans merci à son odeur de pêche, il était aussi devenu avare en compliments à son égard, passait son temps à lui ordonner de prendre de longs bains et veillait à ce que les fenêtres soient toujours ouvertes pour que le parfum maudit ne stagne pas à l'intérieur. Des considérations aussi positives, même lancées distraitement, avaient donc une grande valeur aux yeux du fils.

— Je suis prêt à parier, Sonia, qu'il n'y a pas un seul vrai homme dans ta ville… à part Froïke, convenait-il, sans remarquer à quel point le gamin avalait goulûment ses paroles.

Chaque fois qu'elle entendait mentionner le nom du numéro deux de l'Organisation, Sonia s'assombrissait, mais son mari ne s'en apercevait pas, tant il était happé par les souvenirs de jeunesse qui remontaient aussitôt. Yaïr ne s'apercevait pas davantage du changement d'expression de sa mère, tout à ses efforts pour plaire à son père. Mais Naama, aux aguets dans l'espoir de saisir la moindre miette d'affection maternelle, voyait tout de suite le voile qui passait sur le visage piqué de taches de rousseur.

— Oui, répétait-il, Froïke est un homme, un vrai.

— Pourquoi ? demandait alors Yaïr, déterminé à découvrir ce qui transformait un homme normal en homme vrai, ce qui le tirait d'une existence banale et l'élevait jusqu'à la sphère merveilleuse des héros dont son père parlait les yeux brillants d'admiration.

Feinberg commençait alors à décrire les exploits du lieutenant-commandant. Plus il s'enflammait, plus Sonia se rembrunissait. Dans son enthousiasme, il oubliait que cela faisait des années qu'il n'avait pas revu le numéro deux de l'Organisation, lequel, étrangement, repoussait toujours, sous des prétextes divers et variés, ses invitations. Mais pourquoi s'arrêter à de telles broutilles ? Le principal était ce fameux mélange d'huile de fusil et de boue, d'odeur de poudre et de sang, bref, tous les signes qui distinguaient les vrais hommes des autres.

— Tu comprends, petit, Froïke était capable d'exploser le nez d'un policier britannique d'une main et de jouer de l'harmonica de l'autre. À part lui, n'importe qui serait parti à toute vitesse après avoir envoyé son poing sur la figure d'un Anglais, mais Froïke tenait d'abord à terminer sa chanson. Il ne partait jamais avant. Il s'en allait sans se presser, en gentleman. Et sans laisser de traces. On ne l'a jamais pincé. Alors que toi, avec cette odeur de compote que tu traînes, en une demi-minute, tout un bataillon te serait tombé dessus.

Ces mots déclenchaient systématiquement un regard réprobateur de Sonia, totalement vain puisque son mari avait les yeux perdus dans le vague. Car, en ces moments de nostalgie, Zeev Feinberg n'était plus chez lui et, au lieu de la table en bois des repas, il voyait la tranchée dans laquelle il s'était caché avec son ami des années auparavant, au cours de la célèbre opération de dynamitage des remparts d'une prison pour immigrants clandestins, chacun avec une ceinture d'explosifs autour de la taille, qui les enserrait tels les bras d'une amante insatiable. Côtoyer ainsi la mort avait alors aiguisé leurs sens et rendu le monde incroyablement beau. Jamais les étoiles n'avaient autant scintillé que cette nuit-là, tandis que les cinquante kilos de plastique se rappelaient à eux à chaque pas. Tout en parlant, Feinberg glissait des doigts distraits vers la ceinture en cuir usée qui lui entourait à présent la taille, celle dans laquelle il avait récemment dû percer un trou supplémentaire pour qu'elle accepte de se boucler. Il aurait échangé sans la moindre hésitation ce salon douillet contre n'importe quel terrain où ramper silencieusement dans l'obscurité. Mais cette époque-là était bel et bien révolue. Aujourd'hui, il n'était assailli que par des factures à payer, des charrues à réparer et des enfants à débarrasser de drôles d'odeurs. Depuis la nuit où il avait tué par erreur la femme et son bébé, c'était la première fois qu'il éprouvait de la nostalgie pour la guerre. Et cette nostalgie (comme souvent la nostalgie) s'incarnait en un être cher, le lieutenant-commandant en l'occurrence. Car, tandis qu'il se consacrait à sa famille et à sa terre, Froïke, lui, était resté le même : un combattant. Il n'avait pas de progéniture sur les épaules, mais une arme. Et il continuait à occuper ses journées à bâtir des stratégies de la plus haute importance.

Chaque fois que le père chantait les louanges du numéro deux de l'Organisation et se gargarisait de leurs exploits communs, le fils écoutait et gravait ces récits sur son cœur. Si bien qu'arriva le jour où Yaïr comprit ce qu'il avait à faire, heureux d'avoir enfin trouvé le moyen de se laver de la déception qu'il lisait en permanence dans les yeux paternels. Un vendredi soir de la fin du mois d'août, au-dessus de son assiette pleine de pommes de terre carbonisées, il décida ce qu'il serait : un combattant.

Dans le plus grand secret, ils dressèrent leur camp d'entraînement au bout du *wadi*. Zvi et Naama étaient les deux seuls autres participants, et tous trois avaient prêté allégeance au cours d'une cérémonie complexe où il y avait eu échange de sang et décapitation de sauterelles. Ils s'exerçaient à la course et au saut, à la traque et à la stratégie, mais surtout ils aiguisaient leur hostilité envers « eux ». Ils passaient des nuits entières à dénigrer les adolescents qui, au même moment, dormaient dans leur lit, ne savaient ni se diriger selon les étoiles ni brouiller leurs traces. Des adolescents qui seraient repérés en quelques minutes s'ils devaient tendre la moindre embuscade. Ils évitaient soigneusement de parler des risques qu'avait Yaïr lui-même de se faire repérer, vu son odeur de pêche, devenue très forte et très sucrée après son treizième anniversaire. Parfois aussi, lorsqu'ils se serraient tous les trois derrière un rocher pour guetter un ennemi qui ne venait jamais, le bras de Zvi effleurait par inadvertance la main de Naama. De ces instants-là, qui pour lui valaient toutes leurs nuits sans sommeil, ils ne parlaient pas non plus.

Si le fils de Bella avait espéré qu'ils se trouveraient enfin d'autres occupations à l'arrivée de l'hiver, il prit très vite conscience de son erreur. Yaïr leur expliqua qu'il n'y avait rien de mieux que le froid ou la pluie pour mettre à l'épreuve leur endurance et leur courage. Et même la pneumonie qu'ils attrapèrent tous les trois après avoir traversé le château d'eau à la nage n'entama en rien la détermination de leur chef. Sa température n'avait pas encore baissé qu'il se faufilait déjà dehors pour quelque exercice matinal. Zvi, lui, resta alité bien plus longtemps que les deux autres. Il crachait et toussait tant que finalement le médecin fut rappelé et diagnostiqua non pas une simple pneumonie, mais un asthme particulièrement sévère. Apprenant la nouvelle, Yaïr blêmit. Il savait très bien que l'asthme vous excluait de toute unité combattante, et que cette maladie reléguerait son ami dans le groupe de ceux qu'ils méprisaient. Lorsque, enfin, Zvi fut guéri, aucun des trois ne mentionna le nom de cette affection, de même qu'aucun des trois ne mentionnait l'odeur de pêche de Yaïr ni le fait que Naama soit une femme. Nul besoin de palabrer sur tout ce qui les éloignait de ce qu'ils devaient être.

Aux prémices du printemps, lorsque les nuits commencèrent à se faire moins froides, ils retournèrent au *wadi* et à leurs embuscades. Mais ils découvrirent rapidement que cela ne les captivait plus. L'attrait du danger s'était évaporé, ne leur laissant plus dans la bouche que le goût amer de l'ennui. Ils ne tendaient plus l'oreille au moindre bruit, sachant bien que cela ne pouvait provenir que d'un animal nocturne ou, au pire, d'un couple qui cherchait un endroit pour s'isoler. Dans leurs efforts pour débusquer un autre centre d'intérêt, ils poussèrent plus loin, traversèrent la vallée, escaladèrent l'autre versant jusqu'au sommet et, là, ils découvrirent les vestiges d'un village arabe déserté depuis la guerre. La rougeur enflamma à nouveau les joues de Naama tandis qu'un éclat illuminait les yeux de son frère.

— On doit défendre cet endroit, le garder au cas où les Arabes voudraient y revenir, s'enthousiasma aussitôt Yaïr.

Zvi approuva de la tête. Il était évident qu'à tout moment ce point stratégique risquait d'être repris par les émeutiers arabes qui, retranchés derrière les murs de pierres, cribleraient de leurs balles odieuses les corps des combattants juifs. Défendre un tel lieu à trois était certes insensé, mais depuis la nuit des temps un petit nombre d'Hébreux avait affronté la masse ennemie. Sans compter qu'ils étaient tous les trois – malgré leur jeune âge – parfaitement entraînés et particulièrement déterminés. Tous les jours, ils attendaient avec impatience la fin des cours pour grimper la colline. Lorsqu'ils parvenaient aux abords du village abandonné, il leur suffisait d'un signe de tête pour passer en position de camouflage et se pencher en avant afin que l'ennemi ne les voie pas approcher. Les cinquante derniers mètres qui séparaient la rangée de cactus et la première maison en ruine, ils les parcouraient presque toujours en rampant et, si l'un d'eux lâchait ne serait-ce qu'un léger cri à cause d'une épine ou d'un caillou qui se plantait dans sa chair, les deux autres le regardaient d'un œil si contrarié qu'il le ravalait aussitôt, honteux. Arrivés à la première maison, ils fonçaient se réfugier derrière les murs à moitié écroulés et, par les brèches, vérifiaient les alentours. Ce n'était qu'après s'être assurés qu'aucun ennemi n'avait profité pour s'infiltrer de ce qu'ils étaient en train d'étudier les mathématiques, la littérature ou la géographie qu'ils sortaient à découvert. Le laps de temps qui leur restait jusqu'à la tombée de la nuit, ils le passaient à cueillir des figues de Barbarie et à patrouiller entre les maisons. Plus leurs ombres s'allongeaient, plus ils étaient gagnés par le malaise bien connu de ceux qui se promènent la nuit dans un village détruit – l'impression d'entendre une mère rappeler ses enfants au bercail ou de voir un homme rentrer des champs. Ils s'obligeaient pourtant à s'attarder jusqu'à la totale obscurité, peut-être enfin les forces du mal sortiraient-elles de leurs terriers. Vers dix-neuf heures trente, alors qu'il était évident que tout retard supplémentaire soulèverait des questions et des problèmes inutiles autour de la table du dîner, ils rentraient au village en courant et se séparaient dans l'allée de cyprès par une poignée de main qui leur paraissait clôturer dignement leurs activités. Yaïr et Naama partaient d'un côté, Zvi de l'autre, bien que, dans sa tête, il continuât à marcher avec ses amis, une main sur l'épaule de Yaïr dans un geste viril de frère d'armes, l'autre tenant celle de Naama dans un geste dont il n'osait pas encore définir la nature. Et même tandis qu'il mangeait avec ses parents, il continuait à penser au frère et à la sœur, que ce soit parce que cela lui était agréable, ou parce qu'il ne supportait plus la présence de Bella et Markovitch. Depuis des mois, il veillait à avoir le moins de contacts possible avec eux, et eux, au lieu de l'inciter à vider son cœur, préféraient s'abriter à l'ombre de son mutisme.

Tandis que le silence régnait en maître chez eux, les mots ne tarissaient pas chez les Feinberg. Depuis que Zeev avait été rattrapé par son passé de combats et de missions secrètes, il ne manquait pas une occasion pour rappeler ses exploits et ceux du lieutenant-commandant, il les ressassait comme on se repaît du souvenir d'une amante qu'on n'a pas su retenir. Fasciné, son fils écoutait comment ils avaient repoussé les tribus barbares de Bédouins de l'autre côté de la frontière sud ou suivait, bouche bée, les récits des batailles terrifiantes qui avaient ensanglanté les collines de Jérusalem.

Jusqu'au soir où, après avoir décrit comment ils avaient forcé la route autour des villages de Galilée, le père enchaîna en détaillant une opération héroïque menée sur le littoral. Là, le visage de Yaïr se décomposa. Il comprit soudain : tout avait déjà été accompli. Les forces ennemies avaient intégralement été repoussées à l'extérieur du pays. On ne lui avait pas laissé le moindre petit Arabe à vaincre de ses mains nues. Certes, peu de temps auparavant, les soldats de Tsahal couraient encore de grands dangers à cause des *fedayin*, mais cet épisode aussi s'était achevé sans qu'il y ait pris part. Le lendemain, ce fut dans un silence affligé qu'il grimpa vers leur village abandonné. Lorsqu'ils eurent passé la rangée de cactus, Naama et Zvi plongèrent à terre, mais lui resta debout.

— À quoi bon ? lança-t-il à ses amis incrédules. Il n'y a personne ici. Et il n'y aura jamais personne. Les Arabes ne reviendront pas.

Le charme se rompit d'un coup. Le mensonge convenu qui les avait unis pendant tant de semaines, qui leur avait procuré tant de plaisir et de battements de cœur, les soudant en un même secret, vola en éclats.

421

Le terrain ennemi qui s'étalait devant eux, jalonné de dangers, n'était plus qu'un champ de maisons en ruine. À part les piquants des cactus, rien ne pouvait les blesser. Embarrassés, Naama et Zvi se relevèrent. Avec des doigts hésitants, ils secouèrent le sable et la poussière qui collaient à leurs vêtements puis tournèrent vers Yaïr des yeux qui passaient de l'interrogation à l'accusation : Bon, alors, on fait quoi maintenant ?

Ignorant leur question muette, Yaïr s'assit par terre, jambes écartées, dans un relâchement qui exprimait à quel point il était sûr de ne jamais trouver, à part eux, âme qui vive dans ce coin perdu. Naama et Zvi prirent place à côté de lui. Pendant un long moment, personne ne parla. Dans ce lourd silence, ils avaient presque l'impression d'entendre la terre de ce pays se moquer d'eux – à quoi peuvent bien servir un garçon asthmatique, un voyou qui sent la pêche et une gamine dont les seins bourgeonnent déjà sous le tee-shirt malgré tous les efforts qu'elle fait pour les dissimuler ? Les grandes guerres exigent de grands combattants. Et les grands combattants les avaient devancés, avaient accaparé toute la gloire sans rien laisser à la génération suivante.

Yaïr cueillit un séneçon et le réduisit en charpie. Jamais il n'obtiendrait de son père l'estime qu'il avait tant espérée. Avec des yeux impénétrables, Zeev continuerait pour l'éternité à évoquer ses exploits d'antan. Zvi, quant à lui, s'acharna sur un oxalis qui avait eu la malchance de se trouver à portée de main. C'était terminé. Ce soir, ils rentreraient chez eux et ne grimperaient plus sur le versant éloigné du *wadi*. Leur univers se recentrerait sur les habitations de pierres et les champs qu'ils connaissaient depuis l'enfance, un monde de mauvaises langues et de regards obliques, avec, surgissant telle une plaie béante, sa maison, celle où vivaient Bella et Yaacov Markovitch. Et pourtant, comme il avait aimé les ruines du village abandonné... si loin à présent ! Plus rien dans sa vie ne s'aventurerait au-delà de la rangée de cactus qui en barrait l'entrée.

Naama observa les deux garçons qui se défoulaient sur les fleurs sauvages, deux guerriers vaincus et déboussolés. Comment pouvait-elle laisser son frère en proie à un tel désespoir que son odeur de pêche s'en était encore alourdie et rappelait celle d'un fruit pourrissant ? Elle se leva d'un bond et s'adressa à eux d'une voix grave et déterminée, imitant du mieux qu'elle put le ton de Yaïr quand il les poussait à continuer l'entraînement.

— Admettons que tout a déjà été fait ici, dans notre pays, eh bien, je suis sûre qu'il y a d'autres endroits, hors de nos frontières, où on a besoin d'héroïsme et de bravoure.

Et d'enchaîner en leur expliquant qu'elle avait entendu parler d'une cité taillée dans le roc quelque part au milieu du désert jordanien. Elle alla pêcher dans sa mémoire ce qu'elle avait lu dans le journal et compléta les informations nécessaires avec des détails tirés de son imagination. Vrai, on était allé là-bas avant eux, mais pas grand monde. Et il s'agissait d'une expédition périlleuse. Mais ils y arriveraient et, à leur retour, le monde entier découvrirait que la jeunesse israélienne était vaillante et audacieuse.

Zvi et Yaïr la dévisagèrent, ahuris. Ils connaissaient parfaitement l'existence du royaume rouge qui se cachait au cœur du désert, de l'autre côté de la frontière. Un royaume où rares étaient ceux qui avaient osé s'y rendre et plus rares encore ceux qui en étaient revenus. Les récits à ce sujet ne manquaient pas. Est-ce que cette gamine aux cheveux blonds, devant eux, leur proposait vraiment de se saisir d'un tel mythe et de le vivre en vrai ? Oui, c'était exactement ce qu'elle proposait, et à chaque instant sa suggestion devenait plus attirante, plus réalisable. Car, à bien y réfléchir, ils s'étaient entraînés aux longues marches, à l'infiltration, aux repérages en terrain ennemi, aux lourdes provisions à porter sur le dos. Après avoir tendu tant d'embuscades et participé à tant d'opérations, après tous les tests d'endurance et de courage qu'ils s'étaient imposés, comment pouvaient-ils se résoudre à réintégrer leur village les mains vides, à s'enterrer dans la grisaille du quotidien ? Yaïr voyait déjà se profiler le jour de leur retour. Sa mère s'effondrerait en larmes sur son épaule, son père exigerait de savoir d'où il venait. Il ne répondrait pas, se contenterait de regarder le colosse moustachu et se retrancherait derrière le mutisme entêté du vrai combattant. Puis il tirerait de sa poche un morceau de roche rouge (ou même peut-être un pan entier de bas-relief extrait d'un palais, si ce n'était pas trop lourd), le poserait sur la table de la salle à manger et s'éclipserait. Son père identifierait immédiatement la provenance du débris – où pouvait-on trouver des roches aussi rouges ailleurs qu'en Jordanie ? – et se hâterait de le rattraper. Un sourire lui barrant le visage, Yaïr entendait déjà dans son crâne la voix de stentor le supplier de raconter cette opération intrépide dans ses moindres détails, il se voyait s'asseoir et finalement tout retracer sur le ton calme et mesuré des héros. Après avoir compris que son fils était entré dans la légende, Zeev irait vite chercher l'eau-de-vie qu'il cachait au-dessus de la commode et leur en verserait un verre à chacun. À vrai dire, Yaïr détestait l'alcool, et ça lui donnait même la nausée chaque fois qu'il osait dérober la bouteille et en avaler une petite gorgée. Mais il était persuadé que, au retour de cette dangereuse expédition d'où il aurait ramené un magnifique bas-relief, il apprécierait, comme tous les hommes dignes de ce nom, le goût de n'importe quelle liqueur.

Zvi lâcha le séneçon qu'il martyrisait et laissa lui aussi vagabonder son esprit. Imaginer la traversée du désert lui faisait froid dans le dos (malgré la chaleur). Il n'avait pas oublié la fois où, lors d'une excursion scolaire dans les montagnes du Néguev, il avait été saisi d'une quinte de toux causée à la fois par la poussière inhalée en chemin et par ses efforts irresponsables pour arriver en haut le premier et agiter la main vers Naama. Mais les inconvénients de cette aventure le contrariaient bien moins que l'idée d'y renoncer. Parce que le frère et la sœur partiraient sans lui, leur regard rêveur ne laissait aucun doute là-dessus. Oui, s'il se désistait, ils partiraient sans lui et il se retrouverait seul au village, entre son père, sa mère et les fraisiers. La main de Naama s'éloignerait inexorablement et il ne pourrait plus jamais la tenir. Après avoir vécu de telles expériences, pourquoi une fille voudrait-elle prendre la main d'un peureux ? Bref, l'hésitation n'était pas de mise, il devait partir avec eux.

Ce jour-là, ils quittèrent le village abandonné et ses

ruines bien avant le coucher du soleil. Ils le quittèrent tête haute et d'un pas tranquille, comme si les exercices de camouflage des mois précédents n'avaient jamais existé. Lorsqu'ils eurent atteint le *wadi*, Zvi se retourna vers la rangée de cactus piqués de fruits orange, des fruits qui deviendraient encore plus orange, songea-t-il, puis rouges, puis pourriraient, car personne ne viendrait les manger. Au-delà, il vit les maisons désertées qui le contemplaient par leurs fenêtres béantes et leurs portes défoncées. Un instant, il crut avoir retrouvé la peur familière et puérile de leurs premiers entraînements. Mais non, le lieu détruit n'avait plus rien de menaçant, pourquoi en aurait-il encore peur ? Au contraire, il se surprit à en avoir la nostalgie. Lorsqu'il se détourna et commença à descendre vers le fond de la vallée, il comprit qu'il laissait son enfance derrière lui.

5

Un matin, les Markovitch se levèrent et découvrirent que leur fils n'était pas là. Le même matin, Zeev Feinberg se réveilla et trouva les lits de ses enfants vides. Jusqu'au soir, les Markovitch supposèrent que le garçon était chez ses amis. Zeev Feinberg supposa exactement la même chose jusqu'au moment où Bella débarqua chez lui pour se plaindre que le dîner refroidissait. Tous comprirent alors leur erreur.

— Peut-être ont-ils fugué jusqu'à Tel-Aviv pour aller voir Sonia à son travail ? suggéra Markovitch.

— Sans en parler à personne ? explosa Bella.

— Ils pensaient certainement faire l'aller-retour dans la journée, suggéra Feinberg pour la calmer. Et ma femme a dû leur passer un sacré savon !

Mais Sonia, lorsqu'elle daigna enfin répondre au téléphone qui ne cessait de sonner dans son bureau, crut à une plaisanterie.

— C'est très drôle, Zeevik. Bon, maintenant, je peux retourner à ma réunion ?

— Ils ne sont pas avec toi ?

— Évidemment que non ! Pourquoi auraient-ils

débarqué ici ? C'est ta nouvelle stratégie pour m'obliger à revenir un jour plus tôt ?

— Sonia, les enfants ont disparu.

Ils les cherchèrent toute la nuit. Zeev Feinberg et Yaacov Markovitch avaient mobilisé tous les hommes du village et organisé une battue à travers champs, tandis que Sonia sillonnait les rues de Tel-Aviv au cas où les trois adolescents seraient tout de même venus en ville. En vain. L'aube pointa et les trouva les yeux rougis par le manque de sommeil et les quelques larmes qu'ils écrasaient discrètement. À dix heures du matin, Yaacov, Bella et Zeev réfléchissaient à la suite des opérations lorsque Sonia fit irruption dans la pièce :

— Dis-moi qu'ils sont rentrés !

Son mari n'eut pas à répondre tant le regard qu'il leva vers elle était éloquent. À onze heures, les recherches reprirent par petits groupes, qui se répartirent les zones à ratisser. Dans l'après-midi, la police vint leur prêter main-forte, ainsi que des volontaires des villages avoisinants. On plongea dans la source, on inspecta le *wadi*, on dépassa la rangée de cactus, on fouilla les ruines du village abandonné et on scruta la mer en fronçant les sourcils. Tout ce temps, on s'assura aussi, par des coups d'œil discrets, que les parents tenaient le coup. Bella était blême, le regard vide. Lorsqu'un volontaire s'approcha d'elle pour lui montrer un tee-shirt repêché dans l'eau, elle s'écroula.

— C'est à l'un des enfants ?

Elle secoua négativement la tête, mais ne parvint pas à se relever. Penser que ce vêtement aurait pu appartenir à son fils avait suffi à lui couper les jambes.

Et tandis qu'elle restait assise sur la plage, le visage

gagné par une pâleur morbide, Yaacov Markovitch, lui, s'agitait comme un beau diable. Jamais il n'avait autant remué de sa vie, le sang qui bouillait dans ses artères le poussait à courir dans tous les sens. Le reste des volontaires le suivait tant bien que mal mais, au bout d'un certain temps, tous comprirent qu'une telle hystérie ne servait à rien. Ils abandonnèrent le père inquiet à ses gesticulations désordonnées et reprirent des recherches systématiques. Resté seul, Markovitch continua longtemps à tourner en rond et à appeler Zvi par son nom. Il finit par tomber sur Bella, toujours assise sur le sable.

— Lève-toi, lui dit-il. On continue à chercher.

Elle ne bougea pas, le regard tourné vers le large, fixant l'eau sombre d'une mer hostile.

— Et s'il était là-bas ? chuchota-t-elle.

Il s'agenouilla devant elle et prit son beau visage entre les mains.

— Non, il n'y est pas. Il est ailleurs et nous le retrouverons. Je te promets que nous le retrouverons.

Il avait prononcé ces mots totalement infondés avec une telle conviction qu'elle éclata en sanglots. Alors il la serra dans ses bras et essaya de la consoler.

Au même moment, Sonia entreprenait des négociations avec le bon Dieu. À son travail, elle avait la réputation d'être totalement fermée à la discussion, mais à présent elle lui promit tout, au bon Dieu, tout sans exception, à condition que les enfants reviennent. En parallèle, Feinberg, qui tous les matins veillait à défier les règles de la *casherout* en mangeant une tranche de saucisson sur une tartine beurrée, redécouvrit lui aussi le dieu des juifs. Les époux étaient donc occupés à prier et à sillonner les alentours, à sillonner les alentours et à prier. Ils le firent avec ferveur jusqu'au moment où ils distinguèrent les phares d'une automobile qui se dirigeait vers le village. Comme la nuit était déjà bien avancée et les visiteurs rares à une heure aussi tardive, ils se hâtèrent de rentrer, peut-être ce véhicule était-il porteur de bonnes nouvelles. Aveuglée par le faisceau lumineux, Sonia ne comprit pas tout de suite que ce qu'elle avait sous les yeux n'était autre que le visage ravagé du numéro deux de l'Organisation.

Zeev tomba dans les bras de son meilleur ami. Elle resta pétrifiée.

— Venez, entrons à l'intérieur, dit aussitôt le nouveau venu. Ce que j'ai à vous apprendre ne doit pas être entendu par des oreilles indiscrètes.

Dès que la porte fut ouverte, une indéniable odeur de pêche les prit à la gorge. Cela faisait presque quarante-huit heures que Yaïr avait quitté la maison, mais son parfum était resté, pugnace. Malgré lui, le lieutenant-commandant leva vers Sonia un regard étonné. Il connaissait bien sûr par cœur la senteur d'orange de celle qu'il aimait, mais il ne s'attendait pas à humer la pêche. Au lieu de répondre à son interrogation muette, elle alla préparer le thé. Zeev, quant à lui, ouvrit grand ses narines pour inhaler la fragrance qu'il s'était tant acharné à combattre et se hâta d'aller fermer les fenêtres pour éviter qu'elle ne se dissipe.

— J'ai appris la disparition des enfants par la radio, commença Froïke, et j'ai aussitôt mis en branle tous les moyens dont je disposais. Un de mes hommes, un jeune gars qui vit dans le Sud, à Yotvata, m'a contacté il y a de cela trois heures. Les mômes se dirigent vers Pétra.

— Quoi ?

— Ce garçon, un de mes meilleurs éléments, en est revenu il y a peu. Or, vous savez comment les choses se passent ici, la nouvelle de son exploit s'est très vite répandue et beaucoup d'adolescents ont fait le chemin jusqu'à son kibboutz rien que pour l'entendre raconter son aventure. Il y a un mois, il a reçu une lettre de trois habitants du village qui se sont présentés comme venant de terminer leur service militaire dans une unité d'élite. Ils voulaient avoir des précisions sur le trajet. Mon gars leur a donc envoyé les renseignements demandés, illustrés par une carte tracée de sa main. Il leur a même souhaité bonne chance.

Il fit une courte pause qui suffit à Sonia pour lâcher d'une voix tranchante :

— Et alors ? Il y a certainement des tas d'imbéciles ici qui sont susceptibles de s'intéresser à une expédition aussi ridicule, non ?

— Hier, il a vu débarquer trois jeunes, deux garçons et une fille, poursuivit Froïke, les yeux rivés sur la table en bois. Ils voulaient remplir leurs gourdes d'eau sous prétexte qu'ils allaient en excursion dans les montagnes d'Eilat. Mais ce matin, quand il a entendu les nouvelles de la disparition à la radio, ça a fait tilt, il est parti à leur recherche et a trouvé leur trace : le trio a pris vers l'est et non vers le sud, comme il le prétendait.

Alors seulement il osa relever la tête et regarder Zeev droit dans les yeux :

— Je propose qu'on y aille, nous. Sans armée, sans police, sans rien qui risque d'énerver les Jordaniens.

Son ami se leva d'un bond et se mit à déambuler dans la pièce.

Lui revinrent en mémoire toutes les soirées durant lesquelles il avait raconté à Yaïr, non sans défi dans la voix, ses hauts faits d'armes. Quoi d'étonnant à ce que le gamin soit parti à la conquête de ses propres exploits, et qui sait s'il en reviendrait ? Il sentit les yeux gris de sa femme se poser sur lui. Elle aussi se laissa un instant gagner par un même soupçon – c'était sa faute, toute cette folie, sa faute à lui –, mais elle rejeta aussitôt cette pensée et se leva pour passer les bras autour de ses larges épaules. Oui, Sonia prit son géant de mari dans les bras, ce géant dont la moustache lui griffa le cou et dont le souffle douloureux lui réchauffa la nuque. Le numéro deux de l'Organisation se hâta de détourner le regard. Que faisait-il là, témoin de l'intimité secrète qui lie les couples en général et ce couple en particulier – l'homme, en l'occurrence, étant celui avec lequel il avait joué aux échecs sur un rafiot pourri, surchargé d'immigrants clandestins, et la femme, celle qu'il était capable, les yeux fermés, de reconnaître parmi toutes rien qu'à son odeur ? Un instant plus tard, Feinberg s'arracha à la douce étreinte, s'approcha du lieutenant-commandant et lui tapa sur l'épaule :

— Viens, allons chercher Markovitch.

Ils roulèrent en silence pendant des heures. Zeev plongé dans ses pensées, Froïke dans les siennes, et c'était le genre de pensées qui écrase les mots prononcés à voix haute. Voilà pourquoi ils se taisaient, tout comme le troisième larron. Dans quelques heures, ils arriveraient au kibboutz Yotvata et, de là, franchiraient clandestinement la frontière jordanienne. Exactement le type d'opération dont le moustachu n'avait cessé de se languir, attablé dans sa salle à manger, lorsqu'il évoquait ses souvenirs de jeunesse. Pourtant, aujourd'hui assis à la droite du conducteur dans une voiture qui fonçait vers le sud, il ne sentait que la pesanteur de sa langue dans sa bouche.

Ils avaient dépassé Beer-Sheva lorsque Markovitch, installé sur la banquette arrière, sombra dans un sommeil agité. Le lieutenant-commandant se tourna alors vers Feinberg.

— Parle-moi un peu du garçon.

Le père fut submergé de gratitude, car depuis un bon moment le silence commençait à s'enrouler autour de ses chevilles comme le sable mouvant des dunes. Parler de son fils l'aiderait peut-être à se débarrasser du poids qui lui écrasait la langue. Sans hésiter, il se mit donc à louer la vélocité de Yaïr (« Personne dans le village n'arrive à le rattraper ! Pas même les chiens ! »), l'ingéniosité qu'il avait déployée pour subtiliser un tonneau de crème fraîche de la laiterie, la malice avec laquelle il débusquait, petit, toutes les friandises cachées. Le numéro deux de l'Organisation écoutait sans rien dire, le visage placide, à l'exception du léger tremblement qui agitait sa lèvre supérieure et qui s'était déclenché dès que son ami avait ouvert la bouche.

— Entre nous, lâcha soudain Feinberg, avant sa naissance, je… je croyais que quelque chose ne fonctionnait pas bien.

Le lieutenant-commandant resserra les mains sur le volant et continua à fixer la route.

— Et j'en accusais Sonia. À vrai dire, je me suis mal comporté. En même temps, la grossesse de Bella ne m'a pas aidé. Jusqu'à ce que Yaïr arrive et que tout rentre dans l'ordre.

Il s'interrompit. Pour la première fois de sa vie, il avait énoncé à haute voix des choses qu'il n'avait pas même osé se formuler intérieurement. Et comme il craignait d'avoir embarrassé son ami, il tourna la tête vers lui... mais ce qu'il vit lui arracha un cri alarmé : des yeux aux paupières hermétiquement closes, une bouche aux lèvres serrées, des mains qui se cramponnaient au volant telles des serres d'oiseau.

— Froïke !

Le conducteur ouvrit les yeux.

— Qu'est-ce qui se passe ? Tu as mal quelque part ?

— Ce n'est rien, rien du tout, c'est déjà passé.

— Tu veux que je te remplace ?

L'autre refusa d'un signe de tête.

— Tu es sûr que tout va bien ?

Un instant, le numéro deux de l'Organisation hésita tant il avait de réponses à cette question, mais il se contenta d'un simple oui.

Ils roulèrent quelques instants en silence avant qu'il ne demande de nouveau, d'une voix retenue :

— Parle-moi encore de lui.

Il n'en fallut pas davantage pour que Feinberg reprenne son récit, il raconta la naissance de Yaïr (tout le monde s'accordait à dire que c'était le plus beau bébé du village), puis ses premiers déplacements à quatre pattes, d'abord à reculons, il raconta et raconta, son ami écouta et écouta, grava tous les détails dans sa mémoire, obligé de masquer d'une main les tremblements de plus en plus violents de sa lèvre supérieure. De temps en temps, il osait une question, voulut par exemple savoir si le garçon avait pleuré le jour où il avait perdu sa première dent, ou quel avait été le déguisement choisi lors de la dernière fête de Pourim. Zeev répondit avec un plaisir non dissimulé, détaillant par le menu chaque sujet soulevé par Froïke. Au petit matin, le lieutenant-commandant savait tout sur Yaïr Feinberg, de son échec à l'examen d'histoire biblique jusqu'à son faible pour la confiture de figues.

6

Yaïr Feinberg savait précisément à quel endroit ils s'étaient fourvoyés. C'était là où l'oued se séparait en deux, non loin de l'acacia. Il leur avait dit qu'il fallait prendre à gauche, mais Naama était persuadée qu'ils devaient aller à droite et Zvi lui avait donné raison. De toute façon, elle aurait proposé de creuser un souterrain pour avancer que ce benêt aurait obtempéré. Un instant, Yaïr avait songé à se retourner et à lui lancer quelques mots cinglants à la figure, mais sa gorge était trop sèche pour les paroles inutiles. Si bien qu'il avait continué à se traîner avec eux et à ne formuler des propos vexants et justifiés qu'intérieurement, des propos qui se mêlèrent aux battements dans ses tempes tandis qu'une terreur paralysante perçait insidieusement et menaçait de le faire trébucher à chaque pas. Il avait beau lutter de toutes ses forces, d'heure en heure elle augmentait, parasitait son intelligence et sa logique, se répandant telle la gangrène. Un instant, il se laissa aller à tourner la tête en arrière, mais se hâta de ramener son regard droit devant. L'angoisse qu'il avait captée sur le visage des deux autres était claire, indubitable. Contagieuse. D'ailleurs tous savaient que, s'ils se regardaient, ils n'auraient plus la force de continuer. C'est pourquoi chacun veillait à fixer un point droit devant. Personne, à aucun moment, ne proposa de rebrousser chemin. À quoi bon ? Il n'y avait qu'un immense vide désertique jusqu'à Yotvata, alors que s'ils s'obstinaient encore un peu, d'après leur carte, ils devaient tomber sur un point d'eau. Sauf que marcher devenait de plus en plus pénible. Les battements dans les tempes de Yaïr s'accéléraient, la soif incendiait sa gorge, jamais il n'aurait pensé que cela pouvait être aussi douloureux. L'angoisse se propagea le long de son dos en dizaines de petits serpents. Il lutta pour la repousser, appelant à la rescousse toutes sortes de calculs mathématiques compliqués pour distraire son cerveau : neuf litres d'eau à diviser par trente et une heures, cela signifiait qu'ils tenaient le coup avec zéro virgule deux cent quatre-vingt-dix litre d'eau pour trois, c'est-à-dire zéro virgule zéro quatre-vingt-seize litre d'eau par personne et par heure. Inexact, depuis ces huit dernières heures, ils n'avaient plus rien à boire, il fallait donc diviser la quantité d'eau par vingt-trois heures et peut-être ajouter ce qu'ils avaient bu avant de partir. Cette gymnastique mentale se révéla relativement efficace contre la peur qui le tenaillait. Yaïr s'y cramponna. Il était tellement occupé à comptabiliser les heures, les litres et les kilomètres qu'il n'entendit ni la chute de Zvi ni le cri de Naama.

Lorsqu'il tourna la tête, il découvrit son ami qui gisait, face contre terre, et sa sœur penchée sur lui, qui le secouait. Il revint rapidement sur ses pas, retourna Zvi sur le dos et lui tapota les joues. Le malheureux entrouvrit à peine les yeux. Ses lèvres s'écartèrent et émirent une sorte de râle confus, mais dont le sens était évident :

— De l'eau…

Conjuguant leur reste de forces, les deux adolescents, haletant et la gorge en feu, tirèrent tant bien que mal le troisième jusqu'à l'ombre malingre d'un acacia isolé. Impossible à présent de contenir l'angoisse qui se déchaînait et interdisait toute tentative de réflexion logique.

— On fait demi-tour, dit Naama.

— Trente heures sans boire ? Mieux vaut continuer.

— Sans Zvi ?

— Je vais le porter sur mon dos.

— Jusqu'à ce que toi aussi tu t'écroules et que je sois obligée de vous porter tous les deux sur mon dos ?

— Tu as une meilleure idée ?

Elle se tut un instant puis chuchota tout bas :

— Et si on appelait à l'aide ?

— Tu es sérieuse ? Les Jordaniens vont nous tirer dessus.

— Peut-être pas. On n'est que des enfants.

Ils restèrent silencieux. Leur expédition paraissait tout à coup si mal préparée, tellement précipitée, juste une aventure de gamins. La douleur dans la gorge de Yaïr fut soudain balayée par une vague de colère. Quoi, c'était vraiment ce qu'il était, un morveux qui se prenait pour un homme ?

— Toi, tu restes ici avec Zvi. Moi, je vais aller chercher de l'eau.

— Tu es tombé sur la tête ! Il ne faut surtout pas

nous séparer. C'est toi qui le disais à chacun de nos entraînements !

— Mais on n'est plus à l'entraînement, Naama. C'est tout sauf un exercice. Il nous faut absolument trouver de l'eau. Zvi ne peut plus marcher et il est hors de question de le laisser seul. La source doit être proche. J'y vais et je reviens vite.

Naama avait la bouche trop sèche pour discuter, alors elle se contenta de secouer la tête.

Encore et encore.

Yaïr se mit debout.

Naama secoua la tête plus énergiquement, sans se lever.

— Je siffle une fois en cas de danger. Deux fois si je trouve de l'eau. Tu t'en souviendras ?

Naama continua à secouer négativement la tête, mais elle savait bien qu'elle s'en souviendrait. C'était elle qui lui avait appris à siffler, elle qui l'avait persécuté avec d'innombrables répétitions jusqu'à ce qu'il parvienne à produire un son fort et constant. Comme il s'énervait de la voir y parvenir si facilement alors que lui s'achar-nait sans résultats probants ! Et quel plaisir elle avait tiré de découvrir au moins une chose qu'elle faisait mieux que lui ! Un sifflement en cas de danger, deux pour un événement joyeux – n'était-ce pas ainsi qu'ils se prévenaient de l'arrivée du directeur du lycée, de la réapparition d'un objet précieux qu'ils croyaient perdu ou du moment propice pour se faufiler et extirper la confiture de figues de sa cachette ? Yaïr tourna les talons et commença à marcher. Il sentit dans son dos les yeux de Naama qui l'accompagnèrent jusqu'à l'endroit où l'oued faisait un coude. Ensuite, il disparut à sa vue.

Il marchait seul, à présent. Une bouffée d'émotion l'envahit. Seul au milieu du désert. Comme dans les histoires que son père lui avait racontées sur Froïke, qui, seul, avait traversé les dunes pour aller sauver les assiégés de Nitzanim. Il sentit que sa soif se calmait un peu et pressa le pas, mû par la sensation de recouvrer ses forces – tout observateur extérieur se serait pourtant affolé à la vue de ce garçon au visage brûlé de soleil et aux yeux hagards. Mais lui savait exactement quelle direction prendre, il pouvait même couper en escaladant le haut rocher, là, devant lui, et ce raccourci le mènerait encore plus vite à l'embranchement entre les deux rigoles, là où ils s'étaient fourvoyés. Puis il prendrait à gauche et arriverait à la source indiquée sur leur carte. Une eau fraîche et limpide l'y attendait. Cette image lui fit encore accélérer le pas, il crut même courir sur des jambes redevenues solides, bondissant par-dessus les sommets, sautant de dune en dune. Mais en réalité il n'avait avancé que de quelques centaines de mètres, d'une démarche chancelante d'ivrogne. Il dépassa encore un coude, oui, encore un. Il humait déjà l'odeur de la source. Il entendit le bruit de l'eau.

Yaïr Feinberg porta les doigts à sa bouche et émit deux puissants sifflements.

Ce fut Yaacov Markovitch qui les distingua le premier. Un garçon et une fille terrassés par la soif et la chaleur gisant sous l'acacia. Le cri de joie qui s'échappa de sa bouche fut aussi le premier son émis par les trois hommes depuis des heures, depuis qu'ils avaient entamé leur marche. Ils suivaient avec application le chemin emprunté par les enfants, et n'échangeaient que de rares paroles. Par chance, ils pouvaient compter sur les traces de pas que le trio avait laissées dans le sable, ainsi que sur la carte qu'ils avaient reçue du héros de Yotvata, semblable, leur assura ce dernier, à celle qu'il avait envoyée aux jeunes. Mais surtout ils étaient guidés par quelque chose de délicat et d'à peine perceptible : une très légère odeur de pêche. Presque vingt-quatre heures s'étaient écoulées, mais le sable brûlant s'était gorgé de la sueur de Yaïr et l'air stagnant en avait conservé le parfum. Chaque fois qu'ils avaient un doute sur l'itinéraire emprunté, ils s'arrêtaient, se penchaient vers le sol et ouvraient grand leurs narines. En général, c'était Feinberg qui se relevait le premier et leur indiquait la direction d'un signe de tête, lui qui, pendant des jours et des jours, avait reniflé son garçon à la sortie du bain dans l'espoir de ne plus rien sentir et qui, chaque fois dépité, l'avait aussitôt renvoyé se laver. Markovitch se hâtait alors de se redresser lui aussi et reprenait aussitôt sa marche, tandis que le lieutenant-commandant s'attardait un instant de plus, nez au sol, yeux fermés, et emplissait ses poumons de la trace laissée par le garçon.

Dès qu'il vit les corps étendus sous l'acacia, Markovitch s'élança, Zeev et Froïke sur ses talons. Ils étaient certains de trouver un troisième corps étendu de l'autre côté du tronc, mais, arrivés à la hauteur de l'arbre, ils découvrirent qu'il manquait. Ils donnèrent à boire à Naama et à Zvi, les giflèrent, et finalement les deux adolescents ouvrirent les yeux : ils étaient mal en point, terriblement déshydratés, mais le fait d'être restés à l'ombre de l'arbre les avait protégés des rayons mortels du soleil. Avec insistance, Feinberg et le lieutenant-commandant essayèrent d'extirper de leurs lèvres desséchées un renseignement sur la direction prise par Yaïr, mais ils étaient trop faibles pour parler. Au bout de quelques minutes, les adultes décidèrent de se séparer : Markovitch resterait là, les deux autres partiraient à la recherche du garçon. Sans plus tarder, ils se penchèrent vers le sol, reniflèrent un bon coup, se relevèrent au bout de quelques secondes comme un seul homme et commencèrent à courir vers l'oued. Ils dépassèrent le premier coude, escaladèrent la dune. Impossible de se tromper sur les empreintes dans le sable, c'était bien celles de Yaïr. Mais plus elles devenaient nettes, plus le parfum de pêche s'estompait. Zeev Feinberg s'en rendit compte, son ami aussi, ils échangèrent des regards inquiets tout en poursuivant leur course. Ils s'efforçaient d'inspirer l'air à pleins poumons, sens à l'affût pour capter l'odeur du garçon. Mais ils avaient de plus en plus de mal à la percevoir. Juste avant un nouveau coude, ils inspirèrent encore une fois, puis une autre, profondément, avec entêtement. À l'instant précis où ils constataient qu'ils ne sentaient plus rien du tout, leurs pieds dépassèrent le tournant et ils découvrirent le corps inerte de celui qu'ils cherchaient.

Le hurlement désespéré de Zeev continua à résonner entre les dunes des heures après que les trois hommes eurent repassé la frontière, portant les adolescents dans leurs bras. Yaacov Markovitch fermait le cortège, il avait installé son fils sur son épaule et marchait dans une semi-inconscience. Il ne sentait ni le soleil brûlant ni le poids du corps qu'il portait car, au moment où, sous l'acacia, il l'avait soulevé, Zvi lui avait dit

« papa », avec un faible sourire. Et ce mot suffisait à le maintenir à présent debout, à le faire avancer malgré la pénibilité de ce sauvetage. Zeev Feinberg était juste devant, Naama dans les bras, persuadé que la gamine n'avait pas repris connaissance. Mais il se trompait. Markovitch lui avait donné à boire en attendant le retour des autres et elle était en train de revenir à elle lorsque les cris d'horreur qui lui étaient parvenus de l'oued l'avaient rendue complètement mutique. Elle avait aperçu le corps inerte de son frère dans leurs bras et fermé les yeux pour ne pas en voir davantage.

« Dépêchez-vous, avait crié le lieutenant-commandant. Il faut qu'on retraverse la frontière au plus vite. On arrivera peut-être encore à le sauver. »

Ils prirent le chemin du retour, chacun portant un enfant. Durant toutes ces heures, Naama était restée les paupières serrées, la tête pleine d'une seule phrase, les mots criés par le numéro deux de l'Organisation : « On arrivera peut-être encore à le sauver. » Comme elle aurait voulu retomber dans la léthargie qui l'avait envahie au bout de Dieu sait combien d'heures d'attente sous l'acacia ! Mais d'instant en instant, elle était plus éveillée, plus consciente, si bien qu'elle entendit les reniflements, sentit les violents tremblements de celui qui la portait. Sans avoir besoin de le voir, elle comprit que l'homme valeureux qui la ramenait saine et sauve à la maison sanglotait tout en marchant.

Cinquante mètres devant, Froïke serrait contre son épaule un Yaïr inconscient qu'il maintenait d'un bras passé autour de sa taille. Il aurait quarante et un ans l'été prochain. Dans un tiroir de son appartement à Tel-Aviv, il avait trois médailles et une lettre de remerciements du chef du gouvernement, dont le contenu était classé top secret. Au moins sept enfants portaient son prénom. Il avait envoyé dans l'autre monde plus de cinquante hommes. Il avait couché avec onze femmes. Il était amoureux d'une seule. Et il aurait donné tout cela sans sourciller pour ramener le garçon vivant. Derrière lui, il entendait les rugissements éperdus de Zeev Feinberg, mais lui ne desserra pas les dents. Pas un mot. Pas une larme. Juste continuer à marcher le plus vite possible, sans s'arrêter, pour atteindre la frontière. Tant qu'il pourrait mettre un pied devant l'autre, tant qu'il parviendrait à traduire son tumulte intérieur en gestes physiques, il garderait sous contrôle ce qui s'agitait en lui depuis des heures.

7

Zvi Markovitch aurait été incapable de dire combien de temps s'était écoulé entre le moment où les soldats de Tsahal s'étaient précipités à leur secours et le moment où il se retrouva entre les draps amidonnés de l'hôpital. Il fut aussi incapable de dire à quel instant Bella arriva à son chevet, ou à quel instant on introduisit le lit de Naama dans sa chambre. Mais lorsqu'il ouvrit les yeux, il aurait été prêt à jurer que des heures avaient passé, peut-être des années, parce que soudain sa mère lui parut très vieille. Elle commença par lui embrasser le visage, encore et encore. Puis elle s'approcha de Markovitch, lui prit la main et l'embrassa aussi. Gêné par cet échange entre ses parents, il détourna la tête vers le lit de son amie. Elle gardait les yeux clos, mais il sut tout de suite qu'elle ne dormait pas. Le frémissement de ses paupières indiquait clairement qu'elle devait fournir un gros effort pour ne pas les ouvrir. Et si elle ne voulait pas les ouvrir, c'était de peur de découvrir que peut-être son vieux rêve, son vœu le plus secret, s'était enfin réalisé : elle était la fille unique de ses parents. Voilà pourquoi

Naama Feinberg refusait d'ouvrir les yeux et, loin de vouloir l'y obliger, Zvi tendit un bras hésitant et osa ce qu'il s'était tant de fois imaginé faire au cours de ces longs mois : il lui prit la main.

Les Markovitch sortirent de la chambre et allèrent rejoindre le lieutenant-commandant et les Feinberg dans la salle d'attente. Lorsque le médecin s'approcha, ils se levèrent d'un bond. Seule Sonia resta assise, les yeux braqués sur le linoléum.

— Les chances sont minces, dit l'homme en blouse blanche. Nous sommes en présence d'un coup de chaleur extrêmement sérieux. On ne peut qu'imaginer le nombre d'heures qu'il a passées sous un soleil tapant.

— Mais peut-être un miracle…, suggéra Yaacov Markovitch.

— Oui, dit Bella, peut-être un miracle.

— C'est ça, peut-être un miracle, convint le médecin, toujours prêt à acquiescer quand on lui parlait de miracle.

Dans le silence qui accueillit ces paroles, tous les yeux se tournèrent vers Sonia et Zeev. Mais ce fut le lieutenant-commandant qui éclata en sanglots incontrôlables. Treize ans d'espoir et de gâchis s'élevaient de sa gorge en un long cri désespéré. Feinberg dévisagea son ami d'un air étonné qui s'assombrit petit à petit. Voyant cette expression, Yaacov Markovitch comprit que le moustachu commençait à soupçonner ce qu'il avait lui-même deviné des années auparavant.

Le front plissé, Feinberg repensa aux questions que, tout au long de leur descente vers le sud, le numéro deux de l'Organisation lui avait posées au sujet de Yaïr, puis à son entêtement à le porter dans ses bras sur tout le chemin du retour. Il vit la pâleur extrême qui avait envahi le visage de Sonia au moment où Froïke éclatait en sanglots. D'un coup, il bondit et quitta la salle d'attente dans un élan furieux. Markovitch le suivit. Dans le couloir ils passèrent devant une femme enceinte, un jeune homme qui s'était cassé les deux jambes et quatre vieux en train de gémir, mais ne les virent pas. La porte battante, celle qui sépare le monde des malades de celui des bien portants, faillit sortir de ses gonds tant Feinberg la poussa violemment avant de jaillir dans la rue.

Markovitch continua à le suivre. Il était incapable de décider s'il valait mieux essayer de l'amadouer ou au contraire le laisser purger seul sa colère. Dans le doute, il se contenta de marcher derrière lui, suffisamment près cependant pour que, quelques instants plus tard, Feinberg puisse s'adresser à lui sans élever la voix :

— Tu penses que c'est vrai ? demanda-t-il en tournant vers lui un visage rongé par le doute.

— Je ne sais pas.

— Je ne t'ai pas demandé ce que tu savais, mais ce que tu pensais.

— Je pense que oui.

— Mais pourquoi aurait-elle fait une chose pareille ?

Il avait posé la question, mais n'osa pas formuler la réponse qui commençait à se tisser dans sa tête. Et son compagnon se garda bien de prononcer à haute voix des mots auxquels sied le silence.

— Les gens agissent pour des raisons diverses et variées.

— Et moi, qu'est-ce que je vais faire ?

— Comment voudrais-tu que je te donne des

447

conseils ? dit Markovitch après un temps de réflexion. Moi qui, toute ma vie, ai regardé votre amour comme on regarde un joyau, le front contre la vitrine.

— Un joyau derrière une vitrine ! rugit le moustachu. Tu crois vraiment que l'amour, ça ressemble à ça ?

— Oui. C'est exactement comme ça que je vois l'amour. Crois-moi. Un homme qui en a été privé toute sa vie sait le reconnaître de loin.

Il avait parlé avec assurance, d'une voix si calme que l'autre, toujours en proie à la vexation et à la colère, ne répondit pas. Les passants s'écartaient avec appréhension, tandis qu'il jetait des regards incendiaires autour de lui, à la recherche d'un défouloir que ses mains enragées pourraient briser. Plusieurs possibilités s'offraient à proximité (un banc en bois, un garçon au visage mauvais, une plaque de rue mal posée), mais il resta immobile, à serrer les poings. C'est qu'il avait compris que, même s'il détruisait la ville entière et ses fondations, il ne pourrait pas se sortir de la tête ce qu'il savait à présent. Markovitch le dévisagea encore quelques instants puis retourna à l'hôpital d'un pas lourd.

Lorsqu'il réapparut dans la salle d'attente, Sonia leva vers lui des yeux pleins d'espoir mais, voyant qu'il était seul, elle enfouit le visage dans ses mains. Il s'assit à côté d'elle, embarrassé. Ah, ces mots, toujours aussi traîtres, toujours aussi prompts à lui échapper ! Que dire à une lionne éplorée ? Finalement, il esquissa un geste de consolation de la main mais une autre main le devança, une grande main chaude. Celle de Zeev

Feinberg. Sans rien dire, il lui laissa la place et réintégra la sienne à côté de Bella. Les traits du mari blessé restèrent figés encore un instant, moustache dressée, puis se relâchèrent d'un coup.

— Sonietshka, chuchota-t-il.

Elle redressa la tête et la pressa contre sa large poitrine. Par-delà le tissu de la chemise, elle plaqua la joue et, par-delà l'enchevêtrement de poils poussiéreux et la peau moite, sentit son cœur battre très fort.

Ce qui se passait entre eux était si intime que tous ceux qui attendaient là détournèrent précipitamment le regard. Ce moment ne leur était pas destiné. Tous, à part Yaacov Markovitch. Lui continua à fixer son ami, les yeux écarquillés. Un instant auparavant, dans la rue, il l'avait vu rugissant, agrippé à sa vexation et à sa colère, grinçant des dents. Or voilà qu'il avait tout envoyé paître dans un même élan, avait abandonné le cadavre pourrissant de ses mauvais sentiments et était revenu consoler sa femme. Alors que lui, Yaacov Markovitch, drapé dans sa dignité bafouée depuis des années, cramponné à la femme qu'il aimait et qui se refusait à lui, n'avait jamais relâché son emprise. La réaction de Feinberg rendait soudain son propre acharnement terriblement pitoyable. Et terriblement vain. Cela faisait si longtemps qu'il gardait Bella prisonnière, sans réussir à éveiller en elle le moindre désir. Pourtant il persistait à s'agripper à sa robe sans faiblir, les doigts crispés et déformés. Lorsqu'il considéra ceux de Feinberg, écartés sur l'épaule de Sonia, il pensa soudain à la main porte-bonheur. Et il se demanda s'il serait un jour capable d'ouvrir ainsi la sienne. Cette pensée le fit aussitôt frissonner. Laisser partir Bella ?

Comment serait-ce possible ? Tant d'années qu'il serrait les poings ! Comment serait-il à présent capable d'un autre geste, lui qui avait érigé le refus en mode de vie ?

Dans l'automobile du lieutenant-commandant qui les ramenait au village, il ne cessa de regarder sa femme avec des yeux perplexes, à croire qu'il la voyait pour la première fois. Assise à l'avant, elle s'évertuait à nouer une conversation anodine avec le numéro deux de l'Organisation, comme s'ils n'avaient pas laissé leurs fils respectifs couchés dans un lit d'hôpital, comme s'ils n'attendaient pas le verdict du temps et du destin. De la banquette arrière, il observa son profil, elle était en train de parler des figues qui tardaient à mûrir cette année. Oh, certes, elle gardait encore des restes de sa beauté d'antan, de sa grâce souveraine, mais au coin des yeux apparaissait déjà le fin réseau de lignes annonciateur des rides à venir. Elle avait même de vraies rides aux commissures de la bouche. Des rides délicates, aussi légères que les traits esquissés de la pointe du crayon avant que le peintre ne repasse dessus pour les incruster profondément dans la toile. Et malgré la fraîche vitalité qu'elle parvenait encore à afficher, il pouvait deviner à quoi elle ressemblerait quand elle serait vieille. Le temps brouillerait le charme de ses lèvres sculptées et tracerait sur son bel ovale de nouveaux contours. Mais il aurait beau ajouter et effacer, écrire et réécrire le visage de Bella, jamais il n'arriverait à enlever le rejet qu'elle avait transformé en seconde nature.

Quant aux rides, présentes et à venir, elles ne changeraient rien pour lui. Il savait qu'il la désirerait toujours, jeune ou vieille, épanouie ou fanée. Ce n'était pas la morsure des ans qui contraignait Yaacov Markovitch à se recroqueviller ainsi sur la banquette arrière, mais l'expression de refus de Bella, clairement lisible même en cette heure tardive, même dans cette voiture obscure. Ce refus, on pouvait le débusquer dans les sourcils. Il s'était immiscé dans les joues, dissous dans le bleu des yeux tel du poison dans un verre d'eau. Et même au moment où elle lui avait pris la main, mue par un élan de gratitude parce qu'il lui avait ramené son fils, oui, même alors, le refus n'avait pas déserté son regard. Et soudain, pour la première fois de sa vie, il se demanda s'il comptait passer le restant de ses jours à contempler cette femme qui, bien qu'elle ait été pour lui la plus belle qu'il ait vue de sa vie, le rejetait et continuerait à le rejeter dans chaque battement de cils, dans chaque frémissement.

L'automobile fonce à travers la nuit noire, le souffle d'une ou deux phrases rallume de temps en temps les braises de la conversation de Bella et du lieutenant-commandant, sans grand effet. Assis sur la banquette arrière, Yaacov Markovitch se demande si une impulsion subite et gratuite peut transformer un poing fermé en une main ouverte, et voici ce que les lumières scintillantes lui répondent : de même que, dans un lieu et dans un temps lointains, tu as accueilli en toi le « non », tu peux, ici et maintenant, accueillir en toi le « oui ». Et la possibilité qu'un « non » aussi déterminé se lève un beau matin et se métamorphose en « oui » le sidère tellement qu'il ne se rend pas compte qu'ils sont arrivés à destination. Ce n'est que lorsque Bella ouvre la portière et remercie le lieutenant-commandant de les avoir si gentiment raccompagnés chez eux qu'il songe lui aussi à marmonner quelques mots et à sortir du véhicule.

Les voilà à présent sur le seuil de leur maison. Bella parle de ce qu'ils doivent prendre avec eux le lendemain pour l'hôpital, Yaacov Markovitch la regarde en silence, et ils sont déjà dans le salon, le pied le plus beau qu'il ait vu de sa vie luit au moment où elle se déchausse puis s'enfonce rapidement dans la pantoufle de toile. Il pense à la main ouverte de Zeev Feinberg sur l'épaule de sa femme. Il pense au rejet éternel sur le visage de Bella. Il pense à la manière incroyable, miraculeuse, dont un « non » peut se métamorphoser en « oui ».

Et finalement, Yaacov Markovitch cessa de penser et commença à parler.

Au début, elle crut que les bruits de la nuit se jouaient d'elle. Que le vent en soufflant dans le bougainvillier contre la façade avait pris une voix humaine, ou qu'un chacal se lamentait en imitant un homme. Par deux fois, il fut obligé de répéter ses mots avant qu'elle n'en comprenne le sens, et, même alors, elle se demanda si c'était vraiment la bouche de son mari qui les avait prononcés. Il la vit se pencher en avant pour mieux entendre et répéta une troisième fois :

— Je t'accorde le divorce, si tel est ton désir.

Rien dans l'expression de Bella ne changea, à part un rapide clignement de paupières, telle une colombe qui, au moment où la porte de sa cage s'ouvre, agite les ailes d'une manière désordonnée, mais ne s'envole pas. Car elle resta debout, immobile, même après que Yaacov Markovitch fut sûr et certain qu'elle avait compris ce qu'il venait de lui dire. Les minutes passèrent et, comme elle ne bougeait toujours pas, il eut le temps de se demander si l'impossible n'était pas en train de se réaliser sous ses yeux. Si le foin ne se transformait pas en or. Si le loup et l'agneau ne se mettaient pas à se lécher le museau en toute amitié. Si les millions d'os desséchés ne se relevaient pas pour danser dans les ruelles de Jérusalem après la résurrection générale. Bref : était-il possible que Bella Markovitch, cette créature fière et magnifique qu'il retenait avec des chaînes de fer, reste là, dans son salon, alors que la porte était ouverte ? Et peut-être, qui sait, serait-elle restée ainsi pour l'éternité, clouée sur place, s'il n'avait décidé de reprendre la parole pour préciser qu'il avait l'intention de continuer à subvenir aux besoins de son fils, qu'elle parte ou non. À ce moment seulement elle bougea. Au lieu de se diriger vers l'extérieur, ses jambes la menèrent à l'intérieur de la maison. Elle passa devant lui et entra dans la chambre à coucher. Il allait laisser échapper un soupir d'infinie reconnaissance, mais alors elle l'appela parce qu'elle ne trouvait pas sa valise. Il la sortit de l'armoire et retourna se coucher dans le salon.

Il dormait sur le canapé depuis tellement d'années qu'il ne savait plus comment réagirait son dos au contact d'un vrai lit, celui qui serait de nouveau le sien à partir du lendemain. Il entendait les pas de Bella, qui emballait ses affaires. Les bruits s'arrêtèrent vite. Avait-elle si peu de biens ici, qu'elle puisse tout rassembler en une demi-heure ? Elle partirait dès le lever du soleil. Pendant un certain temps, sa présence subsisterait entre ces murs : un cheveu blond sur le drap, un bas oublié, des traces de doigts sur une assiette mal essuyée. Puis, lentement, elle disparaîtrait. La maison se révélerait alors dans sa totale nudité, avec lui à l'intérieur. Évidemment, il quitterait le village – le vide de son foyer le rendrait fou. Il vendrait sa parcelle et en chercherait une autre. À moins qu'il n'émigre en ville, comme les pigeons ? Lors de ses derniers passages à Tel-Aviv, il les avait écoutés, et leurs roucoulements avaient un charme assez tentant. Mais que deviendraient ses fraisiers ? Il lutta contre l'envie de s'arracher du canapé, de franchir les quatre pas qui séparaient le salon de la chambre et de la supplier. Au lieu de cela, il se recroquevilla sous la couverture et devint un nœud de muscles, de ligaments et de pensées. Demain, elle ne serait plus là. Faudrait-il, au petit matin, la raccompagner jusqu'au seuil ? Lui serrer la main ? Ou bien se lever très tôt et aller dans le champ, frapper la terre sans ménagement tandis qu'une silhouette élancée s'éloignerait sur le chemin ? Soudain, il se figea. Il venait de percevoir le bruit d'une valise qu'on tire. Bella avait donc l'intention de partir immédiatement. Sans délai. Avant l'aube. Ivre de sa liberté recouvrée, elle préférait errer seule dans les rues du village par cette nuit froide plutôt que de passer encore quelques tristes heures en sa compagnie. Il osa ouvrir un peu les yeux, juste une fente. La femme la plus belle qu'il ait vue de sa vie se tenait à l'entrée du salon. Il se hâta de refermer les paupières pour ne pas la voir se diriger vers la sortie.

Il sentit la couverture se tendre au moment où elle se glissa à côté de lui sur le canapé. Elle chercha d'une main parfaite et d'une main balafrée la main de l'homme qui tremblait de tous ses membres.

— Une nuit, Markovitch. Une seule et unique nuit, nous dormirons ensemble comme mari et femme.

Il resta muet.

Cette grâce qu'elle lui accordait, comment trouver les mots pour y répondre ?

8

Cette nuit-là, la main de Sonia Feinberg resta dans celle de Zeev Feinberg, repliée au creux de gros doigts chauds refermés serrés serrés. Cette nuit-là, la main de Zeev Feinberg suinta par intermittence : tantôt elle libérait une moiteur salée, tantôt elle s'asséchait. Sonia sentit-elle que cette main pleurait ? Si tel fut le cas, elle n'en dit rien et laissa la sienne reposer, sans un mouvement, indifférente aux épanchements de son mari. C'est qu'il pleurait par les mains, le géant moustachu, alors que pas un centimètre des doigts de sa femme ne remuait. Elle qui jamais n'avait été vaincue s'était retranchée à l'intérieur d'elle-même, dans un abri souterrain, et avait fermé la porte à clé. Un ouragan approchait. Le vent hurlait à ses oreilles. La seule chose qu'elle pouvait faire, c'était attendre qu'il passe, attendre calmement, sans bouger, au fond de ce refuge qu'elle s'était aménagé. Lorsque tout serait terminé, que les rugissements se seraient éloignés pour aller frapper d'autres maisons, elle rouvrirait discrètement la porte et verrait ce que les vents avaient laissé et ce qu'ils avaient emporté sur leur passage.

Vers trois heures quarante du matin, au moment où Bella Markovitch se glissait entre les draps de son mari, Sonia Feinberg implora le soleil de retarder son lever. Dans le couloir de l'hôpital, les néons continuaient à diffuser leur lumière permanente et elle jeta un coup d'œil angoissé vers l'obscurité qui se dissipait lentement à la fenêtre. Bientôt pointerait l'aube, porteuse des nouvelles de la journée à venir. Elle était certaine que son enfant ne mourrait pas pendant la nuit. Mais au matin, elle serait obligée d'ouvrir la porte blindée et de voir si sa maison était encore debout ou si le vent l'avait arrachée pour ne lui laisser qu'un champ de ruines. Voilà pourquoi elle adressait cette prière silencieuse au soleil et lui demandait dans la langue des étoiles de ralentir sa course. Lentement, s'il te plaît, lentement. Exactement au même moment, Yaacov Markovitch, allongé sur son canapé qu'il partageait avec Bella pour la première fois de sa vie, adressait au soleil la même requête : lentement, s'il te plaît, lentement. Alors comment l'astre (même si certains scientifiques s'entêtent bêtement à affirmer qu'il ne s'agit que d'une boule d'hydrogène et d'hélium) aurait-il pu rester sourd à ces supplications ? Car le soleil (n'en déplaise à ces mêmes scientifiques) aime les êtres humains d'un amour aussi inaltérable que le permet la distance. Sinon, pourquoi tournerait-il ainsi autour d'eux jour et nuit avec un dévouement, une constance si paternelle ? (D'ailleurs, même si ces scientifiques prétendent bêtement que ce n'est pas lui qui tourne autour des hommes, mais le contraire, si, pire encore, ils vont jusqu'à assurer que ses rotations n'ont rien à voir avec l'amour et le dévouement, qu'elles ne sont régies que par les lois de la physique, rien dans ces allégations ne peut réfuter ce que voient les yeux et ce que sait le cœur.)

Or voici ce qui se passa : les livreurs de journaux scrutèrent le ciel noir avec perplexité. Les boulangers levèrent une tête étonnée vers leur fenêtre obscure. Les coqs trépignèrent, mais gardèrent leurs cocoricos dans le bec. Les paysans se retournèrent sur leur matelas et s'abandonnèrent à un nouveau rêve. Car le soleil (bien que la chose lui fût douloureuse et engendrât de gros problèmes d'emploi du temps) entendit Sonia Feinberg et Yaacov Markovitch et leur octroya vingt minutes supplémentaires. Vingt minutes durant lesquelles Yaacov Markovitch resta allongé les yeux ouverts à emplir ses poumons de l'haleine de la femme étendue à côté de lui. Vingt minutes durant lesquelles Sonia Feinberg resta assise, immobile, le dos bien droit, la main dans celle de son mari. Mais lorsque la vingtième minute toucha à sa fin, l'astre sut qu'il ne pouvait plus attendre : certes il compatissait sincèrement avec le mari allongé sur son canapé et la mère angoissée pour son fils, mais que pèse le contentement de deux êtres face à celui de millions d'autres qui vivent sur terre et ont besoin du soleil pour travailler, aimer, manger, craindre, rire, et encore pour tout un tas de choses qui nécessitent la lumière du jour ? Alors, à six heures vingt, avec vingt minutes de retard, un premier rayon éclaira le village et la vallée, les orangeraies et les champs de béton de la ville, la maison vide de Sonia et Zeev Feinberg et la maison de Yaacov et Bella Markovitch, qui jamais n'avait été aussi comblée.

Entre trois heures quarante du matin et six heures vingt, Yaacov et Bella étaient restés couchés sur le canapé dans les bras l'un de l'autre. Il s'était rempli de l'odeur de sa femme, avait frotté son visage contre le velouté des épaules opalines, l'avait écoutée respirer. Tout ce temps, il n'avait cessé de trembler. Ce fut la plus belle nuit de sa vie. À six heures vingt, Bella Zeigermann se leva du canapé, déposa un léger baiser sur la joue de Yaacov Markovitch et s'en alla.

Et aussi : à six heures vingt, les livreurs de journaux lancèrent d'un bras à nouveau ferme les nouvelles du jour contre les portes des maisons. Les boulangers se hâtèrent d'empiler leurs miches de pain. Les coqs libérèrent enfin leurs cocoricos tant attendus. Les paysans ouvrirent les yeux. Et tandis que tous ces gens s'étiraient, s'habillaient et mettaient de l'eau à bouillir pour le thé du matin, le médecin s'approcha de Sonia et de Zeev Feinberg et leur annonça la mort de Yaïr.

Sonia comprit tout de suite qu'elle s'était trompée. Lorsqu'elle sortit de son abri, elle ne se trouva pas dans un champ de ruines, mais dans l'œil du cyclone. Le vent hurlait à ses oreilles, lui lacérait le corps de l'intérieur dans un tourbillon infernal. Et elle eut beau crier aussi fort que possible, le cyclone était plus puissant. La voix du destin s'élevait au-dessus d'elle, bien plus assourdissante que sa propre voix. Des gens coururent dans le couloir. Des gens lui parlèrent. Une main au bout d'une blouse blanche la gifla. Une autre main au bout d'une blouse blanche lui tendit une pilule et l'obligea à l'avaler. Mais elle se noyait dans un rugissement dévastateur qui réduisait le monde en milliers de petits débris, soulevée dans les airs par une force invincible qui entraînait aussi les bâtiments, les arbres et les vaches autour d'elle ; de là-haut, elle voyait tout ce qui était à présent perdu et attendait avec impatience le moment où elle s'écraserait enfin sur le sol en un choc qui, fût-il d'une extrême violence, ne serait jamais aussi douloureux que ce qu'elle éprouvait. Mais pendant le temps qu'elle passa à tournoyer et à se disloquer, oui, pendant tout ce temps, elle sentit, très loin tout au bout de son corps, la main de Zeev Feinberg qui ne la lâchait pas. Zeev Feinberg ne laissa pas le cyclone emporter sa femme. Il lui avait déjà pris l'enfant. Il la retint par la main toute cette matinée-là. Et toutes celles qui suivirent.

Tandis que Yaacov Markovitch écoutait en silence le grincement de la porte qui se refermait à tout jamais sur Bella, tandis que Zeev Feinberg tenait la main de Sonia dans la tourmente, le lieutenant-commandant, lui, fixait le soleil qui se levait avec des yeux hallucinés. Les vingt minutes de retard de l'astre ne l'avaient pas perturbé. Assis sur le capot de son automobile au bord d'une falaise du nord de Tel-Aviv, il n'était pas venu là pour s'arrêter aux détails insignifiants. Un jour, non loin d'ici, on entendrait le sifflement des trains qui entreraient en gare, et le long du littoral les cris de protestation des conducteurs coincés dans les embouteillages des grands axes routiers qui seraient bientôt construits en contrebas. Mais pour l'instant, on ne percevait que le bruissement des feuilles chaque fois qu'un lapin égaré ou une perdrix hésitante se faufilaient dans les buissons.

Une première rafale de vent fit danser des dizaines de grains de sable, les souleva jusqu'en haut d'une dune uniquement pour les lâcher de l'autre côté. Si le numéro deux de l'Organisation avait pris la peine de tendre l'oreille, peut-être aurait-il entendu, dans cette rafale, la grogne des étudiants forcés de grimper depuis la gare qui serait construite au pied de la colline jusqu'à l'université qui serait construite en son sommet. Mais comment une personne, dont l'âme secouée par de violentes émotions tanguait comme un rafiot d'immigrants clandestins pris dans une tempête, pourrait-elle entendre les rafales de vent sur les dunes ? Et même si Froïke les avait entendues – quelle importance ? Chaque homme sait qu'il y a eu un avant et qu'il y aura un après lui... Cette conscience du passé et du futur, certes très intéressante d'un point de vue intellectuel, ne peut en rien soigner une dent douloureuse dans le présent. A fortiori un cœur douloureux. Un cœur douloureux ne pourrait être soigné que par une douleur encore plus forte. Ç'est ce qui explique pourquoi ce héros s'était assis là et attendait que le soleil se lève pour le fixer sans ciller.

La boule de feu commença à pointer à l'est et Froïke prit une grande inspiration. Il était fin prêt. Un jour nouveau se levait et il le regarderait en son noyau, le regarderait sans faiblir, comme il regardait ses soldats indisciplinés jusqu'à les faire éclater en sanglots, comme il regardait les prisonniers arabes jusqu'à les obliger à parler. Lui et le soleil se dévisageraient une fois pour toutes et, s'il perdait la vue dans ce duel avec la grande lumière, peu importe. Il est des temps où la cécité représente pour l'homme un moindre mal. Puisqu'il ne reverrait jamais plus ni Sonia ni son enfant.

L'astre rayonnait à présent de toute sa splendeur

au-dessus des collines. Bien droit, le numéro deux de l'Organisation fixait des yeux la grande illumination, ordonnant à ses paupières de ne pas se fermer. Elles lui obéirent, même lorsque la gêne se fit morsure, que la morsure se fit souffrance, que la souffrance se fit torture, que la torture se fit pupilles brûlées, écran opaque, noir.

Et pourtant, on le nomma ministre des Transports. Les lunettes noires qu'il fut contraint de garder en permanence après cette fameuse matinée et jusqu'au jour de sa mort n'enlevèrent rien à son aura. Au contraire. Elles lui conféraient un prestige qui ne fit qu'augmenter son charisme naturel. Les parents qui avaient donné son prénom à leurs enfants alors qu'il n'était que le numéro deux de l'Organisation purent dès lors hocher la tête de satisfaction.

De fait, Éfraïm Grinberg évolua très bien. Il avait été sevré à deux ans et un mois, ce qui ne l'empêcha pas, jusqu'à sa quatrième année, de loucher avec envie vers les seins onctueux de sa mère. Adulte, il devint un des plus importants experts immobiliers du pays.

Éfraïm Sharabi se vit remettre ses galons d'officier au cours d'une cérémonie solennelle qui se déroula juste avant la fête de la nouvelle année hébraïque et il mourut dix jours plus tard, aux premières heures de la guerre de Kippour.

Éfraïm Yémini quitta son kibboutz pour s'installer en ville, où il prit grand plaisir à reluquer les femmes qui habitaient au rez-de-chaussée. Il fut arrêté, mis en prison, libéré, opéra un retour radical à la foi et ne laissa plus traîner ses yeux que sur les pages de la Guemara.

D'autres bébés prénommés Éfraïm grandirent et devinrent des hommes que l'on appelait Éfraïm, qui avec affection ou reproche, qui avec admiration ou tendresse. Le lieutenant-commandant, présentement ministre des Transports, les croisait rarement et ne s'intéressait pas beaucoup à eux. Son temps libre, il le passait à jouer aux échecs par correspondance contre des amateurs du monde entier. Il avait un faible pour un exilé jordanien qui vivait à Paris et lui envoyait des lettres remplies de coups brillants et d'insultes pertinentes. Il finit par épouser une femme prénommée Edna (elle se serait prénommée Hannah ou Tsila que cela n'aurait fait aucune différence). Il la respecta et en retour elle lui donna des jumeaux. Lorsqu'il se promenait avec ses deux garçons dans la rue, tenant une petite menotte confiante dans chaque main, il ressentait quelque chose qu'on pouvait définir sans conteste comme du bonheur. Si, au cours d'un week-end à la campagne, ils passaient devant une orangeraie, il leur ordonnait aussitôt de fermer les fenêtres de la voiture. Après sa mort, on proposa son nom à plusieurs reprises en commission de dénomination des rues, mais il était chaque fois devancé par un général plus important, un poète ou un autre plus grand militant sioniste.

Il est difficile de savoir ce que l'on peut tirer comme leçon du destin d'un tel homme à partir d'une description aussi succincte, car le fil des événements d'une vie ne pourra jamais remplacer la vie elle-même. Par souci de vérité historique, force nous est de reconnaître qu'il avait laissé une part de lui-même à l'hôpital, auprès de Sonia et de Yaïr, le jour où il les avait quittés pour aller défier le soleil. À ses obsèques, qui furent célébrées en grande pompe et accompagnées d'éloges funèbres dans tous les quotidiens du soir, sa femme raconta qu'elle ne l'avait jamais vu pleurer.

ET PUIS

« La semaine de deuil s'effectuera dans la maison du défunt. » Debout sur le trottoir, Yehouda Grinberg considère pendant de longues minutes le faire-part de décès qui l'oblige à exhumer des abysses de sa mémoire un certain Yaacov Markovitch, à y pêcher le souvenir d'un homme falot et imprévisible, à lui redonner du mouvement au fil des jours puis au fil des mois, comme lorsque l'on fait défiler rapidement des feuilles d'un cahier et que, soudain, dans le coin inférieur, les croquis esquissés se fondent en un seul personnage animé. Car bien que ce Yaacov Markovitch ait toujours paru vieux, qu'il ait toujours eu ce visage figé à la peau ridée et aux yeux trop enfoncés, il avait apparemment vieilli un peu plus chaque jour car, sinon, comment expliquer qu'était arrivé le moment précis où il avait été suffisamment vieux pour mourir ?

Entre l'épicerie et le jardin d'enfants, un faire-part de décès identique demande pareillement réparation pour la mémoire de Yaacov Markovitch alors que la chose était déjà presque sortie de la tête de Yehouda Grinberg. Il n'avait pas fait plus de dix pas, mais la liste des courses, la trop grosse facture d'électricité et une petite pensée scabreuse... bref, tous ces soucis quotidiens ne pouvaient à présent que se confondre en excuses d'avoir chassé de son esprit cette affichette en papier blanc encadrée de noir. Car comment osait-il songer aux seins de Frouma qui pendouillaient, tel un suicidé, au-dessus de son nombril, à leur peau encore si blanche et à leurs tétons en forme de cédrats, alors que Yaacov Markovitch se racornissait, passait d'aujourd'hui à hier (à ce propos, il serait intéressant de savoir quand ce type avait touché des seins pour la dernière fois, à supposer qu'il en ait touché un jour) ?

C'est mal d'avoir de telles pensées au sujet d'un défunt, mais c'est tout aussi mal de coller autant de faire-part dans une si petite rue ! Quelqu'un avait fait preuve d'un exaspérant excès de zèle. Soudain Yehouda Grinberg a un pincement au cœur : et si c'était l'œuvre des petits-enfants de ce Yaacov Markovitch, à supposer qu'il en ait eu ? Peut-être avaient-ils, par mauvaise conscience, voulu remplir la rue de feu leur grand-père ? Tant qu'il était en vie, ces jeunes n'avaient sans doute pas marché avec lui pour franchir le kilomètre d'éternité qui séparait son immeuble du parc mais, maintenant qu'il était mort, ils avaient emprunté exactement le même chemin pour lui construire, mètre après mètre, un mémorial de papier et de Scotch. Devant le troisième faire-part, Yehouda Grinberg s'arrête et lit avec attention : oui, il avait trois petits-enfants, ce Yaacov Markovitch. Et pourtant, à l'évidence, non, ce n'était pas eux qui s'étaient chargés du collage intempestif des affichettes. Travail trop barbant pour des adolescents, trop fatigant pour leurs parents. Ce devait donc être un jeune commis au regard fermé qui, pressé d'en finir, s'était dédouané en remplissant la rue avec tous les Yaacov Markovitch qu'il avait dans sa sacoche.

Yehouda Grinberg songe qu'il lui suffit de tourner le coin pour en avoir le cœur net. Et effectivement, il découvre qu'aucune grille d'immeuble ne s'encombre ici du souvenir du bonhomme. Un peu plus loin, sur le panneau d'affichage, il n'y a qu'une fillette de douze ans proposant ses services de baby-sitter et l'annonce de l'ouverture d'un cours de danse folklorique au centre d'animation local. La pétarade du scooter du colleur d'affichettes retentit alors à ses oreilles et s'en va vers un autre quartier avec une autre pile de faire-part de décès dans sa sacoche. Sauf que ce grondement de moteur oblige Yehouda Grinberg à vite vite se cramponner aux seins de Frouma dont les tétons ressemblent à des cédrats, à sa douce odeur de transpiration mêlée à son parfum délicat, sous laquelle guette une autre odeur, inéluctable, celle de chairs en décomposition.

La frayeur qui saisit Yehouda Grinberg se serait peut-être un peu dissipée s'il avait su qu'au matin de sa mort Yaacov Markovitch s'était réveillé, le visage respirant la poésie, avec, venant lui chatouiller les narines, l'odeur du pain qu'il humerait dès qu'il descendrait, par l'escalier ou l'ascenseur enfin réparé, puis passerait devant les trois immeubles qui le séparaient de l'épicerie.

Alors, malgré les rhumatismes et le sol gelé, il s'était levé de son lit, oui, il s'était levé, alléluia, et avait commencé à s'habiller. Il s'était brossé les dents en veillant à ne pas se regarder dans le miroir. Dans l'ascenseur, suspendu dans les airs par la grâce de ses fils d'acier, Yaacov Markovitch avait remercié la petite cabine qui le protégeait tel un ventre maternel et le descendait, ô miracle, vers le rez-de-chaussée.

Maintenant la rue. Il fait plus chaud que la veille. En hiver impossible de se tromper, en été c'est moins évident. Yaacov Markovitch avance péniblement le long du trottoir, encore deux immeubles et il sera arrivé. En chemin il se souvient d'une phrase qu'il a un jour découpée dans le supplément du week-end : « La floraison du cerisier ne signifie pas l'arrivée du printemps, mais le printemps lui-même », une phrase qu'il avait, sans vraiment la comprendre, collée sur la porte du réfrigérateur avec un aimant.

La porte du réfrigérateur. C'est ce qu'il préfère de tout l'appartement. Par petits morceaux, il l'a tapissée de sagesse en résumé, des mots qu'il a studieusement extraits de livres, de journaux, de discours prononcés par des dirigeants politiques : les mots qu'on ne lit pas perdent leur saveur, un arbre qui tombe au milieu de la forêt pourrit si personne ne le voit. Sur le réfrigérateur, ils étaient sans cesse rafraîchis, rougissant dans une danse perpétuelle : on ne pouvait les louper quand on prenait le lait pour le café du matin, quand on rangeait les courses, quand on volait une petite cuillerée de confiture avant le déjeuner. À chaque fois, l'œil s'arrêtait sur une ligne. Parfois sur du Ben Gourion, parfois sur du Weizmann, et parfois on terminait tout un bocal de cornichons au vinaigre face à la colère de Jabotinsky.

Il arrive enfin à l'épicerie, la radio lui marmonne un salut enjoué. Le vendeur décharge des cartons dans l'arrière-boutique. Il sait ce qu'il veut, mais regarde quand même tout autour et se retrouve cerné de paquets de bonbons multicolores. C'est plein de rouge, de vert, de jaune, de bleu, à en devenir ridiculement gai. Il ne veut que du pain, du pain avec sa croûte brune et son odeur. Une miche de pain, c'est tout. Il ne vient que pour ça. Et trouve ce qu'il veut. Quatre shekels soixante-dix, posés sur le comptoir. Alléluia.

En sortant de l'épicerie, il croise une femme, accompagnée de sa petite fille. La femme lui fait un sourire ravi.

— Yaacov, comment allez-vous ?

Car il s'avère que cette femme était une amie de son fils autrefois. Il la scrute attentivement, cherche dans ses traits des signes familiers. Mais le visage se dérobe. Les cheveux sont teints, impossible de dire si les boucles sont naturelles et les lunettes noires cachent ses yeux. Mais les lèvres, sous le rouge. Oui, Yaacov, tu peux entrer par là. Alors il se concentre sur les lèvres et, ça y est, il se rappelle, dans la brume de ses souvenirs il les voit grimacer de douleur, il voit l'adolescente allongée dans un lit d'hôpital à côté de son fils et il se voit, assis à son chevet, en train de lui raconter des histoires de pays lointains et de princesses toutes proches jusqu'à ce qu'elle s'endorme. Il se voit rajuster la couverture autour de son corps, content et aussi un peu triste parce qu'il aurait pu continuer à lui raconter tant de choses à cette petite blonde.

C'est à présent une femme qui lui embrasse le cou et pousse sa fille à donner un bisou au papi, mais il se rend compte du dégoût de la gamine, il sait qu'il a une odeur de vieux, une odeur que captent toujours les enfants. Les adultes aussi. Mais eux n'ont pas le droit de le montrer.

— Non, non, c'est inutile, laisse-la, se hâte-t-il de dire.

Et comme il en a assez du dégoût de la fillette autant que de la politesse de la maman, il s'en va, prend la direction du parc avec sa miche de pain dans un sac plastique, il la sent battre contre sa cuisse. Il croise des parents qui accompagnent leurs enfants à l'école, des pères et des mères qui vont au travail et se dépêchent, tout le monde se dépêche. Autour de lui des bribes de phrases fusent :

— N'oublie pas ton sandwich.

— Je rentre à midi.

— Mais pourquoi ?

— Arrête de discuter !

— C'est moi qui paierai la femme de ménage.

Il les écoute comme une chanson connue à la radio dont on peut presque fredonner le refrain.

— On en reparle plus tard.

— On se retrouve à midi.

— J'appellerai ce soir.

Tout un présent qui dessine un futur. Et seul Yaacov Markovitch est là, tellement là qu'il arrive au bout du grillage du jardin d'enfants, jette un coup d'œil à l'intérieur avant de continuer son chemin, et ce qu'il voit le comble : deux bouts de chou hypnotisés qui contemplent une tortue.

Un très vieil homme le dépasse et le salue de la tête. Il répond de la même manière. Ne se souvient plus de son nom, peut-être ne l'a-t-il jamais su, mais l'année précédente, quand tout à coup il n'avait plus croisé ce monsieur tous les jours au coin de la rue, il en avait été aussi peiné que s'il avait perdu un ami. Et lorsque, quelques jours plus tard, le vieillard était réapparu, il avait bien failli lui parler, oui, il avait failli briser dix ans de charmantes salutations silencieuses. Par chance, il s'était retenu à temps – les pigeons l'attendaient. Aujourd'hui aussi, les pigeons l'attendent à la porte du parc, l'accueillent en roucoulant, douce mélodie qui exprime la faim, l'impatience et la gratitude.

Après le froid du carrelage, le miracle de l'ascenseur, les couleurs de l'épicerie, le refrain de la rue, Yaacov Markovitch s'assied sur le banc humide. Les pigeons, parfaitement rodés à l'exercice, se rassemblent autour de lui en demi-cercle, élèves disciplinés autour du rabbin. Et il se met à leur susurrer des mots sur tous les tons, se plaint un peu de l'heure matinale, insiste un peu sur la longueur du trajet, s'enquiert un peu de leur santé (surtout par politesse). Un passant – s'il y en avait eu un – aurait été submergé de pitié à la vue de ce vieil homme en train de parler aux pigeons en hébreu et en yiddish. Pitié inutile ! Par chance, le parc est désert. Il faudrait attendre encore une heure avant que les collégiens en tenue de gymnastique ne viennent effectuer leur jogging matinal. Il aime les observer à ce moment-là, essaie de saisir l'instant précis où ils changent, où leur regard se durcit, où le masque de plâtre se solidifie, et voilà l'enfant transformé en adolescent. Il n'y arrive jamais, comme s'il contemplait un spectacle de magie et qu'éternellement il échouât à discerner le truc. Si, si, elle était là, la colombe, il y a un instant à peine, je le jure, il y avait là une colombe, je le jure, comment a-t-elle pu disparaître dans le chapeau ? Avec les enfants c'était pareil, jamais il ne mettait le doigt sur le point précis et ne s'en rendait compte qu'a posteriori : tel gamin aux taches de rousseur cessait un beau jour d'essayer de se suspendre à la branche du pin ; tel petit grassouillet dont en début d'année on appréciait les inventions et à qui maintenant tout le monde tourne le dos, lassé.

Un premier pigeon ose s'écarter du cercle à ses pieds et saute carrément sur le banc. Ses compagnons le regardent, ahuris. Yaacov Markovitch sourit à ce courageux et le récompense avec une miette remarquablement grosse. Un autre pigeon atterrit sur le banc. Et encore un. Le bruit de leurs battements d'ailes emplit le parc en général et Yaacov Markovitch en particulier. Il regrette de ne pas avoir apporté une miche de pain supplémentaire. C'est pareil tous les jours, il regrette de ne pas avoir apporté une miche de pain supplémentaire. Et soudain, tous les pigeons s'envolent en même temps, disparaissent dans le ciel et l'abandonnent. Étonné, il regarde autour de lui, qui donc a fait fuir le seul instant de grâce de sa journée ? Ils sont quatre. Trois hommes et une mariée. Un des hommes tient une caméra vidéo, un autre un appareil photo et le troisième, la main de la mariée. Sans plus attendre, ils entament une chorégraphie des plus complexes : les deux hommes, objectifs braqués, tournent autour des mariés, lesquels tournent l'un autour de l'autre.

Aucun d'eux ne prête attention au pain, aux pigeons envolés, à Yaacov Markovitch.

Yaacov Markovitch qui roule la mie entre ses doigts, creuse encore et encore dans la miche blessée, peut-être que, dedans, le boulanger a enfoui un miracle rien que pour lui. Un pigeon solitaire revient se poser sur le banc. Il reconnaît le courageux de tout à l'heure et lui promet intérieurement une longue descendance de pigeons sans peur et sans reproche. Mais voilà qu'un cri perçant fait fuir le preux chevalier et interrompt les prédictions optimistes de Yaacov Markovitch. La robe de la mariée a été salie par de la résine, la chose s'est certainement produite quand elle se faisait photographier en train de serrer un tronc entre ses bras. Les hommes lui murmurent des phrases apaisantes, mais elle secoue la tête (rien que la location, c'est cinq mille shekels, Dieu sait le prix qu'ils vont exiger pour les dégâts !). Yaacov Markovitch essaie d'évaluer le nombre de miches de pain qu'on peut acheter avec cinq mille shekels. Il est encore en train de faire le calcul qu'un des photographes se tourne vers lui et lui demande de se pousser, juste un peu, juste pour quelques minutes, une dernière prise de vue sur le banc. Il a envie de leur dire : mais allez-y, il y a de la place, asseyez-vous à côté de moi et faites-vous photographier autant que vous voudrez. Mais il ne le dit pas. Pourquoi sa vieillesse entacherait-elle ce jour de fête. Et tout à coup, il comprend : deux et deux font quatre. Le soleil se couche à l'ouest. Il va bientôt mourir.

Yaacov Markovitch, plus seul que jamais, se lève du banc, roulant toujours les restes de mie de pain entre ses doigts. Alors, dans ce parc désert et silencieux, il se permet la colère. Et sa colère est grande, elle est si terrible que la terre manque d'exploser. Ensuite, il se permet la jalousie. La peau de la jeune femme est aussi rose et charmante que sa jalousie est brûlante. Enfin, il se permet l'amour. Le ciel n'en devient pas plus bleu, mais ses yeux se mouillent. Peut-être est-ce pour cela qu'au début il ne remarque pas les pigeons. Bleus, violets, gris, rouges. Tous roucoulent vers lui d'une seule voix claire. Il rompt un petit morceau de croûte et leur tend la main. Le plus courageux vient se poser sur son médius. Il ne mange pas le pain, mais arrache un peu de chair à son doigt. Yaacov Markovitch rétrécit de plus en plus. Il s'émiette. Un autre pigeon arrive. Et encore un. Et encore un. Yaacov Markovitch pense à la porte de son réfrigérateur, ensuite il pense à Jabotinsky et à la résine sur la robe de la mariée, ensuite il pense à la plus belle femme qu'il ait vue de sa vie. Et à la fin, il ne pense à rien. Le groupe de pigeons termine son travail et s'envole en un même battement d'ailes. Yaacov Markovitch monte au ciel dans un tourbillon. Alléluia.